T5-AEX-492

Regina Hausmann:

Das Martyrologium von
Marcigny-sur-Loire

Edition einer Quelle zur
cluniacensischen Heiligenverehrung
am Ende des elften Jahrhunderts

HochschulVerlag

CIP-Kurztitelaufnahme der Deutschen Bibliothek

Hausmann, Regina:

Das Martyrologium von Marcigny-sur-Loire :
Edition e. Quelle zur cluniacens. Heiligenverehrung
am Ende d. 11. Jh. / Regina Hausmann. —
Freiburg (Breisgau) : Hochschulverlag, 1984.

(Hochschulsammlung Philosophie : Geschichte ; Bd. 7)

ISSN 0720-5228
ISBN 3-8107-2197-2

NE: Hochschulsammlung Philosophie / Geschichte

Diss. phil. Freiburg 1980

Bx
4660
.A1
1984c

© 1984 by Regina Hausmann and HochschulVerlag, Freiburg
Alle Rechte vorbehalten — All rights reserved
Gedruckt nach dem Typoskript der Autorin
Printed in Germany by Boscolo & Mohr, Karlsruhe

Meinen Eltern

Meinen verehrten Lehrern, Frau Professor Dr. Johanne Autenrieth
und Herrn Professor Dr. Joachim Wollasch, die die Arbeit über
Jahre hinweg wohlwollend mit Anregungen und Ratschlägen beglei-
teten, gilt mein herzlicher Dank.

Danken möchte ich auch den zahlreichen in- und ausländischen
Bibliotheken, die mir die Untersuchung der Handschriften bereit-
willig gestatteten, sowie der Ambassade de France und dem DAAD,
die durch Stipendien die notwendigen Reisen ermöglichten.

Ein Stipendium nach dem Graduiertenförderungsgesetz trug wesentlich dazu bei, die Untersuchungen fortzusetzen - auch hierfür sei
ausdrücklich Dank gesagt.

Daß dennoch Jahre zwischen Arbeitsbeginn und Drucklegung vergin-
gen, ist dem Umstand zuzuschreiben, daß ich aufgrund meiner Be-
rufstätigkeit seit 1974 die Auswertung des gesammelten Materials
nur noch in der Freizeit vornehmen konnte.

Der Geschwister Boehringer Ingelheim Stiftung für Geisteswissen-
schaften in Ingelheim am Rhein gilt schließlich mein aufrichtiger
Dank für die Gewährung eines großzügigen Druckkostenzuschusses.

INHALTSVERZEICHNIS

EINLEITUNG   1

A. DAS MARTYROLOGIUM DER HANDSCHRIFT PARIS BIBLIOTHÈQUE
   NATIONALE nouv. acq. lat. 348
   (Fonds de Cluni N°. 98)   9

   I. Herkunft und Entstehungszeit der Handschrift . . .   9

   II. Beschreibung der Handschrift 13
       1. Der codicologische und paläographische Befund . 13
       2. Der Inhalt der Handschrift 15
       3. Die verschiedenen Fassungen des Ado-Martyro-
          logiums und ihre Klassifizierung nach Quentin . 17
       4. Sprachliche Besonderheiten 19

   III. Die liturgischen Rubriken 21
        1. Die zeitliche Einordnung der Rubriken aufgrund
           äußerer Kriterien 21
        2. Erklärung der Rubriken aus dem Vergleich mit
           cluniacensischen Consuetudines 22
        3. Vorläufige Ergebnisse aus dem Vergleich von
           Randnotizen und Consuetudines für die Entwick-
           lung des cluniacensischen Sanctorale 27

   IV. Die Transkription des Textes von fol. 8^r - 42^v . . 30

   V. Besonderheiten der Ado-Handschriften der ersten
      Familie 114
      1. Die Papsteinträge 114
      2. Die Einträge der Bischöfe von Vienne   115

   VI. Abweichungen von dem durch Quentin erschlossenen,
       ursprünglichen Adotext 116

   VII. Zusätze und Nachträge zum Ado-Martyrologium . . . 118

B. DAS MARTYROLOGIUM VON MARCIGNY-SUR-LOIRE ALS
   QUELLE FÜR DIE CLUNIACENSISCHE HEILIGENVEREHRUNG . . . 137

   I. Heilige, die der allgemeinen Martyrologtradition
      angehören, für die jedoch keine liturgische Ver-
      ehrung in Cluny nachgewiesen werden konnte 139

   II. Heilige, die einzig und allein im Martyrologium
       von Marcigny eingetragen sind 140

   III. Heilige des Martyrologiums von Marcigny, die so-
        wohl in anderen cluniacensischen Martyrologien als
        auch in den übrigen liturgischen Quellen ver-
        zeichnet sind 142

C. DAS MARTYROLOGIUM VON MARCIGNY-SUR-LOIRE IM VERGLEICH
   MIT LITURGISCHEN QUELLEN AUS CLUNY UND DEN CLUNIACEN-
   SISCHEN REFORMZENTREN 154

   I. Überblick über die in der Synopse erfaßten Quellen-
      gattungen 157

   II. Die in der Synopse berücksichtigten Quellen 161

   III. Synopse 175

   IV. Ergebnisse aus der vergleichenden Betrachtung der
       Synopse 252

ZUSAMMENFASSUNG 263

EXKURS I : Die Fresken von Berzé-la-Ville als Abbild
            der cluniacensischen Heiligenverehrung . . . 266

EXKURS II : Regensburger und süddeutsche Heilige im Mar-
            tyrologium von Marcigny - cluniacensische
            Heilige in süddeutschen Martyrologien 274

Register der Heiligen und Personen 281

Literaturverzeichnis 289

Abbildungen 307

EINLEITUNG

Martyrologien und Heiligenviten, Necrologien und Kalendarien,
wie überhaupt die liturgische Textüberlieferung des Mittelalters - seit je ein bevorzugtes Arbeitsfeld der Bollandisten
und allenfalls der Liturgiewissenschaftler - haben in jüngster
Zeit auch bei den Mediävisten Interesse gefunden. Das immer
wieder zu konstatierende Einwirken geistlicher und klöster-
licher Gemeinschaften auf politische und gesellschaftsbezoge-
ne Prozesse des Mittelalters führte zu der Frage nach der per-
sonalen Zusammensetzung dieser Gemeinschaften, ihren geistigen
Wurzeln, ihrer Spiritualität und ihrer liturgischen Praxis
einerseits, andererseits zu der Frage nach den Beziehungen
dieser Gemeinschaften untereinander. Hier sind die Martyrologien nicht nur als liturgische Textgattung sui generis von
Bedeutung, sondern auch als Quelle für lokale Heiligenkulte.
Darüber hinaus vermitteln sie nicht selten Einsichten über
freundschaftliche Beziehungen zwischen weit voneinander ent-
fernten Gemeinschaften und können somit die Ergebnisse der
Memorialforschung[1] in vielen Fällen ergänzen.

Lange Zeit war H. Quentins[2] umfassendes Werk über die historischen Martyrologien unbeachtet geblieben. Erst mit der bei-
spielhaften Neuedition des Usuard-Martyrologiums durch J. Dubois[3] und dem Nachdruck von Quentins Werk ist die Martyrologforschung erneut in Bewegung geraten.

Die Arbeit berücksichtigt den Forschungsstand bis zum Jahr 1980;
soweit möglich wurden jedoch neuere Forschungsergebnisse nachgetragen.

1) Hierzu künftig Karl SCHMID und Joachim WOLLASCH, Memoria.
   Der geschichtliche Zeugniswert des liturgischen Gedenkens
   im Mittelalter (Münstersche Mittelalter-Schriften 48) im
   Druck.

2) Henri QUENTIN, Les martyrologes historiques du moyen âge,
   Paris 1908, Nachdruck Aalen 1969.

3) Jacques DUBOIS, Le martyrologe d'Usuard. Texte et commentaire (Subsidia Hagiographica 40) Brüssel 1965.

Noch um die Jahrhundertwende hatte H. Achelis[4] behaupten
können, daß die Martyrologien - angefangen beim Parvum Romanum[5] bis hin zum Martyrologium Romanum[6] - wenig Besonderheiten enthielten, kaum lokale und zeitgeschichtliche Beziehungen widerspiegelten, ja ihre "Individualität" äußerst gering
sei. Dieses Urteil, bedingt durch den einseitigen Blick auf
das Martyrologium Hieronymianum und von den greifbaren Martyrologeditionen ausgehend, wird den uns überlieferten Handschriften historischer Martyrologien jedoch keineswegs gerecht.

Erst der Vergleich der Martyrologhandschriften mit dem Text
des jeweiligen Martyrologtypus' einerseits, dann der Vergleich
verschiedener Martyrologhandschriften untereinander offenbart,
welch reiche Überlieferung an lokaler Heiligenverehrung und
an geistes- wie zeitgeschichtlichen Einflüssen in ihnen enthalten ist - eine Überlieferung, die sowohl über die liturgische Praxis eines Klosters oder einer Kirche als auch über deren historisches Spannungsfeld Aufschluß geben kann.

H. Quentin hat für diese vergleichenden Untersuchungen die Vor-
aussetzungen geschaffen, indem er für jeden Martyrologtypus
den Eigenbestand an Heiligennotizen, seine Quellen sowie die
Abhängigkeit von den älteren Martyrologien aufzeigte. Damit
ist für die Martyrologien von Beda bis Ado eine Art gemeinsa-
mer Nenner gegeben, der bei künftigen Martyrologeditionen
richtungsweisend sein wird.

Dieser methodische Ansatz wurde von J. Dubois bei der Neuedition des Usuard-Martyrologiums[7] und jüngst bei der Edition der

---

4) Hans ACHELIS, Die Martyrologien, ihre Geschichte und ihr
   Wert (Abhandlungen der Kgl. Gesellschaft der Wissenschaften
   zu Göttingen, philol.-hist. Klasse NF 3,3, 1900) S.234f.

5) Zur Datierung und Herkunft des Parvum Romanum s. QUENTIN,
   Les martyrologes S. 409 f., 464, 652.

6) Martyrologium Romanum ad novam kalendarii rationem et eccle-
   siasticae historiae veritatem restitutum, hg. von Caesar
   BARONIUS, Rom 1586.

7) Wie Anm. 3.

Vorläufer des Ado-Martyrologiums[8] konsequent weiterverfolgt.
Auch die Martyrologstudien von H. Rochais[9] müssen in diesem
Zusammenhang erwähnt werden. Rochais' Untersuchungen zeigen
die Möglichkeiten auf, Martyrologien nicht nur als liturgische Quelle zu betrachten, sondern die Einträge, die über den
jeweiligen Martyrologtypus hinausgehen, historisch auszuwer-
ten und aus ihnen Aufschlüsse über die geistliche Gemeinschaft
zu gewinnen, in der das Martyrologium benutzt wurde.

Wie Rochais sein Augenmerk auf die cisterciensische Martyro-
logüberlieferung richtete, so soll im folgenden die cluniacensische im Mittelpunkt stehen. Dabei liegen die Überliefe-
rungsverhältnisse im Falle von Cluny ungleich schwieriger.
Die Martyrologtradition von Cluny und der von ihm abhängigen
Klöster und Priorate ist weder auf einen bestimmten Martyrologtypus fixiert, noch läßt sich für Cluny eine Handschrift
ausfindig machen, die wie für Citeaux der Codex Nr. 114 (82)
der Bibliothèque Municipale de Dijon[10] als Musterexemplar
gelten könnte.

Überhaupt sind bisher nur zwei Martyrologhandschriften des
11. Jahrhunderts bekannt geworden, die mit Sicherheit in
Cluny bzw. in dessen allernächster Nähe entstanden sind. Zum
einen handelt es sich um die Handschrift Paris BN lat. 17742,
ein Usuard-Martyrologium, das nach 1087[11] in Cluny entstanden
ist und im 12. Jahrhundert in S. Martin-des-Champs weiterbe-

---

8) Jacques DUBOIS et Genevieve RENAUD, Edition pratique des
   martyrologes de Bede, de l'anonyme Lyonnais et de Florus
   (Bibliographies, Colloques, Travaux préparatoires du CNRS)
   Paris 1976.

9) Henri ROCHAIS, Analyse critique de martyrologes manuscrits
   latins, 2 Bde. (Documentation Cistercienne 7) Paris 1972
   und ders., Le martyrologe de Saint-Ouen au XIIIe siècle
   (Paris BN lat. 15025) in: Recherches Augustiniennes 11,
   1976, S. 215-284.

10) Henri ROCHAIS, L'exemplar du Martyrologe Cistercien (Dijon
    114 (82)) (Documentation Cistercienne 7,2) Paris 1972.

11) Der terminus post quem ergibt sich aus dem Eintrag der
    translatio S. Nicholai (9.5.1087) von anlegender Hand.

benutzt wurde[12], zum anderen um die Handschrift Paris BN
nouv. acq. lat. 348, ein Ado-Martyrologium, ebenfalls nach
1087[13] nach einer Vorlage aus Cluny in dem Frauenkloster
Marcigny-sur-Loire entstanden, das mit Cluny zusammen eine
klösterliche Gemeinschaft[14] bildete.

Beide Handschriften unterscheiden sich in dem Heiligenbestand, der über die jeweilige Ado- bzw. Usuard-Substanz hin-
ausgeht, nur unwesentlich. Doch einige Einträge, die in BN
nouv. acq. lat. 348 fehlen[15] bzw. als Nachträge[16] erscheinen,
in BN lat. 17742 jedoch von anlegender Hand sind, lassen den
Schluß zu, daß das Ado-Martyrologium die ältere Handschrift
ist.

Da die Handschrift BN nouv. acq. lat. 348 überhaupt das einzige Ado-Martyrologium ist, das aus einem cluniacensischen
Kloster überliefert ist, muß man davon ausgehen, daß sie der
letzte Textzeuge einer älteren Tradition ist, die um die Wende
vom 11. zum 12. Jahrhundert durch die starke Verbreitung der
Usuard-Martyrologien abgelöst wurde. Für eine verlorengegan-
gene Vorlage spricht auch der paläographische Befund[17].

---

12) Jean VEZIN, Un martyrologe copié à Cluny à la fin de
l'abbatiat de S. Hugues (Hommages à André Boutemy, Collection Latomus 145) Brüssel 1976, S. 404-412.

13) Wie Anm. 11.

14) Joachim WOLLASCH, Die Überlieferung cluniacensischen To-
tengedächtnisses (Frühmittelalterliche Studien 1, 1967,
S. 389-401) S.393.
Unter dieser Voraussetzung ist es erlaubt, die Handschrift
BN nouv. acq. lat. 348 als direkte Quelle für Cluny in
Anspruch zu nehmen.

15) Z.B. 17.1. Alexius, 25.8. Aredius.

16) Z.B. 16.10. Junianus.

17) S.u. Anm. 42.

Daß dieser Martyrologtext kein Einzelfall ist, sondern in der
alltäglichen liturgischen Praxis benutzt wurde, ergibt sich
aus der Tatsache, daß das Martyrologium mit Benediktsregel
und Necrologium zu einer Einheit - einem Kapiteloffiziumsbuch[18] - zusammengebunden ist.

Auf den praktischen Gebrauch der Handschrift deuten noch wei-
tere Anzeichen: zum einen wurde das Martyrologium von einer
Hand, die der anlegenden Hand zeitlich sehr nahe steht, mit
Rubriken und Lektionsangaben zu bestimmten Heiligenfesten ver-
sehen, die - obwohl bedauernswerterweise nicht konsequent
durchgeführt - dem Martyrologium fast den Charakter eines
Festkalenders geben; zum anderen wurden von verschiedenen
Händen erst später eingeführte Heiligenfeste nachgetragen,

---

18) Schon die Aachener Synode von 817 hatte für das Officium
capituli nach der Prim Lesungen aus Martyrolog und Regel
vorgeschrieben (s. CCM 1, S. 480, cap. XXXVI). Das Memoriale qualiter II erwähnt im gleichen Zusammenhang auch
die Verlesung des Necrologs (s. CCM 1, S.270, cap. II).
Daraus ergab sich zwangsläufig die Vereinigung der im
Officium capituli benötigten Texte zum sogenannten Liber
capitularis, Kapiteloffiziumsbuch oder Kapitelsbuch.
Zur Entwicklung und Geschichte der Kapiteloffiziumsbücher
s. Baudouin de GAIFFIER, De l'usage et de la lecture du
martyrologe. Témoignages antérieurs au XIe siècle, in:
Analecta Bollandiana 79, 1961, S.40-59; Pierre SALMON,
Les manuscrits liturgiques latins de la Bibliothèque Va-
ticane IV (Studi e testi 267) Rom 1971, S. XI f.; Johanne
AUTENRIETH, Der Codex Sangallensis 915. Ein Beitrag zur
Erforschung der Kapiteloffiziumsbücher, in: Festschrift
für Otto Herding (Veröffentlichungen der Kommission für
gesch. Landeskunde in Baden-Württemberg, Reihe B, 92)
Stuttgart 1977, S. 42-55; Joachim WOLLASCH, Zu den Anfängen liturgischen Gedenkens an Personen und Personengruppen in den Bodenseeklöstern, in: Freiburger Diözesan-
Archiv 100, 1980, S. 59-78; Jean-Loup LEMAÎTRE, Le livre
de chapître, in: Memoria (s. Anm.1); ders., Répertoire
des documents nécrologiques français 1 (Recueil des Historiens de la France, Obituaires 7) Paris 1980, S. 8 f.

die auf eine Benutzung des Martyrologiums[19] noch am Ende des
12. Jahrhunderts schließen lassen. Diese Anzeichen praktischen
Gebrauchs werden durch einen weiteren Umstand bestätigt: das
Ado-Martyrologium liegt hier in einer stark gekürzten Fassung
vor, d.h. es ist den Bedürfnissen einer kurzen Lesung im Officium capituli angepaßt. Die Normalfassung des Ado- Martyrologiums hatte sich wegen ihrer übermäßigen Länge für diesen Zweck
als unbrauchbar erwiesen. Das war wohl auch der Hauptgrund dafür, daß sich im 12. Jahrhundert der Gebrauch des wesentlich
knapperen Usuard-Martyrologiums allgemein durchsetzte.

Die bereits oben beschriebene, aus praktischen Gründen sinn-
volle Verknüpfung von Martyrologium, Benediktsregel und Necrologium im Kapiteloffiziumsbuch deutet zugleich auf einen zentralen Gedanken der cluniacensischen Spiritualität: der Heilige
galt als Fürsprecher vor Gott, der dem Gebet der Mönche und
Nonnen für die Verstorbenen wie für die Lebenden besonderes Ge-
wicht verlieh. Bei der Martyrologlesung im Officium capituli,
der Rezitation langer Heiligenlitaneien zu den verschiedensten
Anlässen, bei der Lesung der Heiligenvita während Matutin und
3. Nocturn anläßlich eines besonderen Heiligenfestes und schließlich bei der Tagesmesse, die je nach der Bedeutung des Heiligen
von unterschiedlicher Festlichkeit geprägt war[20] - bei all diesen Aktionen waren sich die Mönche der vermittelnden, fürbitten-
den Rolle der Heiligen bewußt, waren Leben und Wirken der Heiligen Anreiz und Beispiel für ihre eigene Frömmigkeit.

---

19) Die Nachträge im Necrologium, das bereits in einer älteren
Edition vorliegt (Das Necrologium des Cluniacenser-Priorates Münchenwiler (Villars-les-Moines), hg. von Gustav SCHNÜ-
RER (Collectanea Friburgensia NF 10) Freiburg/Schweiz 1909)),
gehen in vereinzelten Fällen sogar über diese Zeitgrenze
hinaus. Eine Neuedition des Necrologiums ist im Druck: Synopse der cluniacensischen Necrologien. Bestandteil des Quellenwerkes Societas et Fraternitas. Hg. von Joachim WOLLASCH
u.a. (Münstersche Mittelalterschriften 39).

20) Vgl. Udalrici Consuetudines Cluniacenses, hg. von Luc D'A-
CHÉRY, Spicilegium sive collectio veterum aliquot scriptorum, Paris 1723, Bd. 1, S. 639-703, zitiert nach Migne PL
149 Cons. Udal. I,11, Sp. 654-656.

Ph. Schmitz hat bereits auf die hervorragende Rolle hingewiesen, die die täglichen Bibellesungen in der cluniacensischen Liturgie spielten[21]; als der andere prägende Faktor
der cluniacensischen Liturgie muß die Verehrung der Heiligen
angesehen werden. Inwieweit Cluny hier dem römischen Vorbild
folgte, inwieweit es offen war für die Übernahme lokaler Heiligenkulte, darüber kann am ehesten ein Vergleich derjenigen
Quellen Auskunft geben, die irgendwelche Angaben über das
cluniacensische Sanctorale enthalten.

Als Ausgangspunkt für eine solche Untersuchung bietet sich
das Martyrologium an, das selbst in den verschiedenen Martyrologtypen doch einen einheitlichen Grundbestand an Heiligennamen aufweist. Einträge, die über diesen Grundbestand hinausgehen, sowie spätere Zusätze sind erste Anzeichen für eine
eigenständige Entwicklung des Sanctorale, das in den Festkalendern dann seine komprimierteste Form findet. Zwischen
diesen beiden Polen sind die übrigen liturgischen und para-
liturgischen Quellen wie Lectionare, Breviere, Passionare
und Consuetudines einzuordnen, die zum einen die für die Feier
eines Heiligenfestes notwendigen liturgischen Texte enthalten,
zum anderen genaue Anweisungen über die Art und Weise des
Festablaufes geben. Aus der Zusammenschau dieser Quellen läßt
sich das cluniacensische Sanctorale eines bestimmten Zeitraumes erschließen.

Bedingt durch die Quellenlage wurde als Zeitraum das 10.
bis 13. Jahrhundert gewählt, wobei der Schwerpunkt der Untersuchung dem 11. Jahrhundert gilt, einer Zeit, in der die eigenständigen Züge im cluniacensischen Sanctorale am auffäl-
ligsten sind und unter dem Abbatiat Hugos des Großen einen
Höhepunkt erreichen.

---

21) Philibert SCHMITZ, La liturgie de Cluny (Spiritualità
    cluniacense, Convegni del centro di studi sulla spiri-
    tualità medievale II, 12-15 ottobre 1958, Todi 1960,
    S. 83-99) S. 90.

Die diesen vergleichenden Untersuchungen vorausgehende
Edition des Ado-Martyrologiums nach der Handschrift Paris
BN nouv. acq. lat. 348[22] erscheint aus zwei Gesichtspunkten
gerechtfertigt. Zum einen handelt es sich bei diesem Martyrologium um ein bedeutendes Zeugnis für die cluniacensische
Heiligenverehrung am Ende des 11. Jahrhunderts, zum anderen
muß diese Handschrift als einer der ältesten, noch erhalte-
nen Textzeugen für die Kurzfassung des Ado-Martyrologiums[23]
angesehen werden. Da eine Neuedition des Ado-Martyrologiums
in der Normalfassung vorerst nicht zu erwarten ist, soll bei
der Edition der Kurzfassung der Versuch gemacht werden, die
Mängel der bisherigen Editionen zu vermeiden und Quentins
Ergebnisse hinsichtlich des ursprünglichen Ado-Textes zu berücksichtigen.

Der Frage nach dem Ausmaß an "Individualität" eines Martyrologiums - in diesem Fall mit Hinsicht auf das cluniacensische Sanctorale - und den sich daraus ergebenden Interpreta-
tionsmöglichkeiten soll im zweiten Teil der Untersuchung nachgegangen werden.

Im dritten Teil wird der aus dem Martyrologium erschlossene
Festkalender in einer Synopse weiteren Zeugnissen zur cluniacensischen Liturgie gegenübergestellt werden; dadurch soll zum einen der typisch cluniacensische Charakter des Martyrologiums
bestätigt, zum anderen soll ein Überblick über die Entwicklung
der Heiligenverehrung in den cluniacensischen Reformzentren gegeben werden.

---

22) Teile der Handschrift, u.a. auch ein Auszug aus dem
    Martyrologium, wurden bereits ediert (s. SCHNÜRER,
    Das Necrologium S. 99-102).

23) Nach QUENTIN, Les martyrologes S. 468 ist nur die Hand-
    schrift Paris BN lat. 5544 dem 11. Jahrhundert zuzurech-
    nen.

A. Das Martyrologium der Handschrift Paris Bibliothèque
Nationale nouv. acq. lat. 348 (Fonds de Cluni N°. 98)

I. Herkunft und Entstehungszeit der Handschrift

Erstaunlicherweise sind die beiden Hauptteile dieser Handschrift - Martyrologium und Necrologium - als Quelle für cluniacensische Heiligenverehrung und cluniacensisches Totengedächtnis lange Zeit unbeachtet geblieben. Das ist wohl dem
Umstand zuzuschreiben, daß zwar der cluniacensische Charakter
der Handschrift bekannt war, jedoch Entstehungsort und -zeit
nicht sicher bestimmt worden waren.

L. Delisle[24] ließ sich von zwei Schenkungsnotizen für die
Kirche S. Trinitatis in Vilar[25] aus dem Jahr 1146 und dem Computus für die Jahre 1157 - 1180[26] dazu verleiten, den Bestim-
mungsort für die Handschrift in einem Cluniacenser-Priorat
Villers in der Diözese Besançon zu vermuten. A. Molinier[27] und
E. Sackur[28] folgten seiner Ansicht, als Entstehungszeit nahm
man die Mitte des 12. Jahrhunderts an, die von H. Quentin[29]
gar in das 13. Jahrhundert gesetzt wurde.

---

24) Léopold DELISLE, Inventaire des manuscrits de la Bibliothèque Nationale, Fonds de Cluni, Paris 1884, Nr. 126,
   S. 216-218.

25) Fol. 43[r] und 134[r].

26) Fol. 43[v].

27) Auguste MOLINIER, Les obituaires français au moyen âge,
   Paris 1890, S. 221, Nr. 338.

28) Ernst SACKUR, Die Cluniacenser in ihrer kirchlichen und all-
   gemeingeschichtlichen Wirksamkeit bis zur Mitte des elften
   Jahrhunderts, 2 Bde., Halle 1892-94, Nachdruck Darmstadt
   1965, hier Bd. 1, S. 383-386.

29) QUENTIN, Les martyrologes S. 468.

B. Egger[30] und nach ihm G. Schnürer[31] identifizierten diesen
Ort Vilar, der im Necrologteil der Handschrift noch mehrfach
genannt ist, mit dem Ort Münchenwiler (Villars-les-Moines)
bei Murten in der Diözese Lausanne. Hier gab es in der Tat
ein Cluniacenser-Priorat[32], in dem die Handschrift von der
Mitte des 12. Jahrhunderts bis zu seiner Auflösung Ende des
15. Jahrhunderts[33] benutzt wurde. Doch der Entstehungsort der
Handschrift blieb weiterhin im Dunkeln.

Erst die Untersuchungen von J. Wollasch[34] haben den Nachweis erbracht, daß dieses Necrologium für das cluniacensische
Frauenkloster Marcigny-sur-Loire angelegt wurde. Dieses Ergebnis darf auch auf das Martyrologium übertragen werden, denn
dieses ist von der gleichen Hand geschrieben wie das Necrologium; am Schluß der Handschrift auf fol. 134[v] nennt sich die
Schreiberin Elsendis und beendet ihr Werk mit der Bitte um
Fürbitte der von ihr eingetragenen Verstorbenen[35].

---

30 Bonaventura EGGER, Geschichte der Cluniazenser-Klöster
   in der Westschweiz bis zum Auftreten der Cisterzienser
   (Freiburger Historische Studien 3) Freiburg/Schweiz 1907,
   S. 27 Anm. 1 und S. 39 f.

31) SCHNÜRER, Das Necrologium S. II f.

32) EGGER, Geschichte der Cluniazenser-Klöster S. 39 f.

33) SCHNÜRER, Das Necrologium S. XXVII; vgl. Scriptoria medii
   aevi Helvetica, hg. von Albert BRUCKNER, Bd. XI, Genf 1967,
   S. 63 f.

34) Joachim WOLLASCH, Qu'a signifié Cluny pour l'abbaye de
   Moissac? (Moissac et l'occident au XI siècle. Actes du
   colloque international de Moissac, 3-5 mai 1963) Toulouse
   1964, S. 13-24, hier bes. S. 15 ff.; ders., Die Überlieferung cluniacensischen Totengedächtnisses S. 392 ff.;
   ders., Ein cluniacensisches Totenbuch aus der Zeit Abt
   Hugos von Cluny (Frühmittelalterliche Studien 1, 1967,
   S.406-443).

35) Quorum uel quarum nomina hic scripsi, meritis peto in
   celis adscribi, elsendis, s. die Abb. auf Tafel II bei
   Bruckner (wie Anm. 33).

Nicht nur die Herkunft der Handschrift aus Marcigny-sur-
Loire ist gesichert, auch für die Datierung brachte das Necrologium sichere Hinweise. Bei der Untersuchung der im Necrologium eingetragenen Würdenträger und Äbte, deren Todes-
tag durch mehrfache Quellenangaben bekannt ist, konnte
J. Mehne[36] die Anlage des Necrologiums auf die Zeit zwischen
April 1092 und Mai 1093 eingrenzen. Da die Anlage von Martyrologium und Necrologium nach dem gleichen Schema ausgeführt
ist, auch in der Schrift keine auffälligen Abweichungen festzustellen sind, kann dieser Zeitraum in etwa auch für die
Entstehung des Martyrologiums gelten.

Aus dem Martyrologtext selbst ergibt sich als sicherer
Datierungsfaktor nur ein 'terminus post quem': der Eintrag
der   t r a n s l a t i o   S. N i c h o l a i   a p u d
B a r u m   am 9. Mai, die im Jahr 1087 stattfand. Über Papst
Urban II., einen ehemaligen Cluniacensermönch, der 1089 die
Reliquien in die neuerrichtete Kathedrale von Bari übertrug
und deren Confessio weihte[37], konnte die Kunde von diesem Er-
eignis schnell nach Cluny gelangen.

Nur mit Vorbehalt kann der Nachtrag des Bischofs Florus
von Lodève zum 4. November als 'terminus ante quem' herangezogen werden. Es ist nicht auszuschließen, daß dieser Eintrag
ein Reflex auf die ebenfalls von Papst Urban II. am 6. Dezember 1095 vorgenommene Erhebung der Florusreliquien in S. Flour[38]
ist, die der Florusverehrung neue Impulse gab. Die Existenz
und Verehrung dieses Heiligen konnte Cluny jedoch nicht neu
sein, da bereits Ende des 10. Jahrhunderts die Kirche S. Flour
an Cluny übertragen worden war[39].

---

36) Joachim MEHNE, Cluniacenserbischöfe(Frühmittelalterliche
Studien 11, 1977 S. 241-287) S. 250 f.

37) Cyriakus Heinrich BRAKEL, Die vom Reformpapsttum geförderten Heiligenkulte(Studi Gregoriani 9, 1972, S. 239-311)
S. 294.

38) Cartulaire du Prieuré de Saint-Flour, hg. von Marcellin
BOUDET(Collection de Documents Historiques publiés par
ordre de S.A.S. le Prince Albert Ier) Monaco 1910, S. 38,
Nr. X.

39) SACKUR, Die Cluniacenser Bd. 2, S. 57 Anm. 3.

Zieht man unter dem erwähnten Vorbehalt diese beiden Einträge zur Datierung heran, so ergibt sich daraus für das
Martyrologium die Entstehungszeit zwischen 1087/89 und 1095.
Berücksichtigt man dabei, daß Veränderungen im Festkalender
von den Martyrologien nicht immer spontan registriert wurden,
und daß es ebenfalls einer gewissen Zeit bedurfte, bis sich
die Kunde von Translationen verbreitet hatte und ihren Niederschlag in den liturgischen Handschriften fand, so ist die
Entstehungszeit des Martyrologiums zu Anfang der 90er-Jahre
des 11. Jahrhunderts umso wahrscheinlicher; diese Annahme
stände mit der Datierung des Necrologiums durch J. Mehne und
der offensichtlichen Anlage beider Handschriftenteile in einem Arbeitsgang in vollem Einklang.

II. Beschreibung der Handschrift

Die Handschrift wurde bereits von L. Delisle[40] und G. Schnürer[41] beschrieben und von letztem auch teilweise ediert;
dennoch sei hier das Wichtigste nochmals aufgeführt.

1. Der codicologische und paläographische Befund

Die Handschrift ist aus drei größeren Partien zusammengesetzt:
aus Martyrologium, Benediktsregel und Necrologium. Die Anlage
von Martyrologium und Necrologium schuf Elsendis nach dem
Schema einer älteren Vorlage[42] aus Cluny in Marcigny. Der Regelteil wurde dagegen mit großer Wahrscheinlichkeit in Cluny
selbst geschrieben und ist aufgrund des Schriftbildes und einer
achtzeiligen, rot- und grünlavierten Zierinitiale auf fol. 44[r]
mit dem für Cluny typischen Rankenwerk[43] mit kleeblattartigen
Ausläufern und gekerbten Blättern wohl noch dem 3. Viertel
des 11. Jahrhunderts zuzuordnen. Auch in der Qualität des Per-
gaments unterscheidet sich der Regelteil von den übrigen Hand-
schriftenteilen.

---

40) DELISLE, Fonds de Cluni Nr. 126, S. 216-218.

41) SCHNÜRER, Das Necrologium, S. I f.

42) Von der Benutzung einer Vorlage muß deshalb ausgegangen
werden, weil Elsendis häufig mit der durch die Vorlage
gegebenen Tageseinteilung nicht auskam. Das zeigen die
zahlreichen Zeilenüberschneidungen am Schluß bzw. zu Beginn eines neuen Tageseintrages (z.B. fol. 8[v] zum 6.1.;
fol. 10[r] zum 24.1. und 26,1. u.ö.). Auch läßt sich - besonders im Necrologium - vielfach eine Redaktion der Textvorlage feststellen; so stellte Elsendis die in der Vorlage sukzessiv eingetragenen Würdenträger jeweils an den
Anfang eines Tageseintrages; vgl. Abb. 2,3,5 S.308f.,311.

43) Fernand MERCIER, Les primitifs français. La peinture
clunysienne en Bourgogne à l'époque romane, Paris 1931,
S. 142 und Taf. CXIII; Mercier folgte allerdings der auf
dem Computus beruhenden Datierung von Delisle.

Es ist nicht erstaunlich, daß hier Handschriftenteile un-
terschiedlichen Alters und verschiedener Herkunft zusammengebunden sind. Der Regelteil unterlag keiner Veränderung wie Martyrologium und Necrologium; so konnte man ihn noch weiterver-
wenden, wenn die anderen Teile längst überholt bzw. der für die
Necrologeinträge vorgesehene Platz aufgebraucht war. Möglicherweise stammt der Regelteil sogar aus jenem Kapitelsbuch, das
der Elsendis als Vorlage für ihr neuzuschaffendes Martyrologium
diente.

Die Handschrift umfaßt 135 Pergamentblätter im Format von
220 x 144 mm und besteht in der Hauptsache aus Quaternionen;
am Anfang sowie nach fol. 21, 43 und 127 sind jeweils Einzel-
blätter verlorengegangen. Der Schriftraum variiert, bedingt
durch die verschiedenen Textteile, zwischen 170 x 105 mm für
das Martyrologium und Necrologium sowie 170 x 110 mm für die
Benediktsregel. Im Martyrolog- und Necrologteil ist der Schriftraum durch Blindlinierung in zwei Spalten aufgeteilt; die brei-
tere war für den Martyrologtext bzw. die Einträge der m o -
n a c h i   n o s t r ę   c o n g r e g a t i o n i s , die
schmale Randspalte für liturgische Rubriken bzw. die Einträge
der   f a m i l i a r e s   n o s t r i   vorgesehen. Der Regelteil hat Langzeilen. Die Zeilenzahl schwankt zwischen 21 und
26 Zeilen.
Sämtliche Handschriftenteile sind in karolingischer Minuskel
geschrieben, Majuskeln wurden zur Auszeichnung der Marienfeste
am 25.3., 15.8., 8.9., 1.11. verwendet. Das Martyrologium fol.
8^r - 42^v ist ganz, das Necrologium fol. 86^r - 134^v teilweise
von der Hand der Elsendis geschrieben; die Benediktsregel fol.
44^r - 84^r ist ebenfalls von einer Hand, die übrigen Teile sind
von verschiedenen Händen. Die Nachträge und ein Teil der Necrologeinträge stammen von zahlreichen Händen des 12. Jahrhunderts.

Monatsüberschriften und Datum sind in roter Capitalis ru-
stica, die K-Initialen am Monatsbeginn - teilweise in den Far-
ben rot, grün und gelb - sowie Anfangsbuchstaben in Rot oder
Schwarz sind nachträglich vom Rubrikator eingefügt; auf fol.
41^v sind Vigilia und Nativitas domini durch Capitalis rusti-
ca in Rot und Grün hervorgehoben.

Der dunkelbraune Ledereinband ist jüngeren Datums und trägt
auf dem Rücken in Goldprägung den Titel "Martyrologium, Regula
S. Benedicti et Nicrologium prioratus Villarij Monachorum Saeculi IX". Auf dem Vorsatzblatt befindet sich eine Inventarisie-
rungsnotiz vom 30. November 1881, 1^r am oberen Rand die alte
Signatur Cluni 98, daneben die neue Nouv. acq. lat. 348, am un-
teren Rand die Stempel der Bibliothèque publique de Cluny und
der Bibliothèque Nationale.

2. Der Inhalt der Handschrift

1^r - 7^r Verzeichnis von Evangelienlektionen und Homilien,
weitgehend dem Homiliar des Paulus Diaconus ent-
sprechend. Der Anfang fehlt, beginnt ⟨Dom. III adventus domini⟩ ... peccata mundi (Gregorius magnus,
Homiliae in Evangelia I,6, PL 76 Sp. 1095)[44].

6^v.7^r.43^r Urkundennotizen aus der zweiten Hälfte des 12.
Jahrhunderts; sie deuten auf die Benutzung der
Handschrift in dem Cluniacenser-Priorat München-
wiler (S. 103 f. Nr. 1-3)[45].

7^v Zeremoniell für die Aufnahme in die Gebetsverbrüderung und zwei Gebete (S.106-109).

8^r - 42^v Martyrologium des Ado, gekürzte Fassung. Der Text
beginnt mit dem 1. Januar; nach fol. 21 Verlust
eines Blattes mit den Einträgen vom 18.-30. Juni
(Auszüge daraus S. 99-102).

---

44) Vgl. Réginald GRÉGOIRE, Homéliaires liturgiques médiévaux
    (Biblioteca degli Studi medievali 12) Spoleto 1980, S. 431.

45) Die in Klammern angegebenen Seitenzahlen verweisen auf die
    Edition dieser Textstücke bei SCHNÜRER, Das Necrologium.

$42^v - 43^r$ Notiz über die drei Marien, beginnt Anna et Es-
meria sorores fuerunt ... Ex testimoniis IIII^{or}
euangeliorum et exemplis Ieronimini (!) contra
Heluidium^{46}. Daran anschließend Urkundennotiz
von 1146 (s.o.).

43^v Computus für die Jahre 1157 - 1180.

$44^r - 84^r$ Regula S. Benedicti[47]. Anschließend die dem Abt
Simplicius zugeschriebenen Verse über die Benediktsregel[47a] (S.110) und eine sibyllinische Pro-
phetie auf den französischen König Ludwig VII.[48]
(S.111).

$84^v - 85^r$ Himmelsbrief[49]; Nachtrag zweite Hälfte 12. Jahrhundert (S.115-116).

$86^r - 134^v$ Necrologium, zweispaltig angelegt: die Hauptko-
lumne für die Einträge der m o n a c h i n o s -
t r ę c o n g r e g a t i o n i s, die Rand-
kolumne für die der f a m i l i a r e s n o s -
t r i. Etwa die Hälfte der Namen wurde von Elsendis bereits bei der Anlage des Necrologiums eingetragen, die Nachträge stammen von zahlreichen
Händen des 12. Jahrhunderts. Am Rand von fol. 134^v
der Schreibervers Quorum uel quarum nomina hic
scripsi, meritis peto in cęlis adscribi, ęlsendis
(S. 1-97).

135^r Nachstoßblatt mit Notiz zum Fest Mariä Himmelfahrt,
Nachtrag 15. Jahrhundert.

135^v Urkundenfragment aus der Zeit des Baseler Konzils,
darin genannt Eugen IV. (1431-1447) und der Metzer
Archidiakon Guillermus Hugonis (vgl. Repertorium
Germanicum 4,3 Sp. 3752).

---

46) Vgl. Max FÖRSTER, Die Legende vom Trinubium der hl. Anna,
in: Probleme der englischen Sprache und Kultur, Heidelberg
1925, S. 113.

47) Benedicti Regula, hg. von Rudolf HANSLIK CSEL 75, ^{2}1977.

47a) Wie Anm. 47, S.XIX; s. hierzu Nicolas HUYGHEBAERT, Simplicius "propagateur" de la régle bénédictine. Légende ou
tradition? in: Revue d'histoire ecclésiastique 73, 1978,
S. 45-54.

48) Vgl. Wilhelm GIESEBRECHT, Geschichte der deutschen Kaiserzeit, Bd. 4, Leipzig 1877, S. 502-506.

49) Chronica magistri Rogeri de Hovedene, hg. von William STUBBS
(Rerum Britannicarum medii aevi scriptores 4) London 1871,
S. 167-169; zur Überlieferung s. E. RENOIR, ⟨Lettre du⟩
Christ tombée du ciel, in: DACL III,1 Sp. 1534-1546.

3. Die verschiedenen Fassungen des Ado-Martyrologiums und
ihre Klassifizierung nach Quentin

**Einige klärende Bemerkungen zur Überlieferungsgeschichte des
Ado-Martyrologiums seien hier noch nachgetragen.**
H. Quentin zählte das Martyrologium der Handschrift Paris
BN nouv. acq. lat. 348 zu den gekürzten Fassungen der ersten
Familie[50]. Diese Zuordnung könnte leicht den Eindruck erwek-
ken, als handele es sich bei den Handschriften der ersten Familie zugleich um Textzeugen der ersten Fassung des Ado-Martyrologiums; das ist nicht der Fall. Hier ist zu berücksichtigen,
daß Quentin bei der Einteilung in zwei Handschriftenfamilien
zunächst von äußeren Kriterien wie Aufbau und Gliederung des
Inhalts der jeweiligen Handschrift ausging.
**Hauptkriterium für die Handschriften der ersten Familie ist
nachstehende Textfolge[50a]:**

> Vorrede des Autors; Parvum Romanum; eine zweite Vorrede
> aus AUGUSTINUS, Contra Faustum XX,21; Libellus de festi-
> vitatibus Apostolorum; Martyrologium, beginnend mit dem
> 24. Dezember.

Eine Besonderheit des eigentlichen Martyrologtextes dieser
Handschriftenfamilie sind die Einträge zahlreicher Päpste und
der Bischöfe von Vienne. Diese Einträge stehen meistens am Ende
der jeweiligen Tageseinträge, sind zuweilen aber auch in den
Text eingearbeitet; in manchen Handschriften fehlen diese Einträge jedoch ganz. Handschriften dieser Familie lagen den Martyrologeditionen von Lipomano[51], Mosander[52] und Rosweyde[53] zugrunde.

---

50) QUENTIN, Les martyrologes, S. 468.

50a) Ebd., S. 469f.

51) Sanctorum priscorum Patrum Vitae, Venedig 1551-1560,
Bd. IV fol. 150[r] - 232[v].

52) In: Laurentius SURIUS, De probatis Sanctorum historiis,
Bd. 7 Köln 1581, S. 1083-1235.

53) Vetus Romanum Martyrologium hactenus a Cardinale Baronio
desideratum et Adonis Vienn. Archiepisc. Martyrologium ad
Mss. exemplaria recensitum, hg. von Heribert ROSWEYDE, Antwerpen 1613, Nachdruck Migne PL CXXIII Sp. 143-436.

Für die Handschriften der zweiten Familie sind folgende Merkmale typisch[54]:

> Die Vorrede und der Name des Autors fehlen; auf die Vorrede aus Augustinus folgt unmittelbar der Martyrologtext, beginnend mit dem 25. Dezember.

Abgesehen von der abgewandelten Anlage der Handschrift weist der Martyrologtext noch folgende Eigenheiten auf: die Heiligennotizen aus dem Libellus de festivitatibus Apostolorum sind in den Text eingearbeitet; einige Notizen stehen unter abweichendem Datum; zahlreiche Einträge sind neu hinzugekommen, z.T. betreffen sie Heilige aus Auxerre, z.T. handelt es sich um Heiligennotizen, die aus dem Usuard-Martyrologium übernommen worden sind. Die Einträge der Päpste und der Vienner Bischöfe fehlen ganz. Die Handschriften der zweiten Familie lagen der Edition von Giorgi[55] sowie den Untersuchungen Mabillons[56] zugrunde.

Im Verlauf seiner Untersuchungen kam Quentin[57] zu dem Schluß, daß kein Text der bezeichneten Handschriftengruppen der Urfassung des Ado-Martyrologiums entspricht, die Handschriften der zweiten Familie jedoch dieser Fassung am nächsten kommen. Einer zweiten Redaktion entsprechen die Handschriften der ersten Familie, die ohne die Einträge der Vienner Bischöfe überliefert sind. Die Handschriften der ersten Familie, die dagegen die Vienner Bischöfe aufführen, gehören einer dritten Redaktion an, wobei noch nicht geklärt ist, ob diese noch zu Lebzeiten Ados oder erst später entstanden ist.

---

54) QUENTIN, Les martyrologes, S. 475f.

55) Martyrologium Adonis archiepiscopi Viennensis, ab Heriberto Rosweydo S.J. theologo iam pridem ad Ms. exemplaria recensitum, nunc ope codicum Bibliothecae Vaticanae recognitum et adnotationibus illustratum opera et studio Dominici GEORGII, Rom 1745.

56) Acta Sanctorum O.S.B. Saec. IV,2, S. 278-290.

57) QUENTIN, Les Martyrologes, S. 674.

Zu dieser letzten Redaktion ist auch die Kurzfassung des Ado-
Martyrologiums der Handschrift Paris BN nouv. acq. lat. 348
zu rechnen. Die Zugehörigkeit zur ersten Familie wird hier
allein durch die Einträge der Päpste und der Vienner Bischöfe
angedeutet, alle für diese Familie typischen Begleittexte sind
fortgefallen, und auch der Beginn des Martyrologiums ist auf
den 1. Januar verschoben worden.

4. Sprachliche Besonderheiten

Bei dem Versuch, sprachliche Besonderheiten[58] eines Textes zu
erfassen, sollten drei Möglichkeiten ihres Ursprungs in Erwä-
gung gezogen werden:
a) Es kann sich um ganz normale Abweichungen vom klassischen
Latein handeln, die sich im Mittelalter eingebürgert haben,
z.B. choronare statt coronare, sequutus statt secutus; auch
die willkürliche Verwendung von e / ę / ae (Cesaraea), i / y
(cripta - crypta), c / t (provinciam - provintiam), o / u
(Nomentana - Numentana) ist in mittelalterlichen Handschriften
häufig anzutreffen. Der Versuch, lautliche Besonderheiten
schriftlich widerzugeben, kommt in der Schreibung Ŏdilo, Ŏdal-
ricus zum Ausdruck.
b) Sonderformen können auf volkssprachlich bedingte Eigentüm-
lichkeiten des Schreibers zurückgehen. Hier sind besonders auffällig die Verdoppelungen der Konsonanten (Affrica, Effrem,
Affrae), zusätzliche Aspirierungen (hictu, heremita, Herasmi,
Danihelis, Thetrarchae), unterlassene Aspirierung (orribilis,
exalare, Yppolitus, Cristina, Crisostomus), fehlende Assimila-
tion (dampnare, sollempnia, conlactanea, Victimilium).
Auffällig ist auch die Schreibung Grisogoni statt Chrysogoni,
Grisanti statt Chrysanti, Pergamis statt Bergamis, Cortinae
statt Gortinae.

---

58) Nachstehende Beispiele beziehen sich nur auf den Text des
    Martyrologiums. Vgl. hierzu Peter DINTER, Zur Sprache der
    Cluniazenser Consuetudines des 11. Jahrhunderts, in: Con-
    suetudines monasticae. Eine Festgabe für Kassius HALLINGER
    (Studia Anselmiana 85) Rom 1982, S.175-183, bes. S.180f.

c) Eine weitere Ursache für sprachliche Sonderformen können
schließlich Schreibfehler sein, die sowohl vom Schreiber selbst
herrühren als auch aus der Vorlage übernommen worden sind, z.B.
Leagio statt Leodio (17.9.), Evovio statt Bobbio (21.11.), Si-
veduno statt Niveduno (17.9.).
Dem Sprachforscher möge es vorbehalten bleiben, aufgrund dieser sprachlichen Eigenarten Schlüsse auf die Herkunft des
Schreibers und die Entstehungszeit der Textvorlage zu ziehen.

III. Die liturgischen Rubriken

Wie schon zuvor bemerkt, zeichnet sich das Martyrologium dadurch aus, daß es zu zahlreichen Heiligenfesten der ersten
Jahreshälfte liturgische Randnotizen enthält. Für den Zeitraum Januar bis Mai können diese Rubriken als Ersatz für fehlende cluniacensische Kalendarien zur Untersuchung des cluniacensischen Sanctorale am Ende des 11. Jahrhunderts herangezogen werden. Dabei ist besonders ein Vergleich dieser Rubriken
mit den Consuetudines aufschlußreich. Er zeigt, ob diese mehr
oder weniger ausführlichen Randnotizen generell mit den Angaben in den Consuetudines in Einklang stehen. Weiterhin läßt
sich feststellen, aus welcher Zeit diese Rubriken stammen und
mit welcher der verschiedenen Consuetudinesfassungen sie kon-
kret übereinstimmen.

1. Die zeitliche Einordnung der Rubriken aufgrund äußerer
   Kriterien

Die Randnotizen stammen von einer Hand, die der der Elsendis
sehr ähnlich ist, sodaß sie vom Schriftbild her in die Anlagezeit des Martyrologiums gehören. Mit Sicherheit sind die Einträge jedoch vor 1120 erfolgt, denn der Nachtrag des Abtes
Hugo am 29.4., der erst durch die Kanonisation im Jahre 1120
möglich wurde, enthält keinerlei liturgische Angaben.
Daß auch die Vorlage der Elsendis bereits entsprechenden Raum
für liturgische Rubriken vorgesehen hatte, ist anzunehmen,
sonst hätte Elsendis sicher weniger Platz für diese Randspalte
reserviert und wäre in den Fällen , wo der für Martyrologeinträge vorgesehene Platz nicht ausreichte, auf diese Randspalte
ausgewichen.
Vorausgesetzt, daß diese Rubriken nicht nur aus der Vorlage
übernommen worden sind, sondern auf den neuesten Stand gebracht

wurden, hätten wir in ihnen eine ausgezeichnete Quelle für die
liturgische Praxis um die Wende vom 11. zum 12. Jahrhundert.

2. Erklärung der Rubriken aus dem Vergleich mit cluniacensischen Consuetudines

Zwei Arten von Rubriken lassen sich unterscheiden: zum einen
bestehen sie nur aus Lektionsangaben - gestaffelt in III, IIII,
VIII und XII lectiones[59] - zu einzelnen Heiligenfesten; zum
anderen enthalten die Rubriken neben den Lektionsangaben zusätzliche Informationen über die Art und Weise des Zeremoniells,
so über die Anzahl der zu rezitierenden Responsorien, der daran
beteiligten Mönche, über die Anzahl der bei der Zeremonie mit-
zuführenden Weihrauchgefäße und über die Art und Weise des
Glockengeläuts.

Teilweise lassen sich derartige Anweisungen zu besonderen Heiligenfesten bereits in den Consuetudines antiquiores C[60] feststellen, deren Anlagezeit in das erste Viertel des 11. Jahrhunderts fällt. Am ausführlichsten sind diese Angaben in den
Consuetudines Farfenses[61], während sie in den Consuetudines
des Bernard[62] und des Udalrich[63] nur in summarischer Form wiedergegeben werden.

---

59) Für die Wiedergabe der Sigle Ƚ der Handschrift wurde der
    Buchstabe L gewählt; vgl. Abb. 1,2,4 S. 307 f., 310.

60) Consuetudines cluniacenses antiquiores C, hg. von Bruno
    ALBERS, Consuetudines monasticae, Bd. 2, Monte Cassino
    1905, S. 31-61 (im folgenden zitiert Cons. ant. C)

61) Consuetudines Farfenses, hg. von Bruno ALBERS, Consuetu-
    dines monasticae, Bd. 1, Wien/Stuttgart 1900 (im folgenden
    zitiert Cons. Farfa). Eine Neuedition der Consuetudines
    von Peter DINTER befindet sich im Druck (Corpus Consue-
    tudinum Monasticarum 10).

62) Ordo Cluniacensis per Bernardum saeculi XI. scriptorem,
    hg. von Marquard HERRGOTT, Vetus disciplina monastica,
    Paris 1726, S. 133-364 (im folgenden zitiert Cons. Bern.),
    hier I,50 S. 243 ff.

63) Udalrici Consuetudines Cluniacenses, hg. von Luc D'ACHÉRY,
    Spicilegium sive collectio veterum aliquot scriptorum, Pa-
    ris 1723, Bd.1, S. 639-703 (im folgenden zitiert nach
    Migne PL 149 Sp. 635-778), hier I,11, PL 149 Sp. 655 f.

Zu fünf Hochfesten erhalten wir ausführliche Angaben, die
in ihrer Unterschiedlichkeit drei rangmäßige Abstufungen
allein bei Marien- und Herrenfesten erkennen lassen:

I.   1.1.   Circumcisio domini et octavae nativitatis
           ipsius:
           R.IIII.Iî.c.p.s.t.I.XII L.

II.   1.1.   Transitus S. Odilonis[64]:
           XII L.c.R.Iî et Iî.t.Iî.B.sig.p.s.

     6.1.   Epiphania domini:
           XII L.c.R.Iî et Iî.t.Iî.B.sig.p.s.

III.   2.2.   Purificatio Mariae:
           XII L.R.Iî et Iî.c.t.Iî.B.sig.p.c.

     25.3.   Adnuntiatio Mariae:
           XII L.c.R.Iî et Iî.t.Iî.B.sig.p.c.

Kürzere Angaben sind für folgende Texte überliefert:

IV.   22.2.   Cathedra Petri   XII L.R.IIII.Iî.c.
     1.5.   Philippi et Jacobi   A.R.IIII.Iî.
     3.5.   Inventio Crucis   R.IIII.Iî.c.
     11.5.   Maioli   c.R.IIII.Iî.

Für die Gruppe I - und in analoger Verkürzung für die Gruppe
IV - ergibt sich folgende Auflösung der Sigeln, die durch ent-
sprechende Consuetudinestexte belegt werden kann:

     Responsorium quartum <a> duobus cantatur. pulsantur signa.
     turibulum unum. 12 lectiones.

---

64) Der dies natalis des Odilo fällt zwar auf den 1.1., doch
     wegen der Circumcisio domini wurde er am 2.1. gefeiert,
     wie ein Blick auf die cluniacensischen Kalendarien zeigen
     wird; vgl. Acta SS. O.S.B. saec. VI,1 S. 675-76.

In den Consuetudines Farfenses I,139[65], die die Hochfeste in
vier unterschiedliche Kategorien einteilen, heißt es zur vor-
letzten Stufe, zu der auch das Fest des Abtes Maiolus gehört:

> ... et ad matutinale et vespertinale officium
> unum tantum turibulum circumferatur et quartum
> tantum responsorium a duobus cantoribus dicatur.

Die Angaben werden ergänzt durch die Anweisungen zum Fest
Circumcisio domini durch die Consuetudines Farfenses I,21[66]:

> ... ad expletionem missae omnia signa sonentur
> (an anderen Stellen auch pulsantur).

Die liturgischen Anweisungen für die Gruppen II und III wei-
chen nur am Schluß voneinander ab; ihre Auflösung lautet fol-
gendermaßen:

> XII lectiones. cantant responsoria duo et duo.
> turibula duo. bina signa pulsanda sunt. //pulsa-
> tur classicum.

In den Consuetudines antiquiores C. cap. XIII[67] heißt es zum
Fest Purificatio:

> ... sciendum est autem quod duo et duo debent re-
> sponsoria dici, quotiescumque quattuor fratres ad
> invitatorium vestiuntur cappis.

In den Consuetudines Farfenses I,32[68] begegnet der Text in ab-
gewandelter Form:

> ... invitatorium quattuor fratres in cappis canant
> ... Responsoria a binis ac binis cantabuntur.

Ergänzt wird der Text durch die allgemeinen Anweisungen in den
Consuetudines Farfenses I,139[69]:

> ... ad vespertinale et matutinale officium, ad can-
> ticum de evangelio bina turibula deportabuntur...
> ante nocturnale obsequium omnia signa bis pulsabun-
> tur.

---

65) ALBERS, Bd. 1, S. 133.
66) Ebd., S. 17.
67) ALBERS Bd. 2, S. 40.
68) ALBERS Bd. 1, S. 23.
69) Ebd., S. 133.

Zu den höchsten Festen können wir zusätzliche liturgische
Anweisungen den Consuetudines antiquiores C. cap. XLIV[70] entnehmen:

> ... bina sonent signa ad Vesperas... Factis ora-
> tionibus *bina* signa pulsentur. Post cantent evan-
> gelium, sonetur totum *classicum* et incoentur ma-
> tutine.

Ähnliche Angaben zur Festgestaltung finden sich in den Consuetudines des Bernard lib. I, cap. 50[71] und des Udalrich lib. I,
cap. 11[72].

Vergleicht man nun die verschiedenen Lektionsangaben zu den
einzelnen Heiligenfesten mit den entsprechenden Angaben der
Consuetudines, so ist auch hier volle Übereinstimmung festzustellen.

In den Consuetudines antiquiores C sind folgende Feste wie im
Martyrologium mit 12 Lektionen aufgeführt:

1.1.	Circumcisio domini
6.1.	Epiphania
16.1.	Marcelli pp.
25.1.	Conversio Pauli
2.2.	Purificatio Mariae
22.2.	Cathedra Petri
21.3.	Benedicti
3.5.	Inventio crucis
11.5.	Maioli

---

70) ALBERS Bd. 2, S. 60.
71) Cons. Bern. I,50, S. 243ff.
72) Cons. Udal. I,11, PL 149 Sp. 655f.

Mit den Consuetudines Farfenses stimmen zusätzlich folgende
Feste mit 12 Lektionen überein:

13.1. Hilarii

15.1. Mauri

20.1. Sebastiani

21.1. Agnetis

22.1. Vincentii

5.2. Agathae

10.2. Scholasticae

12.3. Gregorii pp.

25.3. Adnuntiatio Mariae

1.5. Philippi et Jacobi

3.5. Alexandri, Eventii et Theodoli

In den Consuetudines des Bernard finden sich drei weitere
12-Lektionen-Feste:

1.1. Odilonis

24.2. Mathiae ap.

1.9. Aegidii

12 Lektionen sind aufgeteilt auf die am gleichen Tag gefeierten Heiligen:

28.1. Johannis presb. VIII L.
Agnetis secundo IIII L.

Darüber hinaus finden wir erstmals bei Bernard Angaben über
folgende 3-Lektionen-Feste:

14.1. Felicis

17.1. Speusippi, Elasippi, Melasippi

18.1. Priscae

26.1. Policarpi

27.1. Johannis epi.

1.2. Ignatii

14.2. Valentini

2.5. Athanasii

6.5. Johannis ap.

Auch in den Consuetudines des Udalrich lassen sich alle
12-Lektionen-Feste, die in unserer Handschrift verzeichnet
sind, wiederfinden, lediglich über die 3-Lektionen-Feste gibt
Udalrich generell keine Auskunft. Doch kann man von dem gleichen Festbestand wie bei Bernard ausgehen, da die Entstehungszeit beider Consuetudines-Fassungen nur wenige Jahre auseinan-
derliegt.

3. Vorläufige Ergebnisse aus dem Vergleich von Randnotizen
   und Consuetudines für die Entwicklungsgeschichte des
   cluniacensischen Sanctorale

1. Die Angaben der Rubriken zur liturgischen Gestaltung der
Heiligenfeste stimmen allgemein mit den Anweisungen der Consuetudines überein.

2. Die durch Lektionsangaben ausgezeichneten Feste stimmen in
der Hauptsache mit dem aus den Consuetudines des Bernard und
des Udalrich erschlossenen Festkalender überein[73]. Das bedeu-
tet, daß diese Randnotizen dem Festkalender entsprechen, der
zur Zeit der Anlage des Martyrologiums gültig war. Denn ohne
Zweifel kann man davon ausgehen, daß die Consuetudines des
Bernard und Udalrich, die etwa ein Jahrzehnt vor der Anlage
des Martyrologiums niedergeschrieben wurden, noch ihre Gültig-
keit besaßen.

3. Der Blick auf die verschiedenen Consuetudines macht darüber hinaus deutlich, daß der Festkalender zunehmend umfang-
reicher geworden ist: von neun Festen, die in den Consuetudines antiquiores C für den Zeitraum Januar bis Mai nachgewiesen sind, steigt die Zahl auf 9 + 11 = 20 in den Consuetudines Farfenses und auf 9 + 11 + 13 = 33 in den Consuetudines des Bernard.

---

73) Dieses Ergebnis kann an der synoptischen Zusammenstellung
    der liturgischen Quellen im dritten Teil der Arbeit über-
    prüft werden.

Nicht nur der zahlenmäßige Zuwachs an liturgisch gefeierten
Heiligenfesten wird hier deutlich, auch ein weiteres Phänomen
läßt sich bereits erkennen und wird in der synoptischen Zusammenschau aller verfügbaren cluniacensischen liturgischen Quellen noch ausführlicher behandelt werden:

4. Der Heiligenfestkalender der Consuetudines antiquiores C
und der Consuetudines Farfenses orientiert sich noch weitgehend am römischen Festkalender wie er im Sacramentarium Gelasianum[74] und Sacramentarium Gregorianum[75] enthalten ist.

Nur zwei Feste (Benedicti, Maioli) für die Consuetudines
antiquiores C und drei Feste (Hilarii, Mauri, Scholasticae)
für die Consuetudines Farfenses gehen auf eine eigenständige
benediktinische Tradition zurück; für die Consuetudines des
Bernard steigt dieser Anteil auf insgesamt 13 gegenüber 20
Festen, die der römischen Tradition entsprechen.

Hier wird die zunehmende Tendenz zu einer eigenständigen
Heiligenverehrung deutlich, mit Sicherheit ein Zeichen auch
des wachsenden cluniacensischen Selbstbewußtseins.

Unterstrichen wird dieses Ergebnis noch durch ein weiteres
Zahlenbeispiel: von insgesamt 37 im Gelasianum und Gregorianum
für diesen Zeitraum (1.1. - 11.5., letzte Rubrik im Mai) aufgeführten Festen werden nach Aussage der Consuetudines des Bernard und unseres Martyrologiums nur 20 (vier gelasianische,
16 gregorianische) gefeiert. Dem stehen 13 neue Feste gegenüber, die auf eigene cluniacensische oder benediktinische Traditionen zurückzuführen sind.

---

74) Liber Sacramentorum Romanae Aecclesiae ordinis anni circu-
li(Cod.Vat.Reg.lat. 316 / Paris Bibl. Nat. lat. 7193,41/56)
(Sacramentarium Gelasianum), hg. von Leo Cunibert MOHLBERG
(Rerum ecclesiasticarum documenta, Ser. maior, Fontes IV)
Rom 1960.

75) Jean DESHUSSES, Le sacramentaire grégorien. Ses principales
formes d'après les plus anciens manuscrits(Spicilegium Friburgense 16) Freiburg/Schweiz 1971.

5. Ein einziger Festeintrag mit Lektionsangaben - der des
Heiligen Blasius am 3.2.[76] - weist über den durch die Consuetudines gegebenen zeitlichen Ansatz noch hinaus, zeigt, daß
der Entwicklungsprozeß der cluniacensischen Heiligenverehrung,
der sich in den vorhergehenden Vergleichen andeutete, noch
nicht abgeschlossen ist. Weitere Beispiele werden sich aus
den Zusätzen und Nachträgen zum Ado-Martyrologium ergeben.
Sie sollen im Anschluß an die Textedition genauer untersucht
werden.

---

76) Abweichend zu dem in Ado- und Usuard-Martyrologien übli-
    chen Datum (15.2.) folgt die Handschrift der Kalendertra-
    dition.

IV. Die Transkription des Textes von fol. 8^r - 42^v

Einige technische Bemerkungen seien noch vorausgeschickt:

Der Wortlaut der Handschrift wird textgetreu wiedergegeben, dabei werden sämtliche Abkürzungen aufgelöst, vergessene Buchstaben sind in < > ergänzt.

Eigennamen und Ortsangaben werden grundsätzlich groß geschrieben, auch wenn die Handschrift eine andere Schreibweise hat.

e-caudata ist aus technischen Gründen durch ae, seltener durch oe wiedergegeben; die wechselnden Formen von u=v sind normalisiert.

Die Interpunktion ist ebenfalls normalisiert worden. Die Handschrift weist die in dieser Zeit üblichen Interpunktionszeichen auf:

> • auf der Zeile stehender oder halbzeilig erhöhter Punkt steht für die kleine oder mittlere Pause;
>
> ; oder ⸓ steht sowohl für eine mittlere Pause als auch als Schlußzeichen;
>
> •,• steht meistens am Schluß des gesamten Tageseintrages.

Der in der Handschrift fortlaufend geschriebene Text ist in einzelne Elogen aufgelöst; deren Zählung ist in gleicher Weise wie das Tagesdatum in arabischen Ziffern ergänzt worden.

Die liturgischen Rubriken sind nach Möglichkeit am Rande wiedergegeben; wo das wegen ihrer Länge nicht möglich war, verweist (R) auf die Wiedergabe des vollständigen Textes in der Fußnote zum jeweiligen Tageseintrag.

Die für die Handschriften der ersten Familie typischen Einträge der Päpste und Vienner Bischöfe sind durch Unterstrichelung gekennzeichnet.

Gesperrte Schreibweise deutet auf einen Zusatz zum Ado-Martyrologium, der entweder aus der Vorlage übernommen oder von
Elsendis neu eingeführt wurde. Nachträge späterer Hände sind
durch die Sigel N am Rand und gesperrte Schreibweise gekennzeichnet.

Erklärungen zu den Einträgen der Päpste, Vienner Bischöfe und
zu den Zusätzen folgen im Anschluß an die Textwiedergabe.

Neben dem transkribierten Text erscheinen am Rande zu den jeweiligen Tageseinträgen die Sigeln F, a, A, (U), U[77]. Sie finden sich nicht in der Handschrift und sollen die Abhängigkeit
des Martyrologtextes von anderen Quellen aufzeigen; sie haben
folgende Bedeutung:

F : die Eloge wurde ohne Änderung von Ado aus dem Marty-
     rologium des Florus übernommen;

a : Ado modifizierte den Florustext;

A : der Eintrag wurde von Ado aus einer anderen hagio-
     graphischen Quelle eingeführt;

(U): der Zusatz geht inhaltlich auf ein Usuard-Martyrolo-
     gium zurück;

U : der Zusatz stimmt wörtlich mit dem Usuard-Martyrolo-
     gium überein.

---

77) Die Sigeln resultieren aus dem Vergleich mit den bei
    Quentin, Les martyrologes S. 481-485 aufgeführten Listen
    und aus dem Vergleich mit dem Usuard-Martyrologium in der
    Edition von Dubois(Subsidia Hagiographica 40).

(Fol. 8^r)   MENSIS JANUARIUS habet dies XXXI.
            Luna, Laetaniae indicendae.

(1. Jan.)   A   Kal. Jan.

F (R) XII L.   1   Circumcisio domini et octavae nativitatis ipsius.
   F   2   Romae, natalis sancti Almachii martyris, qui iubente
              Alyppio urbis praefecto cum diceret hodie octavae
              dominici diei sunt, cessate a superstitionibus
              idolorum et sacrifitiis pollutis, a gladiatoribus
              hac de causa occisus est.
   A   3   Item Romae, sanctae Martinae virginis et martyris.
   A   4   Eodem die apud Spoletum civitatem Tusciae, sancti
              Concordii martyris, temporibus Antonini imperatoris.
   a   5   Item Romae via Appia, choronae militum XXX, sub
              Diocletiano.
   a   6   Apud Africam, sancti Fulgentii, ecclesiae Ruspensis
              episcopi et confessoris.
   a   7   Apud Alexandriam, sanctae Eufrosinae virginis.
   F   8   In territorio Lugdunensi, monasterio Jurensium,
              sancti Eugendi abbatis, cuius vita virtutibus et
              miraculis plena refulsit.
(R) XII L.   9   Ipso die pago Claromonten-
              si, coenobio Silviniaco,
              transitus sancti Ŏdilonis
              abbatis et confessoris. Et
              aliorum plurimorum sancto-
              rum martyrum, virginum et
              confessorum. Preciosa in
              conspectu domini.

R1: R.IIII.m̂.c.p.s.t.I. XII L.
R9: XII L. c.R.m̂ et m̂.t.m̂.B.sig.p.s.

(2. Jan.)   B   IIII Non. Jan.

   F   1   Beati Macharii abbatis.
   F   2   In Ponto civitate Thomis, trium fratrum, Argei,
              Narcisci, et Marcellini pueri.

		3	<u>Eodem die, sanctissimi Paragodae, VII Viennensis episcopi.</u>
(Fol. 8ᵛ)			
(3. Jan.)	C		III Non. Jan.
a		1	Romae, natalis sancti Antheros papae et martyris; qui vicesimus post beatum Petrum, cum XII annis rexisset ecclesiam, passus est sub Maximiano.
a		2	Apud Parisium, sanctae Genovefae virginis.
		3	<u>Eodem die, sancti Florentii martyris, urbis Viennensis octavi episcopi.</u>
(4. Jan.)	D		II Non. Jan.
A		1	Natalis sancti Titi, apostolorum discipuli;
a		2	Apud Africam, natalis sanctorum Aquilini, Gemini, Eugentii, Marciani, Quinti, Theodoti, et Triphonis, praeclarissimorum martyrum.
A		3	Eodem die apud urbem Romam, sanctorum martyrum Prisci presbyteri, et Priscilliani clerici, atque Benedictae religiosissimae feminae sub Iuliano impiissimo.
A		4	Item apud Romam, beatae Dafrosae, uxoris Fabiani martyris.
(5. Jan.)	E		Non. Jan.
a		1	Romae, natalis sancti Thelesphori; qui septimus post Petrum apostolum pontifex ordinatus, sedit annos XI, menses III, dies XXI, illustreque martirium duxit.
a		2	Apud Anthyochiam, sancti Symeonis monachi, mirae sanctitatis viri.
(6. Jan.)	F		VIII Id. Jan.
F (R) XII L.		1	Epyphania Domini, idem apparitio.
F		2	Eodem die, passio sanctae Macrae virginis, sub praeside Ricovaro.

R1: XII L. c.R.m̂ et m̂.t.II.B.sig.p.s.

(7. Jan.)	G	VII Id. Jan.

F 1 Relatio pueri Iesu ex Aegypto.

F 2 Et natalis sancti Luciani, Anthyochenae ecclesiae presbyteri et martyris, sub Maximiano imperatore.

F 3 Item apud Anthyochiam, sancti Cleri diaconi, qui pro Christo decollatus, martyrium consummavit.

(Fol. 9^r)

(8. Jan.)	A	VI Id. Jan.

a 1 Neapolim Campaniae, sancti Severiani confessoris, fratris beati Victorini clarissimi viri.

F 2 Belvacus, sanctorum Luciani et Messiani.

(9. Jan.)	B	V Id. Jan.

F 1 In Mauritania Cesariensi, natalis sanctae Martianae virginis et martyris.

a 2 Eodem die apud Anthyochiam, sancti Juliani martyris, et Basilissae coniugis eius.

(10. Jan.)	C	IIII Id. Jan.

F 1 Apud Thebaidem, natalis beati Pauli primi heremitae. Qui a sexto decimo aetatis suae anno, usque ad centesimum tercium decimum, solus in heremo permansit; cuius animam inter apostolorum et prophetarum choros ad coelum ferri ab angelis sanctus Antonius vidit.

A 2 Apud Cyprum, beati Nichanoris, qui unus fuit de septem primis diaconibus.

   3 Sancti Ygini papae, qui sedit Romae annos quatuor.

(11. Jan.)	D	III Id. Jan.

F 1 Apud Alexandriam, natalis sanctorum confessorum Petri, Severi, et Leucii, quorum gesta habentur.

F 2 In Africa, natalis sancti Salvii martyris.

(12. Jan.)	E	II Id. Jan.

F 1 Apud Achaiam, natalis sancti Sathyri martyris, qui transiens ante quoddam idolum, cum exuflasset illud signans se, statim corruit. Ob quam causam decollatus est.

2 Eodem die, sancti Archadii martyris.

(13. Jan.) F   Id. Jan.

A   1 Romae via Lavicana, choronae militum XL, sub
Gallieno imperatore.

F XII L.   2 Pictavis, sancti Hylarii episcopi et confessoris.

3 Apud Viennam, sancti Veri episcopi, qui praesedit
ecclesiae post sanctum Amantium.

(Fol. 9^V)

(14. Jan.) G   XVIIII Kl. Febr.

a III L.   1 Apud Nolam Campaniae, beati Felicis presbyteri.

2 Apud Viennam, sancti Caeoaldi episcopi et confessoris.

(15. Jan.) A   XVIII Kl. Febr.

F   1 Abachuc, et Micheae prophetarum.

A   2 Item beati Macharii abbatis, discipuli beati Antonii.

A   3 Eodem die beati Ysidori, sanctitate vitae ac fide
praeclari.

A   4 Apud Bituricas, translatio Sulpitii episcopi et
confessoris.

(U) XII L.   5 Ipso die, sancti Mauri
abbatis, discipuli sancti
Benedicti.

(16. Jan.) B   XVII Kl. Febr.

F XII L.   1 Romae via Salaria in cimiterio Priscillae, natalis
sancti Marcelli papae, sub Maximiano imperatore.

a   2 Apud Arelatem, sancti Honorati episcopi et confessoris.

(17. Jan.) C   XVI Kl. Febr.

a   1 In Aegypto apud Thebaidem, beati Antonii monachi.

F III L.   2 Apud Lingonas, sanctorum geminorum Speusippi,
Elasippi, et Melasippi.

(18. Jan.) D   XV Kl. Febr.

F   1 Cathedra sancti Petri apostoli, qua primum Romae
sedit.

F   III L.   2 Eodem die, sanctae Priscae martyris.

     F   3 Et in Ponto, natalis sanctorum martyrum
Mosei et Ammonii.

  (19. Jan.) E   XIIII Kl. Febr.

     A   1 In Smirna, natalis sancti Germanici martyris.

     A   2 Eodem die Apud Spoletum, sancti Pontiani martyris,
temporibus Antonini imperatoris, sub iudice Fabiano.

  (20. Jan.) F   XIII Kl. Febr.

     a   1 Romae, Fabiani episcopi et martyris, sub Decio
XII L.   imperatore.

     F   2 Eodem die, natalis sancti Sebastiani martyris.

     F   3 Ipso die Romae, sanctorum martyrum Marii et Marthae,
cum filiis suis Audifax et Abbachuc.

  (21. Jan.) G   XII Kl. Febr.

a XII L.   1 Romae, natalis sanctae Agnetis virginis et
martyris, sub praefecto urbis Simphronio.

     F   2 Apud Trecas, passio sancti Patrocli martyris.

  (Fol. 10^r)

  (22. Jan.) A   XI Kl. Febr.

F XII L.c.   1 In Hispaniis civitate Valentia, natalis sancti
Vincentii levitae et martyris.

     F   2 Ad aquas Salvias, sancti Anastasii monachi et marty-
ris, de Perside.

     F   3 Ipso die in Galliis civitate Ebreduno, sanctorum
martyrum Vincentii, Orontii, et Victoris.

             4 E o d e m   d i e ,   s a n c t i   G a u d e n t i i
e p i s c o p i   N o v a r i e n s i s   u r b i s ,
m i r a c u l i s   c l a r i .

  (23. Jan.) B   X Kl. Febr.

     A   1 Apud Phylippis, beati Parmenae, qui unus fuit de
septem diaconibus.

     F   2 Romae, sanctae Emerentianae virginis, conlactaneae
sanctae Agnetis.

(24. Jan.)   C   VIIII Kl. Febr.

a   1   Apud Ephesum, natalis sancti Thymothei discipuli apostoli Pauli.

F   2   Apud Anthyochiam, beati Babilae episcopi sub Decio.

F   3   Et in Neocesarea civitate, sanctorum martyrum Mardoni, Musoni, Eugenii, et Metelli.

(25. Jan.)   D   VIII Kl. Febr.

F XII L.A.   1   Conversio sancti Pauli.

a   2   Eodem die, sancti Ananiae, qui beatum Paulum baptizavit.

a   3   Apud Gabalensium civitatem, sancti Severiani episcopi et confessoris.

F   4   Item natalis sancti Praeiecti Arvernensis episcopi et martyris, et A m a r i n i   a b b a t i s .

(26. Jan.)   E   VII Kl. Febr.

a III L.   1   Natalis sancti Policarpi episcopi et martyris, discipuli sancti Johannis apostoli, cum aliis XII.

a   2   Eodem die, sancti Theogenis, cum aliis XXXVI.

F   3   Apud Bituricas, beati Sulpicii episcopi eiusdem civitatis.

(27. Jan.)   F   VI Kl. Febr.

F III L.   1   Natalis sancti Johannis episcopi Constantinopolitani, qui Crisostomus apellatur.

F   2   Item beati Macharii abbatis monasterii Badonensis.

F   3   Et apud Bethlehem Iudae, dormitio sanctae Paulae, matris Eustochiae virginis.

(28. Jan.)   G   V Kl. Febr.

F IV L.   1   Natalis sanctae Agnetis secundo.

F   2   Et in civitate (Fol. 10^V) Apollonia, Leucii, Tyrsi, et Calenici martyrum.

F   3   Eodem die apud Alexandriam, beati Cyrilli episcopi et confessoris.

F VIII L.   4   Et in monasterio Romanensi, Johannis presbyteri viri Dei.

(29. Jan.)   A   IIII Kl. Febr.

F   1 Romae, natalis Papiae et Mauri militum, temporibus
Diocletiani.

F   2 Eodem die Treveris, beati Valerii episcopi, discipuli sancti Petri apostoli.

(30. Jan.)   B   III Kl. Febr.

a   1 Apud Anthyochiam, passio sancti Yppoliti martyris.
A   2 Iherosolimis, beatissimi Mathiae episcopi.
A   3 Item beati Alexandri martyris.

(31. Jan.)   C   II Kl. Febr.

A   1 Apud Alexandriam, natalis sancti Metramni martyris.
F   2 Item sanctorum martyrum, Saturnini, Tyrsi, et Victoris.
A   3 Eodem die apud Trientinam urbem, beati Vigilii
episcopi et martyris.

MENSIS FEBRUARIUS habet dies XXVIII.
Luna, Laetaniae indicendae.

(1. Febr.)   D   Kalendas Februarii

F   1 Apud Smirnam, natalis sancti Pyonii martyris, sub
persequutione Antonini Veri, cum aliis XV.
a III L.   2 Apud Anthyochiam, passio sancti Ignatii episcopi
et martyris.
F   3 Eodem die, beati Effrem Edissenae ecclesiae diaconi.
a   4 Item in Schochia, sanctae Brigidae virginis.
F   5 Eodem die, beati Pauli, civitatis Trycastinae
episcopi, vita et miraculis clari.

(2. Febr.)   E   IIII Non. Febr.

F (R) XII L. 1 Ypapanti domini, id est praesentatio.
A   2 Et apud Cesaream, beati Cornelii episcopi, quem
beatus Petrus baptizavit.
A   3 Eodem die Romae, sancti Proniani martyris, tempore
Maximiani imperatoris.

R1: XII L. R.n̂ et n̂.c.t.n̂.B.sig.p.c.

(3. Febr.)	F	III Non. Febr.
F	1	In Affrica, beati Celerini diaconi et confessoris,
		et sanctorum martyrum Celerinae, aviae eius, et
(Fol. 11^r)		Laurentini, et Ignatii.
XII L.	2	A p u d S e b a s t e m c i v i t a t e m, p a s -
A 15.2.		s i o s a n c t i B l a s i i e p i s c o p i
		e t m a r t y r i s.
	3	Viennae, sancti Eventii episcopi gloriosi.

(4. Febr.)	G	II Non. Febr.
a	1	In civitate Aegypti quae apellatur Thymus, passio
		beati Phyleae episcopi, eiusdem urbis, et Filoromi
		tribuni militum romanorum, cum quibus etiam innumera
		multitudo fidelium persecutione Diocletiani martyrio
		choronata est.

(5. Febr.)	A	Non. Febr.
a XII L.	1	Apud Siciliam civitate Catinensium, passio sanctae
		Agathes virginis, sub Decio imperatore, proconsule
		Quintiano.
F	2	Viennae, beati Aviti episcopi.

(6. Febr.)	B	VIII Id. Febr.
F	1	Apud Caesaream Capadotiae, natalis sanctae Dorotheae
		virginis et martyris.
F	2	Eodem die, natalis sancti Antholiani, qui apud Arver-
		nam martyrio choronatus est.

(7. Febr.)	C	VII Id. Febr.
F	1	In Britanniis civitate Augusta, natalis sancti
		Auguli episcopi et martyris.
A	2	Sancti Moysetis episcopi.

(8. Febr.)   D   VI Id. Febr.

F   1   Apud Armeniam minorem, natalis sanctorum martyrum
Dyonisii, Emiliani, et Sebastiani.

a   2   Eodem die apud Alexandriam, sanctae Choyntae martyris.

(9. Febr.)   E   V Id. Febr.

a   1   Apud Alexandriam, Apolloniae virginis, quae ignem
pro Christo sustinens martyrio choronata est.

(10. Febr.) F   IIII Id. Febr.

F   1   Romae, sanctorum martyrum Zotici, Hyrenei, Jacincti,
et Amantii.

F   2   In Oriente, sanctae Sotheris virginis et martyris.

F   3   Item Romae via Lavicana, militum X.

(U) XII L.   4   I p s o   d i e ,   n a t a l i s   s a n c t a e
S c o l a s t i c a e   v i r g i n i s .

(11. Febr.) G   III Id. Febr.

1   Apud Viennam, sancti Simplidis episcopi et confessoris.

F   2   Item Alexandriae, depositio sanctae Euphrasiae
virginis.

(Fol. 11^V)

(12. Febr.) A   II Id. Febr.

F   1   In Hispaniis civitate Barcinona, natalis sanctae
Eulaliae virginis et martyris.

F   2   In Affrica, passio sancti Damiani militis.

F   3   Et'Alexandria, Modesti, et Ammonii, infantum ac
martyrum.

(13. Febr.) B   Id. Febr.

A   1   Apud Anthyochiam, natalis Agabi prophetae in novo
testamento.

F   2   In Militena civitate Armeniae, natalis sancti Poliocti
martyris.

3 <u>Gregorii papae secundi, qui rexit ecclesiam</u>
<u>annis sedecim.</u>

(14. Febr.) C   XVI Kl. Marcii

F   III L.   1   Romae natalis sancti Valentini presbyteri et marty-
                ris, sub Claudio caesare.
     F   2   Eodem die, sancti Valentini Interrammensis episcopi
                et martyris.
     F   3   Et apud Alexandriam, sanctorum martyrum, Bassi,
                Antonii, Protolici, qui in mare mersi sunt.
     F   4   Item Cyrionis presbyteri, Moyseos, Bassiani lecto-
                ris, Agathonis exorcistae, qui omnes igni combusti
                sunt.
     F   5   Item Dyonisii, et Ammonii, decollatorum.
     F   6   Eodem die sanctorum martyrum, Vitalis, Feniculae
                et Zenonis.

(15. Febr.) D   XV Kl. Mar.

     A   1   Romae, sancti Cratonis martyris.
     F.   2   In Galliis civitate Vasionense, sancti Quinidii
                episcopi.

(16. Febr.) E   XIIII Kl. Mar.

     a   1   Natalis sancti Onesimi discipuli apostoli Pauli.
     F   2   Et in Cumis sanctae Julianae virginis et martyris,
                sub imperatore Maximiano.
     F   3   Eodem die apud Aegyptum, Juliani cum aliis numero
                quinque milibus.

(17. Febr.) F   XIII Kl. Mar.

     F   1   In Perside, natalis sancti Polocronii, Babiloniae
                et Thesifontis episcopi, sub Decio persequutore.

(18. Febr.) G   XII Kl. Mar.

     A   1   Iherosolimis, beati Symeonis episcopi et martyris.
     A   2   Eodem die sanctorum martyrum Claudii et (Fol. 12^r)
                uxoris eius Prepedignae, et filiorum Alexandri, et
                Cutiae et fratris Claudii beati Maximi, sub Diocle-
                tiano.

(19. Febr.) A   XI Kl. Mar.

    A   1 Romae, beati Gabini presbyteri et martyris, patris
              beatissimae Susannae, sub Diocletiano.

(20. Febr.) B   X Kl. Mar.

    A   1 Apud Tyrum, quae est urbs maxima Fenicis, beatorum
              martyrum quorum numerum Dei scientia sola colligit,
              sub Diocletiano imperatore.

(21. Febr.) C   VIIII Kl. Mar.

    A   1 Apud Syliam, martyrum LXXVIIII, sub Diocletiano.

---

           1 Syliam: Schreibfehler der Elsendis, der Ado-Text
             hat Sicyliam

(22. Febr.) D   VIII Kl. Mar.

F (R) XII L. 1 Apud Anthyochiam, Cathedra sancti Petri.
    A   2 Eodem die Apud Alexandriam, Abilii episcopi.
    A   3 Apud Iherapolim, sancti Papiae episcopi.
    A   4 Item beati Aristyon, qui unus fuit de septuaginta
              duobus discipulis Christi.
          5 <u>Viennae, sancti Pascati episcopi et confessoris.</u>

          R1: XII L. R.IIII.n̂.c.

(23. Febr.) E   VII Kl. Mar.

    F   1 Apud Smyrmium, natalis sancti Synerici monachi et
              martyris, sub Maximiano imperatore.
    F   2 Item aliorum sexaginta duorum, qui cum eodem passi
              sunt.
    F   3 Ipso die, sancti Policarpi presbyteri et confessoris.

(24. Febr.) F   VI Kl. Mar.

a XII L.B.   1 Natalis sancti Mathyae apostoli.
    a   2 Et inventio capitis Praecursoris Domini, tempore
              Martiani principis.
    F   3 Eodem die beati Sergii martyris.

(25. Febr.) G   V Kl. Mar.

F   1   Apud Aegyptum, natalis sanctorum martyrum Victoriani,
Victoris, Nichofori, Claudiani, Dioscori, Serapionis,
et Papiae, sub Numeriano imperatore, agente Sabino
duce.

(26. Febr.) A   IIII Kl. Mar.

F   1   In civitate Pergen Pamphyliae, beati Nestoris
episcopi et martyris.

F   2   Eodem die beati (Fol. 12^V) Alexandri, Alexandrinae
civitatis episcopi gloriosi senis.

(27. Febr.) B   III Kl. Mar.

F   1   Apud Hispaniam civitate Hispali, natalis sancti
Leandri episcopi et confessoris.

a   2   Item eodem die in Alexandria, natalis sancti Juliani
martyris.

F   3   Item apud Lugdunum, sancti Baldemeris viri Dei.

(28. Febr.) C   II Kl. Mar.

F   1   In territorio Lugdunensi, locis Iurensibus, beati
Romani abbatis et confessoris.

MENSIS MARTIUS habet dies XXXI.
Luna, Laetaniae indicendae.

(1. März) D   Kalendas Martii

A   1   Romae, sanctorum martyrum ducentorum sexaginta,
temporibus Claudii.

(2. März) E   VI Non. Mar.

A   1   Romae, via Latina, sanctorum Jovini et Basylei, qui
passi sunt sub Valeriano et Gallieno.

A   2   Eodem die, martyrum plurimorum, sub Alexandro imperatore.

(3. März) F   V Non. Mar.

F   1   Natalis sanctorum martyrum Emitherii, et Caeledonii.

F   2   Apud Caesaream Palestinae, sanctorum martyrum Maurini

militis, et Asterii senatoris, sub persequutione
Valeriani.
3 <u>Simplicii papae, qui sedit Romae annis quindecim.</u>

(4. März)	G	IIII Non. Mar.

a   1 Natalis sancti Lucii papae et martyris, tempore
Valeriani et Gallieni.
F   2 Item Romae via Apia, sanctorum martyrum nongentorum.
F   3 Eodem die, sancti Gaii palatini martyris.

(5. März)	A	III Non. Mar.

F   1 Apud Anthyochiam, natalis Focae martyris.
F   2 Ipso die, sancti Eusebii palatini, et aliorum octo
martyrum.

(6. März)	B	II Non. Mar.

F   1 Nichomediae, natalis sanctorum martyrum Victoris
et Victorini.

(7. März)	C	Non. Mar.

F   1 In Mauritania civitate Tuburbitanorum, passio sanctarum martyrum Perpetuae et Felicitatis, et cum eis
Revocati, Saturnini, et Secunduli martyrum.

(8. März)	D	VIII Id. Mar.

A   1 Apud Chartaginem, natalis sancti Poncii martyris,
(Fol. 13^{r}) beati Cipriani episcopi diaconi, et
ipsius comitis semper.

(9. März)	E	VII Id. Mar.

a   1 Apud Misenam civitatem, sancti Gregorii episcopi,
fratris beati Basilii episcopi.
A   2 Apud Barcinonam, beati Patiani episcopi.

(10. März)	F	VI Id. Mar.

F   1 Natalis sanctorum martyrum, Alexandri, et Gaii, de
Eumenia tempore Antonini Veri.

		2	In Perside, natalis sanctorum martyrum numero quadraginta duorum.
(11. März)	G		V Id. Mar.
a		1	Apud Sebastem Armeniae minoris, XL militum, tempore Licinii regis, sub praeside Agricolao.

(11. März)   G   V Id. Mar.

a   1   Apud Sebastem Armeniae minoris, XL militum, tempore
                   Licinii regis, sub praeside Agricolao.

(12. März)   A   IIII Id. Mar.

a   XII L.   1   Romae, beatorum pontificum Gregorii doctoris et
                   apostoli Anglorum, qui sedit ibi annos XIII, menses
                   VI, dies X,

     a   2   et Innocentii, qui praesedit ecclesiae annis quin-
                   decim.

     a   3   Apud Nichomediam, beati Petri martyris.

     F   4   Item Nichomediae, sanctorum Egduni presbyteri, et
                   aliorum VII.

     F   5   Eodem die, passio sancti Maximilliani martyris.

(13. März)   B   III Id. Mar.

     F   1   Apud Nichomediam, natalis sanctorum Macedonii
                   presbyteri, et Patriciae uxoris eius, et filiae
                   Modestae.

     F   2   Nicea civitate, sanctorum martyrum Theusetae, et
                   Horris filii eius, Theodorae, Nimphodorae, Marci,
                   et Arabiae.

(14. März)   C   II Id. Mar.

     A   1   Romae martyrum XLVII, qui baptizati a beato Petro
                   apostolo, Neroniani gladio consumpti sunt.

(15. März)   D   Id. Mar.

     F   1   Apud Thessalonicam civitatem, natalis sanctae
                   Matronae, quae pro Christo martirizata est.

(16. März)   E   XVII Kl. Apr.

     F   1   Romae, natalis sancti Ciriaci, qui iubente Maximiano
                   capite truncatus est cum Largo, et Smaragdo, et
                   aliis XX.

2 Apud Viennam, sancti Isicii episcopi.

(17. März) F   XVI Kl. Apr.

F   1 In Schothia, natalis sancti Patricii episcopi et
confessoris.

F (Fol. 13ᵛ) 2 Eodem die, natalis sanctae Geretrudis virginis.

(18. März) G   XV Kl. Apr.

F   1 Natalis sancti Alexandri episcopi Iherosolimorum,
qui persequutione Decii pro Christo martyrio choronatus est.

(19. März) A   XIIII Kl. Apr.

A   1 Apud Penarensem urbem, beati Johannis magnae sanctitatis viri.

F   2 Eodem die apud Surrentum, sanctorum martyrum Quinti,
Quintilli, Quartillae, et Marci, cum aliis VIIII.

(20. März) B   XIII Kl. Apr.

F   1 In Britanniis, sancti Chutberti episcopi et confessoris.

A   2 Eodem die, sancti Archyppi, commilitonis Pauli
apostoli.

(21. März) C   XII Kl. Apr.

F XII L.B.   1 Apud Cassinum castrum, natalis sancti Benedicti
abbatis, cuius vitam, virtutibus et miraculis glorio-
sam, beatus Gregorius papa scribit.

F   2 Item ipso die, beati Serapionis anachoretae.

F   3 Et in territorio Lugdunensi, sancti Lupicini.

(22. März) D   XI Kl. Apr.

a   1 In Galliis civitate Narbonae, natalis sancti Pauli
episcopi, apostolorum discipuli.

(23. März) E   X Kl. Apr.

F   1 In Africa, sanctorum martyrum Victoriani, Frumentii,
et alterius Frumentii, et duorum germanorum, qui

omnes pro Christo egregie choronati sunt.

(24. März) F VIIII Kl. Apr.

a 1 Romae, natalis sancti Pigmenii presbyteri, et
martyris, sub Iuliano impiissimo, quem ipse a primaevo
edocuit.

(25. März) G VIII Kl. Apr.

F (R) XII L. 1 Ut fides fidelium credit, adorat et praedicat, virginem MARIAM, dominum parituram, Gabrihel archange-
lus venerando salutat.

F 2 In Nichomedia, natalis Dulae ancillae militis, quae
pro castitate occisa est.

F 3 Item Romae, Cyrini martyris sub Claudio.

F 4 Eodem die apud Smirnum, natalis sancti Hyrenei
episcopi et martyris, sub Maximiano.

R1: XII L. c.R.Π̂ et Π̂.t.Π̂.B.sig.p.c.

(26. März) A VII Kl. Apr.

F 1 Romae via Lavicana, sancti Castuli martyris.

F 2 Eodem die apud Pentapolim Lybiae, Theodori episcopi
et martyris, (Fol. 14^r) Hyrenei diaconi, Serapionis,
et Ammonii lectorum.

F 3 Item apud Syrmium, sancti Montani presbyteri et martyris, ac uxoris eius.

(27. März) B VI Kl. Apr.

F 1 Apud Aegyptum, beati Johannis heremitae, admirandae
sanctitatis et religionis viri.

(28. März) C V Kl. Apr.

F 1 Apud Caesaream Palestinae, sanctorum martyrum Prisci,
Malchi, et Alexandri, sub persequutione Valeriani.

F 2 Apud urbem Cabilonensium, depositio Guntramni regis
Francorum, viri religiosi.

3 Syxti papae, qui sedit Romae annis VIII.

(29. März)   D   IIII Kl. Apr.

F   1   Natalis sancti Eustasii abbatis, discipuli sancti
                 Columbani.
F   2   Eodem die, sanctorum martyrum Armogastis, Archinimi,
                 et Satyri, qui apud Africam cursum gloriosi certami-
                 nis compleverunt.

(30. März)   E   III Kl. Apr.

A   1   Romae, sancti Quirini tribuni, et martyris, sub
                 Traiano imperatore.

(31. März)   F   II Kl. Apr.

A   1   Romae, sanctae Balbinae virginis, filiae Quirini
                 martyris gloriosi.

MENSIS APRILIS habet dies XXX.
Luna, Laetaniae indicendae.

(1. Apr.)   G   Kalendas Aprilis

A   1   Romae, beatissimae Theodorae martyris, sororis
                 illustrissimi martyris Hermetis.
A   2   Eodem die, sancti Venantii episcopi et martyris.
A   3   Et in pago Viomnoense, sancti Walarici confessoris.

(2. Apr.)   A   IIII Non. Apr.

F   1   Natalis sancti Nicetii Lugdunensis episcopi.
F   2   Et apud Caesaream Capadotiae, sanctae Theodosiae
                 virginis et martyris.

(3. Apr.)   B   III Non. Apr.

F   1   Thessalonicae, natalis sanctarum virginum Agapis,
                 et Chyoniae, sub Diocletiano.
F   2   Apud Scythiam, civitate Thomis, sanctorum Evagrii,
                 et Benigni.
F (Fol. 14^V) 3   Apud Tauromeniam Siciliae, sancti Pancratii.

(4. Apr.)   C   II Non. Apr.
F   1   Natalis sancti Ambrosii episcopi et confessoris,

cuius studio tota Italia ad fidem catholicam conversa est.

(5. Apr.)   D   Non. Apr.

F   1 Thessalonicae, natalis sanctae Hyrenes virginis et
            martyris, sub Sisinnio comite.

F   2 Apud Aegyptum, sanctorum martyrum Martianae, Nichano-
            ris, et Apollonii.

F   3 Apud Caesaream Lytiae, natalis sancti Amphyani.

(6. Apr.)   E   VIII Id. Apr.

a   1 Syxti papae et martyris, temporibus Adriani imperato-
            ris, qui rexit ecclesiam annis X, mensibus II, die
            uno.

(7. Apr.)   F   VII Id. Apr.

A   1 Heiesyppi viri sanctissimi, apostolorum temporibus
            vicini.

(8. Apr.)   G   VI Id. Apr.

A   1 Turonis sancti Perpetui episcopi, admirandae sancti-
            tatis viri.

         2 Caelestini papae, qui rexit ecclesiam annis VIII.

(9. Apr.)   A   V Id. Apr.

F   1 Apud Syrmium natalis septem virginum, quae in unum
            meruerunt choronari.

A   2 Apud Anthyochiam, beati Prochori diaconi, qui unus
            fuit de septem primis.

(10. Apr.) B   IIII Id. Apr.

F   1 Ihezechielis prophetae,

A   2 et apud Romam, beatorum martyrum plurimorum, sub
            Aureliano.

(11. Apr.) C   III Id. Apr.

A   1 Apud Cretam urbem Cortinae, beati Phylippi episcopi,
            vita et doctrina praeclari.

(12. Apr.) D   II Id. Apr.

F   1 Romae via Aurelia miliario tercio, in cimiterio
Calepodii, sancti Julii episcopi et confessoris.

(13. Apr.) E   Id. Apr.

F   1 Apud Pergamum Asiae urbem, sanctorum Carpi episcopi
et Papirii diaconi, et Agathonicae optimae feminae,
aliarumque multarum, quae pro Christo martyrio
choronatae sunt.

F   2 Apud Hyspaniam, natalis sancti Herminigildi martyris gloriosi.

(14. Apr.) F   XVIII Kal. Maii

F   1 Romae via Appia in cimiterio Praetextati, (Fol. 15^r)
natalis sanctorum martyrum Tyburcii, Valeriani, et
Maximi, sub Almachio praefecto.

F   2 Interamne, sancti Proculi martyris.

F   3 Item sanctae Domnae virginis cum sociis virginibus
choronatae.

F   4 Apud Alexandriam, beati Frontonis abbatis et confessoris.

(15. Apr.) G   XVII Kl. Maii

F   1 In civitate Cordula, natalis Olimpiadis, et Maximi,
nobilium, sub Decio.

F   2 In Hyspaniis civitate Caesaraugusta, natalis sanctorum octo martyrum, cum reliquis IIII.

F   3 Apud Italiam, sanctorum martyrum Maronis et Eutice-
tis, et Victorini.

---

2 octo martyrum: Auslassungsfehler der Elsendis, der
Ado-Text hat octo decim martyrum.

(16. Apr.) A   XVI Kl. Maii

F   1 Apud Chorinthum, Calixti, et Carisii, cum aliis
VII.

(17. Apr.)	B		XV Kl. Maii

F   1   Apud Africam, natalis sancti Mappalici, qui cum aliis pluribus martyrio choronatus est.

F   2   Apud Anthyochiam, natalis sanctorum Petri diaconi, et Hermogenis.

       3   Apud Viennam, sancti Pantagati episcopi.

       4   Aniceti papae, qui sedit annis XI.

(18. Apr.)	C		XIIII Kl. Maii

F   1   Apud Messanam civitatem Apuliae, natalis sanctorum martyrum Eleuterii episcopi, et Anthyae matris eius.

F   2   Eodem die Romae, sancti Apollonii senatoris, sub Commodo imperatore.

(19. Apr.)	D		XIII Kl. Maii

F   1   In Armenia civitate Militena, sanctorum septem martyrum, una die choronatorum.

F   2   Apud Chorinthum, beati Thymonis, de illis VII primis diaconibus.

(20. Apr.)	E		XII Kl. Maii

F   1   Romae, sancti Victoris papae, et martyris, sub Severo principe, qui rexit ecclesiam, annis X.

F   2   Item Romae, sanctorum martyrum Sulpicii, et Serviliani.

F   3   Eodem die in Galliis civitate Ebredunense, sancti Marcellini episcopi.

(21. Apr.)	F		XI Kl. Maii

F   1   Apud Persidem, natalis sancti Symeonis episcopi Seleutiae et Tesipontis regalium civitatum, cum aliis C et V sub Sabore rege Persarum, sexta feria ante pascha.

F (Fol. 15^V)   2   Apud Alexandriam, sanctorum martyrum Fortunati, Aratoris presbyteri, Felicis, Silvii, et Vitalis, qui in carcere quieverunt.

       3   Sotheris papae, qui sedit annis VIIII.

(22. Apr.)   G   X Kl. Maii

    a   1   Romae, via Appia in cimiterio Calixti, sancti Gaii
               papae et martyris, sub Diocletiano, qui rexit
               ecclesiam annis XI, mensibus IIII, diebus XII.
    F   2   Apud Persidem sanctorum martyrum ducentorum quinqua-
               ginta.
    F   3   Lugduno Galliae, natalis sancti Epipodii, sub perse-
               quutione Antonini Veri.
    F   4   Eodem die in Corduba civitate, martyrum V.
          5   <u>Vienna, sancti Juliani episcopi.</u>
          6   <u>Agapiti papae.</u>

(23. Apr.)   A   VIIII Kl. Maii

    a   1   In Perside, passio sancti Georgii martyris.
    F   2   In Galliis civitate Valentia, natalis sanctorum
               martyrum Felicis presbyteri, Fortunati, et Achillei
               diaconorum.
    A   3   In Fontanella monasterio, sancti Vulframni episcopi
               et confessoris.

(24. Apr.)   B   VIII Kl. Maii

    F   1   Lugduno Galliae, natalis sancti Alexandri, cum aliis
               XXXIIII.
    a   2   In Brittannia, sancti Melliti episcopi.

(25. Apr.)   C   VII Kl. Maii

    a   1   Apud Alexandriam, natalis sancti Marci Evangelistae.
    F   2   Eodem die Romae, Laetania maior ad sanctum Petrum.
          3   <u>Apud Viennam, sancti Clarentii episcopi et confesso-</u>
               <u>ris.</u>

(26. Apr.)   D   VI Kl. Maii

    F   1   Romae, natalis Anecleti papae, sub persequutione
               Domitiani.
    F   2   Ipso die, natalis sancti Marcellini papae et martyris,
               cum Claudio, et Cyrino, atque Antonino, quo tempore
               intra unum mensem X et septem milia martyrio choronati
               sunt.

(27. Apr.)   E   V Kl. Maii

a   1   Romae, sancti Anastasii papae.
F   2   Eodem die apud Nichomediam, natalis sancti Antimi episcopi et martyris.

(28. Apr.)   F   IIII Kl. Maii

a   1   Apud Ravennam, sancti Vitalis martyris.
F   2   Et Alexandriae, sanctae Theodorae virginis et martyris.
F   3   Item in Pannonia sancti Pollionis martyris et aliorum quatuor.

(Fol. 16^r)

(29. Apr.)   G   III Kl. Maii

A   1   Apud Paphum, Tithychi, apostolorum discipuli.
F   2   In Numidia apud Cirtensem coloniam, natalis sanctorum martyrum Agapii, et Secundini episcoporum, qui persequutione Valeriani post longum exilium apud praefatam urbem ex illustri sacerdocio effecti sunt martyres gloriosi. Passi sunt cum eis Emilitanus miles, Tertulla, et Antonia sacrae virgines, et quaedam mulier cum suis geminis. +

Nachtrag: 3+In coenobio cluniacensi Depositio sancti HUGONIS ipsius loci abbatis et in elemosinarum largitate mirabilis.

(30. Apr.)   A   II Kl. Maii

F   1   Natalis sanctorum martyrum Mariani, et Jacobi, quorum prior lector, sequens diaconus, longo tempore carcerali ergastulo mancipati, novissime cum multis aliis gladio consumati sunt.
F   2   Eodem die apud civitatem Sanctonas, natalis sancti Eutropis martyris, eiusdem urbis episcopi, a beato Clemente illuc missi.
F   3   Apud Asiam, passio sancti Maximi martyris, cuius gesta habentur.

MENSIS MAIUS habet dies XXXI.
Luna, Laetaniae indicendae.

(1. Mai)	B	Kl. Maii
F	1	Prophetae Iheremiae
a (R)	2	et natalis apostolorum Phylippi, et Jacobi filii Mariae, quae fuit soror matris Domini, unde et frater Domini dicebatur.
F	3	In Galliis territorio Vivariensi, sancti Andeoli, subdiaconi, Qui capite in crucis modum scisso, et eliso in terram cerebro, gloriosa morte translatus est.
F	4	Item civitate Sedunensi, loco Agauno, passio Sigismundi regis, filii Gundebadi regis Burgundionum.
	5	E o d e m d i e , s a n c t a e W a l b u r - g i s v i r g i n i s .

R2: A.R.IIII.ꟼI

(Fol. 16^V)

(2. Mai)	C	VI Non. Maii
a III L.	1	Natalis sancti patris nostri Athanasii, Alexandrinae urbis episcopi, qui multas Arrianorum perpessus insidias, quadragesimo et sexto anno sacerdocii sui, post multos agones, multasque pacientiae choronas, quievit in pace.
F	2	Eodem die, sanctorum martyrum Saturnini, et Neopolis, qui in carcere quieverunt.

(3. Mai)	D	V Non. Maii
a (R)	1	Iherosolimis, inventio sanctae Crucis, ab Helena regina, sub Constantino principe, cuius et ipsa extitit mater.
a VIII L.	2	Eodem die Romae via Numentana, miliario septimo, Alexandri papae et Eventii, ac Theodoli presbytero- rum, sub Traiano principe, iudice Aureliano.
F	3	Ipso die, sancti Juvenalis episcopi et confessoris.

R1: R.IIII.ꟼI.c.

(4. Mai)	E	IIII Non. Maii

F	1	In Palestina civitate Goza, natalis sancti Silvani eiusdem urbis episcopi, qui persequutione Diocletiani cum plurimis clericorum suorum martyrio choronatus est.
F	2	In Metallo Fanensi, sanctorum martyrum XL, qui simul capite caesi sunt.
F	3	Nichomediae, natalis sanctae Antoniae, quae flammis exusta est.
F	4	Eodem die sancti Floriani. Qui in flumen praecipitatus, omnibus videntibus oculi praecipitatoris mox crepuerunt.
A	5	Ipso die, natalis sancti Quiriaci martyris gloriosi, sub Iuliano imperatore.
	6	Eodem die, beati Justi episcopi.

---

1 Goza: Schreibfehler der Elsendis, der Ado-Text hat Gaza

(5. Mai)	F	III Non. Maii

F	1	Apud Alexandriam, sancti Euthymii diaconi, in carcere quiescentis.
F	2	Thessalonicae, sanctorum Hyrenei, Peregrini, et Hyrenes (Fol. 17^r) ignibus combustorum.
a	3	In Galliis civitate Arelatensi, sancti Hilarii episcopi, magni et praeclarissimi viri.
F	4	Item Viennae, beati Nicecii episcopi, venerabilis vitae viri.
F	5	Authisiodoro, passio sancti Joviniani lectoris.

(6. Mai)	G	II Non. Maii

III L.	1	Natalis sancti Johannis apostoli, ante portam latinam Romae.
A	2	Eodem die, beati Evodii, Anthyochiae episcopi, qui primus ab apostolis ibi est episcopus ordinatus.
A	3	Item beati Lucii, Cyrenensis, qui apud Cyrenen primus episcopus a sanctis apostolis institutus est.

(7. Mai)   A   Non. Maii

F   1 Natalis sancti Juvenalis martyris,

F   2 et beatissimae atque illustrissimae Dei famulae
Flaviae Domitillae, quae ob testimonium quod Christo
perhibebat cum aliis plurimis in insulam Pontiam
exilio deportata , longum inibi martyrium duxit.

F   3 Eodem die apud Nichomediam, passio sanctorum martyrum, Flavii, Augusti, et Augustini fratrum.

(8. Mai)   B   VIII Id. Maii

F   1 Mediolani, sancti Victoris martyris, qui nativitate
maurus, et a primeva aetate christianus canitiae
iam decoratus, fustibus graviter caesus, ac liquenti
plumbo perfusus, novissime gloriosi martyrii cursum,
capitis abscisione complevit.

        2 <u>Benedicti papae, qui sedit Romae menses X.</u>

(9. Mai)   C   VII Id. Maii

F   1 In Perside, sanctorum martyrum trecentorum decem.

a   2 Eodem die, apud Nazanti oppidum, beati Gregorii
episcopi, qui theologus dicitur.

        3 I p s o d i e ,   a p u d   B a r u m ,
t r a n s l a t i o   s a n c t i   N i c h o l a i
e p i s c o p i   e t   c o n f e s s o r i s .

        4 <u>Eodem die, sancti Dyonisii, Viennensis episcopus,
praeclarissimi in doctrina viri.</u>

(10. Mai)   D   VI Id. Maii

F   1 Job prophetae.

a   2 Romae via Latina, sanctorum (Fol. 17^{V}) Gordiani et
Epimachi sub Juliano imperatore.

a   3 Item Romae natalis sancti Calepodii senis presbyteri,
sub Alexandro imperatore. Quo tempore decollati sunt
ab Alexandro Palmachius consul, et Simplicius sena-
tor, cum uxoribus et filiis, et aliis promiscui
sexus C et X. Similiter et Felix cum uxore sua
Blanda.

- 57 -

| F | 4 | Item Romae via Latina, ad centum aula, sanctorum Quarti et Quinti. |

(11. Mai)   E   V Id. Maii

F	1	Romae via Salutaria, miliario vicesimo secundo, natalis sancti Antimi.
(U 14.5.)	2	E o d e m d i e , n a t a l i s s a n c t i P o n c i i m a r t y r i s . Qui Romae ortus ex senatorum sanguine, duosque fratres imperatores Phylippum atque Phylippum anno ab urbe condita millesimo ad Christum convertens, sub Diocletiano et Maximiano martyrio choronatus est.
F	3	Viennae beati Mamerti episcopi, qui ob imminentem cladem sollempnes <laetanias> ante ascensionem Domini instituit.
(R)	4	I p s o d i e p a g o C l a r o m o n t e n s i c o e n o b i o S i l v i n i a c o , t r a n s i - t u s b e a t i s s i m i p a t r i s M a i o l i t h e o s o p h i .

---

1 Salutaria: Schreibfehler der Elsendis, der Ado-Text
  hat Salaria
3 Laetanias: Auslassungsfehler der Elsendis, Nachtrag
  einer späteren Hand
R4: c.R.IIII.ñ.

(12. Mai)   F   IIII Id. Maii

F	1	Romae, beatorum martyrum Nerei, et Achillei, qui ab Aureliano capite cesi sunt.
a	2	Item Romae, natalis sancti Pancratii martyris. Qui cum esset annorum quatuordecim, sub Diocletiano martyrium capitis obtruncatione complevit.
A	3	Eodem die, sancti Dyonisii, patrui eiusdem.
F	4	Ipso die apud Cyprum, sancti patris nostri Epyphanii episcopi Salaminae civitatis.

(Fol. 18^r)

(13. Mai)	G	III Id. Maii

a 1 Natalis sanctae MARIAE ad martyres.

F 2 Ipso die, sancti Servatii, Tungrensis ecclesiae episcopi. Ob cuius meritum hominibus demonstrandum, numquam nix eius operuit sepulchrum, donec industria civium basilica super illud aedificata est.

3 E o d e m   d i e ,   s a n c t i   G a n g u l f i c o n f e s s o r i s .

(14. Mai)	A	II Id. Maii

F 1 Sancti patris nostri Pachomii. Qui cum esset factis apostolicae gratiae insignis, fundatorque Aegypti coenobiorum, scripsit monachorum regulas quas angelo dictante didicerat, simul et de tempore Paschali.

F 2 Ipso die in Syria, natalis sanctorum Victoris et Choronae, sub Antonino imperatore, duce Alexandriae Sebastiano.

(15. Mai)	B	Idus Maii

F 1 Natalis sanctorum confessorum Torquati, Thyssefontis, Secundi, Indaletii, Cecilii, Esicii, et Eufrasii. Qui a sanctis apostolis ad Hispanias directi, ibidem requieverunt.

F 2 Apud insulam Chyum, natalis sancti Isidori martyris.

F 3 Lamosacum, passio sanctorum, Petri, Pauli, Andreae et Dyonisiae.

(16. Mai)	C	XVII Kl. Junii

F 1 Apud Isauriam, natalis sanctorum Aquilini, et Victoriani, quorum gesta habentur.

F 2 Apud Authisiodorum, passio sancti Peregrini, civitatis ipsius primi episcopi.

F 3 Eodem die, sanctae Maximae virginis, quae clara multis virtutibus in pace quievit.

(17. Mai)   D   XVI Kl. Junii

    A   1   In Tuscia, sancti Torpetis martyris, sub Nerone
                   principe. Qui iubente Silvio foras civitatem Pissanam
                   deductus, pro Christo decollatus est.

(Fol. 18^V)

(18. Mai)   E   XV Kl. Junii

    F   1   Apud Aegyptum, sancti Dioschori lectoris. Cuius
                   ungues effossae et latera inflammata, novissime
                   laminis ardentibus adustus, martyrium consummavit.

(19. Mai)   F   XIIII Kl. Junii

    a   1   Romae, sanctae Potentianae virginis, sororis beatae
                   Praxedis virginis.

    A   2   Ipso die, beatissimi Pudentis, patris supranominata-
                   rum virginum.

    F   3   Item Romae, natalis sanctorum Caloceri, et Partheni,
                   qui a Decio pro Christo occisi sunt.

(20. Mai)   G   XIII Kl. Junii

    F   1   Romae via Salaria, natalis sanctae Basillae virginis,
                   quae gladio transverberata est.

    F   2   In Galliis civitate Nemauso, natalis sancti Baudilii
                   martyris. Qui cum sacrificare idolis nollet, et in
                   fide Christi immobilis persisteret, martyrii palmam
                   praeciosa morte percepit.

(21. Mai)   A   XII Kl. Junii

    F   1   In Mauritania caesariense, natalis sanctorum
                   Thymothei, Polii, et Euthychii diaconorum, qui
                   pariter choronari meruerunt.

    F   2   Item apud Caesaream Cappadotiae, sanctorum Polieucti,
                   Victoris, et Donati.

(22. Mai)   B   XI Kl. Junii

    F   1   In Affrica, Casti, et Emilii, qui per ignem passio-
                   nis martyrium consummaverunt.

F   2   Eodem die apud Corsicam, natalis sanctae Juliae,
quae crucis supplicio choronata est.

(23. Mai)   C   X Kl. Junii

F   1   Apud Lingones, passio sancti Desiderii episcopi, qui
pro ovibus sibi creditis percussus gladio, migravit
ad Dominum. Passi sunt cum eo et plures alii de
numero gregis sui, et apud urbem eam conditi.

       2   Eodem die apud Viennam, natalis sancti Desiderii
episcopi, qui passus est in territorio Lugdunensi,
cuius vita gloriosa extitit.

(Fol. 19^r)

(24. Mai)   D   VIIII Kl. Junii

A   1   Natalis sancti Manahen, Herodis Thetrarchae conlactanei,
doctoris et prophetae sub gratia novi testamenti.

A   2   Item beatissimae Johannae, uxoris Chutae procurato-
ris Herodis.

F   3   In Portu Romano, sancti Vincentii martyris.

F   4   In Galliis civitate Namnetis, natalis sanctorum
martyrum Donatiani et Rogatiani fratrum.

F   5   In Histria, sanctorum Zoelli, Servilii, Felicis,
Silvani, et Dioclis.

(25. Mai)   E   VIII Kl. Junii

F   1   Romae via Numentana, in cimiterio Praetextati,
natalis sancti Urbani papae et martyris.

F   2   Mediolani, sancti Dyonisii episcopi et confessoris.

F   3   Eodem die apud Mesiam civitate Dorostoro, sanctorum
martyrum Passicratis, **Valentionis**, et aliorum duorum, simul choronatorum.

       4   Romae, Eleutherii papae.

(26. Mai)   F   VII Kl. Junii

a   1   Apud Athenas, beati Quadrati episcopi, discipuli
apostolorum.

F   2   Item natalis sancti Quadrati martyris.

a	3	Romae, beatorum martyrum Simitrii presbyteri, et aliorum XX duorum, quos Antoninus imperator pro Christo puniri fecit.
F	4	Tudertusciae, sanctorum Felicissimi, Heraclii, et Paulini.
F	5	In territorio Autisidiodorense, passio sancti Prisci martyris, cum ingenti multitudine.
F	6	In Britanniis, sancti Augustini episcopi et confessoris. Qui missus a beato papa Gregorio primus genti Anglorum Christi evangelium praedicavit, atque virtutibus et miraculis gloriosus ibidem requievit.

(27. Mai) G VI Kl. Junii

F	1	Apud Mesiam civitate Dorostorensi natalis sancti Julii, qui tempore persequutionis palmam (Fol. 19$^\mathrm{V}$) martyrii gladio percepit.
	2	<u>Apud Viennam, passio sancti Zachariae secundi eiusdem urbis episcopi.</u>
F	3	In Galliis civitate Arausica, sancti Eutropii episcopi.

(28. Mai) A V Kl. Junii

F	1	Natalis sancti Johannis papae. Quem quia orthodoxus erat, Theodoricus rex Arrianus in custodia tentum, ad mortem usque cum aliis aeque viris catholicis perduxit.
F	2	Eodem die apud Parisium, sancti Germani episcopi et confessoris.
F	3	Item apud Sardiniam, sanctorum Emilii, Felicis, Priami, et Luciani.

(29. Mai) B IIII Kl. Junii

F	1	Romae via Aurelia, sancti Restituti.
F	2	Via Tyburtina, septem germanorum.
F	3	Treveris, beati Maximini episcopi.
A	4	Item passio sancti Cononis et filii eius, sub Aureliano imperatore. Quorum manus malleo ligneo contritae, in laude omnipotentis Dei spiritum emiserunt.

a	5	Eodem die, natalis sanctorum Sisinnii, et Alexandri, qui persequentibus paganis martyrii choronam adepti sunt.

(30. Mai)   C   III Kl. Junii

F   1 Romae via Aurelia, in cimiterio, natalis sancti Felicis papae. Qui cum annis quinque ecclesiam rexisset, sub Claudio martyrio choronatus est.

F   2 Turribus Sardiniae, sanctorum martyrum Gabinii, et Crispuli.

(31. Mai)   D   II Kl. Junii

F   1 Romae, natalis sanctae Petronillae virginis, filiae beatissimi Petri apostoli.

F   2 Eodem die apud Aquileiam, natalis sanctorum martyrum Cantii, Cantiani, et Cantianillae, fratrum.

F   3 Turribus Sardiniae, natalis sancti Crescentiani.

MENSIS JUNIUS habet dies XXX.
Luna, Laetaniae indicendae.

(Fol. 20^r)

(1. Juni)   E   Kal. Junii

F   1 Apud Caesaream Palestinae, natalis sancti Pamphyli presbyteri, viri admirandae fidei et sanctitatis, qui sub persequutione Maximini martyrio choronatus est.

a   2 Romae, dedicatio sancti Nichomedis presbyteri et martyris.

(U)   3 E o d e m   d i e ,   n a t a l i s   s a n c t i   R e v e r i a n i   m a r t y r i s .

    4 T r e v e r i s , s a n c t i   S y m e o n i s   c o n f e s s o r i s .

    5 Apud Viennam, sancti Cladii, undecimi episcopi.

F   6 Ipso die, Sancti Caprasii, abbatis monasterii Lirinensis.

5 Cladii: Schreibfehler der Elsendis, der Ado-Text hat Claudii

(2. Juni)   F   IIII Non. Junii

a   1 Romae, natalis sanctorum Marcellini presbyteri, et
Petri exorcistae, sub Diocletiano iudice Sereno.

a   2 Ipso die Lugduni, sanctae Blandinae cum quadraginta
octo martyribus.

(3. Juni)   G   III Non. Junii

F   1 Apud Aretium civitate Tusciae, sanctorum martyrum
Pergentini, et Laurentini fratrum. Qui cum essent
pueri, post dira supplicia tolerata, gladio caesi
sunt, et apud eandem urbem conditi.

a   2 Item beati Herasini episcopi et martyris. Qui plumbatis crudeliter caesus, et fustibus diutissime macera-
tus, resina quoque sulphure, plumbo, pice, et cera
oleoque solutis perfusus, martyrio clarus sancto
fine quievit.

---

1 dira: Schreibfehler der Elsendis, der Ado-Text
hat dura
2 Herasini: der Ado-Text hat Erasmi

(4. Juni)   A   II Non. Junii

F   1 Apud Illiricum civitate Scichia, natalis sancti
Quirini episcopi. Qui persequutione Maximiani pro
fide Christi ligato ad manum molari saxo, in flumen
praecipitatus est. Cuius reliquiae translatae sunt
Romam.

---

1 Scichia: der Ado-Text hat Siscia

(5. Juni)   B   Non. Junii

F   1 Apud Aegyptum, natalis sanctorum martyrum (Fol. 20^V)
Martiani, Nicandri, et Apollonii, quorum gesta habentur.

A   2 Eodem die, sancti Bonefacii martyris, apud Tharsum
civitatem passi, sed Romae in via Latina sepulti.

F 3 Item eodem die, natalis sancti Bonefacii, qui cum
Eobanco episcopo et aliis servis Dei gladio peremtus,
martyrium consummavit.

(6. Juni) C   VIII Id. Junii

A 1 Sancti Phylippi diaconi, qui unus fuit de septem.

A 2 Apud Tharsum Ciliciae, martyrum XX, qui per diversa
supplicia glorificaverunt deum in corporibus suis.

A 3 Romae, sanctorum Artemii, cum uxore sua Candida, et
filia Paulina.

(7. Juni) D   VII Id. Junii

F 1 Constantinopoli, natalis sancti Pauli eiusdem civitatis episcopi, qui Arrianorum insidiis crudeliter
strangulatus, ad caelestia regna migravit.

F 2 In Caesarea Cappadotiae, natalis sancti Luciani
martyris.

(8. Juni) E   VI Id. Junii

F 1 In Galliis civitate Sessionis, natalis sancti
Medardi episcopi et confessoris.

A 2 Indegavis, sancti Licinii episcopi et confessoris.

A 3 Item eodem die, natalis sancti Karilefi confessoris.

---

2 Indegavis: der Ado-Text hat Andegavis

(9. Juni) F   V Id. Junii

a 1 Romae in monte Caelio, natalis sanctorum martyrum
Primi et Feliciani, sub Diocletiano et Maximiano
imperatoribus. Qui post multa supplicia, novissime
gladio consummati sunt.

F 2 In Galliis civitate Aginno, passio sancti Vincentii
martyris.

(10. Juni) G   IIII Id. Junii

a 1 Romae via Aurelia miliario XIII sanctorum martyrum
Basilidis, Tripodis, et Mandalis, (Fol. 21^r) et
aliorum XX martyrum, sub Aureliano imperatore,
praeside Platone.

A   2   Eodem die, beati Getulii martyris, temporibus
                Adriani imperatoris, iudice Licinio.

(11. Juni)   A   III Id. Junii

    a   1   Natalis sancti Barnabae apostoli, qui per ignem
                passionis, martyrium implevit. Cuius corpus, tempore
                Zenonis imperatoris ipso revelante repertum est.
    A   2   Ipso die, sancti Sostenes, discipuli sancti Pauli
                apostoli.
    A   3   Apud Aquileiam, sanctorum martyrum Felicis et Fortu-
                nati fratrum. Qui in eculeo suspensi ardentibus
                lampadibus circum latera appositis, ferventique
                oleo superfusi, ad ultimum capite truncati sunt.

(12. Juni)   B   II Id. Junii

    a   1   Mediolani, natalis sanctorum martyrum Nazarii, et
                Celsi pueri, sub Anulino, temporibus Neronis impera-
                toris.
    F   2   Item beatorum martyrum Basilidis, Cyrini, et Naboris,
                quos apud Ebredunensem urbem passos fuisse, antiqui-
                tas celebrat.

                 ————————

            2 Elsendis zieht hier zwei Heiligennotizen zusammen;
              bei Ado stehen Basilidis, Cyrini et Naboris ohne
              Ortsangabe; die anschließende Notiz heißt: sed et
              Nazarii et Celsi, quos duos passos fuisse apud
              Ebredunensem urbem, antiquitas memorando celebrat.

(13. Juni)   C   Id. Junii

    F   1   Romae, natalis sanctae Feliculae virginis. Quae in
                eculeo diu torta, et in cloacam praecipitata est.
                Quam sanctus Nichomedis presbyter levavit, et via
                Ardeatina, VII ab urbe miliario sepelivit.

(14. Juni)   D   XVIII Kal. Julii

    F   1   Helisei prophetae, qui apud Samariam Palestinae
                quae Sebastea vocatur positus est, ubi et Abdias

propheta requiescit, et quo maior inter natos
mulierum non fuit Johannes baptista.

a   2   Apud Caesaream Cappadotiae, sancti Basilii episcopi,
fratris Gregorii et Petri.

      3   Viennae, sancti Etherii episcopi.

(Fol. 21^V)

(15. Juni)   E   XVII Kal. Julii

a   1   Apud Siciliam, sanctorum martyrum, Viti, Modesti
et Crescentiae, quos Diocletianus in ollam resina
et pice succensam, et plumbo soluto ferve factam
iactari praecepit, ac deinde in catasta super extendi
et usque ad mortem cedi.

F   2   Eodem die, sancti Ysicii militaris, qui pro Christo
occisus est.

(16. Juni)   F   XVI Kal. Julii

F   1   Apud Anthyochiam, sanctorum Cyrici et Julittae
matris eius. Qui pariter clavis confixi et evulsis
oculis, decalvati quoque et excoriati, ac super
carbones in lecto aereo assati, ad ultimum ferris
adtritti, amputatis linguis, martyrii sui cursum
capitis obtruncatione, cum aliis quaddringentis
quattuor, alacriter impleverunt.

F   2   Apud urbem Vesoncionensem, sanctorum martyrum
Ferreoli presbyteri, et Ferrutionis diaconi. Qui ad
trocleas extenti et flagellati, amputatis linguis,
gladio feriuntur.

F   3   Civitate Namnetis, sancti Similiani episcopi et
confessoris.

F   4   Lugduni, depositio sancti Aureliani episcopi
Arelatensis.

      5   Apud Viennam, sancti Domnoli episcopi.

(17. Juni)   G   XV Kal. Julii

F   1   Romae, sanctorum martyrum ducentorum sexaginta
duorum, qui positi sunt ad clivum Cucumeris.

A 2 Eodem die, sancti Vultramni confessoris, admirandae
    sanctitatis viri.

---

2 Vultramni: der Ado-Text hat Wultmari

(18. Juni) A   XIIII Kal. Julii

a 1 Romae via Ardeatina, natalis sanctorum martyrum
   Marci et Marcelliani, praeclarissimi generis
   Tranquillini et Martiae filiorum. Qui lanceis per
   latera transfixi, cum gloria ...

---

1 cum gloria ... : Beginn der Textlücke. Das fehlende
 Folio muß die Heiligennotizen vom 18. Juni bis
 30. Juni enthalten haben

(Fol. 22^r)

(30. Juni) ... sancti Pauli apostoli.

A 2 Item natalis beatissimae Lucinae discipulae
   apostolorum.

F 3 Et Lemovicas, sancti Marcialis episcopi et confessoris.

MENSIS IULIUS habet dies XXXI.
Luna, Laetaniae indicendae.

(1. Juli) G   Kalendas Iulii

F 1 In monte Hor, depositio Aaron primi sacerdotis.

A 2 Eodem die, sanctae Monegundis virginis.

F 3 Et in territorio Lugdunensi, loco qui vallis
   Vebronna nuncupatur, depositio viri Dei beatissimi
   Domitiani abbatis.

  4 Viennae, sancti Martini episcopi, ad praefatam
   urbem ab apostolis missi, gloriose quiescentis.

(2. Juli) A   VI Non. Julii

a 1 Romae in cimiterio Damasi, natalis sanctorum martyrum Processi, et Martiniani. Quorum passio, in
   libello apostolorum supra notata est.

F   2 Ipso die, sanctorum trium militum, qui cum beato
Paulo apostolo passi sunt.

A   3 Item sanctorum decem martyrum, qui apud Campaniam
glorioso martyrio choronati sunt.

---

1 "in libello apostolorum": der Text nimmt hier Bezug
auf den "Libellus de Festivitatibus SS. Apostolorum",
der normalerweise den Ado-Handschriften der 1.
Familie vorausgeht. Wahrscheinlich war er auch in
der Vorlage der Elsendis enthalten, doch verzich-
tete sie auf die Wiedergabe.

(3. Juli) B   V Non. Julii

F   1 Apud Edissam Mesopotamiae, translatio corporis sancti
Thomae apostoli.

F   2 Ipso die apud Constantinopolim, sancti Eulogii.

F   3 Et apud Laoditiam, beati Anatholii episcopi.

a   4 Apud Neocaesaream Ponti, natalis sancti Gregorii
episcopi et martyris, fratris beati Anthenodori
episcopi.

(4. Juli) C   IIII Non. Julii

A   1 Osee, et Aggei prophetarum.

F   2 Turonis translatio sancti Martini episcopi, et
ordinatio episcopatus eius, et dedicatio basilicae
ipsius.

F   3 Eodem die in Affrica, sancti Jocundiani martyris,
in mare mersi.

F (Fol. 22^V) 4 Et in territorio Biturigae civitatis, natalis sancti
Lauriani martyris.

F   5 Apud Sirmium, sanctorum Innocentii, et Sabbatiae
cum aliis **XXX**.

    6 Ipso die, natalis sancti
Ôdalrici episcopi et con-
fessoris.

(5. Juli) D   III Non. Julii

F   1 Apud Syriam, sancti Domitii martyris, qui virtutibus suis multa incolis benefitia praestat.

F   2 Item Romae, natalis sanctae Zoae, uxoris beati
Nichostrati martyris. Quae a paganis artata, et a
collo ac capillis in arbore suspensa, adhibito in-
super orribili fumo, in confessione domini emisit
spiritum.

(6. Juli)   E   II Non. Julii

F A   1 Isaiae et Johelis prophetarum,

F   2 et octavae apostolorum,

A   3 et primus ingressus beati Pauli apostoli in urbem
Romam.

F   4 Romae, natalis sancti Tranquillini patris martyrum
Marci et Marcelliani. Qui tentus a paganis ac lapi-
datus, martyrium consummavit.

(7. Juli)   F   Non. Julii

F   1 Apud Alexandriam sancti Panteni, viri apostolici et
omni sapientia adornati.

A   2 Romae, natalis beatorum martyrum, Nichostrati
primiscrinii, Claudii commentariensis, Castorii,
Victorini, Symphroniani, qui inter aquas loco
scilicet mundo martyrium celebrarent.

       3 Apud Viennam, natalis sancti Eooldi, episcopi.

(8. Juli)   G   VIII Id. Julii

A   1 Apud Asiam minorem, sancti Aquilae, et Priscillae
uxoris eius, de quibus in actibus apostolorum
scribitur.

F   2 In Palestina, natalis sancti Procopii martyris, qui
ad primam responsionem capite caesus est.

(9. Juli)   A   VII Id. Julii

F   1 Romae ad guttam iugiter manantem, sancti Zenonis,
et aliorum decem milium ducentorum, et trium.

F (Fol. 23^r)   2 In civitate Tyriae, natalis sanctorum Anatholiae, et Audacis, sub Decio imperatore.

F   3   Eodem die, natalis sancti Cyrilli episcopi. Qui flammis iniectus et illaesus evadens, capite plecti iussus est.

F   4   In civitate Martulana, sancti Brictii episcopi et confessoris, cuius anima in specie columbae coelum petiit.

F   5   Apud Aegyptum, sancti Serapionis episcopi.

(10. Juli)   B   VI Id. Julii

F   1   Romae, septem fratrum filiorum sanctae Felicitatis.

F   2   Eodem die in Affrica natalis sanctorum Januarii, Marini, Naboris, et Felicis, decollatorum.

a   3   Item Romae miliario decimo, sanctarum Rufinae et Secundae sororum, quae pro Christo occisae sunt.

(11. Juli)   C   V Idus Julii

F   1   Translatio sancti Benedicti abbatis, et sanctae Scolasticae sororis eius.

F   2   Eodem die in Armenia minore, civitate Nicopoli, sanctorum martyrum Januarii et Pelagiae, qui aequuleo ungulis et testarum fragmentis diebus quattuor cruciati, martyrium impleverunt.

(12. Juli)   D   IIII Id. Julii

F   1   Apud Aquileiam, natalis Hermagorae primi eiusdem civitatis episcopi, discipuli sancti Marci Evange-listae.

A   2   Apud Cyprum, natalis beati Nasonis, antiqui Christi discipuli.

F   3   Apud Caesaream, sancti Dyi.

F   4   Mediolani, translatio sanctorum martyrum Namoris et Felicis.

      5   <u>Sancti Pii papae, qui sedit Romae annis decem et novem.</u>

---

4 Namoris: der Ado-Text hat Naboris

(13. Juli)   E   III Id. Julii

    A   1 Esdrae et Johelis, prophetarum.

    F   2 Apud Affricam, natalis sancti Eugenii Kartaginensis
episcopi, et universi cleri ecclesiae eiusdem, qui
gloriosae in Christo (Fol. 23^V) perseverantiae titulo
illustrati sunt.

          3 Sancti Cleti papae, qui Romae sedit annis XII.

          4 E o d e m d i e , n a t a l i s s a n c t a e
M a r g a r e t a e v i r g i n i s , q u a e
p r o C h r i s t o m a r t y r i z a t a e s t .

(14. Juli)   F   II Id. Julii

    F   1 Apud Pontum, natalis sancti Focae episcopi civitatis
Sinopis, qui carcerem, vincula, ferrum, ignem etiam
pro Christo superavit.

(15. Juli)   G   Idus Julii

    F   1 Nisibi, natalis sancti Jacobi episcopi, magnae
virtutis viri.

    F   2 Romae in portu, natalis sanctorum Eutropii, Zosimae,
et Bonosae, sororum.

    F   3 Apud Alexandriam, sanctorum Phylippi, Zenonis, Ursae,
et decem infantum.

    F   4 Kartagini, natalis sanctorum Catulini diaconi,
Januarii, Florentii, Juliae et Justae.

(16. Juli)   A   XVII Kal. Aug.

    F   1 In Hostia, natalis Hylarini, qui cum nollet sacrifi-
care, fustibus caesus, martyrium sumpsit.

    F   2 Apud Anthyochiam Syriae, sancti Eustachii episcopi
et confessoris.

(17. Juli)   B   XVI Kal. Aug.

    F   1 In Cartagine, natalis sanctorum martyrum XII
Scyllitanorum, qui post primam confessionem Christi
in carcerem missi, et in ligno confixi, mane gladio
decollati sunt.

(18. Juli)   C   XV Kal. Aug.

F   1   Apud Kartaginem, natalis sanctae Guddenes, quae
quater diversis temporibus eculei extensione
vexata, et ungularum horrenda laceratione cruciata,
carceris etiam squalore diutissime afflicta, novissime gladio caesa est.

F   2   Apud civitatem Metensium, sancti Arnulfi episcopi,
qui sanctitate et miraculorum gratia illustris, here-
miticam vitam diligens, beato fine quievit.

(Fol. 24^r)

(19. Juli)   D   XIIII Kal. Aug.

F   1   Sancti patris nostri Arsenii, mirae sanctitatis viri.

F   2   Eodem die Hispali apud Hispaniam, natalis sanctarum
Justae et Rufinae, quae eculei extensione et ungularum laniatione vexatae, inaedia quoque et doloribus
afflictae, martyrio choronatae sunt.

(20. Juli)   E   XIII Kal. Aug.

A   1   Natalis beati Joseph, qui cognominatus est Iustus,
qui multam pro fide Christi persequutionem a Iudeis
sustinens, victoriosissimo fine in Iudea quievit.

F   2   Apud Damascum, sanctorum Sabini, Maximini, Juliani,
Macrobii, et Paulae cum aliis XI.

(21. Juli)   F   XII Kal. Aug.

F   1   Danihelis prophetae.

a   2   Romae sanctae Praxedis virginis, sororis beatae
Potentianae.

F   3   In Galliis civitate Massilia, natalis sancti Victoris, qui crudelissime caesus ac suspensus, et
taureis cruciatus, missus est in molam pistoriam,
sicque martyrium consummavit. Cum quo passi sunt
tres milites Alexander scilicet Felicianus et Longi-
nus. Puer quoque Deutherius, qui dum ad sepulchrum
eius oraret, emisit spiritum.

(22. Juli)   G   XI Kal. Aug.

a   1 Natalis sanctae Mariae Magdalenae;

A   2 et Sinthices beatae, quae Phylippis dormit sepulta.

F   3 Ancira Galatiae, natalis sancti Platonis martyris, cuius gesta habentur.

(23. Juli)   A   X Kal. Aug.

a   1 Apud Ravennam, natalis sancti Apollinaris episcopi. Hic ab Anthyochia sequutus apostolum Petrum et ab urbe Roma ab eodem apostolo missus Ravennam, rexit ecclesiam annis XXVIII, mense uno, diebus IIII, (Fol. 24^V) passus ultimum martyrium sub Vespasiano Caesare.

(24. Juli)   B   VIIII Kal. Aug.

F   1 Romae via Tiburtina miliario nono decimo, natalis sancti Vincentii.

F   2 Apud Emeritam Hispaniae civitatem, natalis sancti Victoris militaris, qui cum duobus fratribus Stercatio et Anthinogeno diversis examinatus suppliciis, martyrium consumma-vit.

a   3 Eodem die apud Italiam in Tyro quae est circa laccum Vulsinum, natalis sanctae Crystinae virginis, quae post innummera tormenta sagittis confixa martyrium suum complevit.

F   4 Ipso die, sanctarum Nicetae et Aquilae, quae ad praedicationem beati Christofori ad Christum con-versae, martyrii palmam capitis abscisione sumpse-runt.

F   5 Apud Amiterninam civitatem, militum LXXX trium.

(25. Juli)   C   VIII Kal. Aug.

F   1 Natalis sancti Jacobi Zebedei apostoli.

F   2 Eodem die in Lycia civitate Samon, natalis sancti Christofori, qui virgis ferreis attritus et flammis superatis, sagittarum ictibus confossus, martyrium capitis obtruncatione complevit.

a   3 In Hispaniis civitate Barcinona, natalis sancti
Cucufatis martyris, qui gladio ferire iussus, martyrium complevit.

(26. Juli)   D   VII Kal. Aug.

a   1 Romae in portu, natalis sancti Jacincti, qui post
ignem et validissimum torrentem, gladio percussus,
martyrio choronatus est.

(27. Juli)   E   VI Kal. Aug.

F   1 Apud Nichomediam civitatem, natalis sancti Hermolai
presbyteri. Qui tentus a Maximiano, capitali sententia ob confessionem Christi punitus est.

F (Fol. 25^r) 2 Eodem die in Syria, sancti Symeonis monachi.

(28. Juli)   F   V Kal. Aug.

F   1 Nichomediae, passio sancti Pantaleonis. Qui tentus
a Maximiano, eculei poena et lampadum exustione
cruciatus, tandem ictu gladii martyrium consummavit.

F   2 Eodem die Lugduni, sancti Peregrini presbyteri.

F   3 I p s o   d i e ,   n a t a l i s   s a n c t o r u m
m a r t y r u m   N a z a r i i ,   e t   C e l s i .

(29. Juli)   G   IIII Kal. Aug.

a   1 Romae via Aurelia, beati Felicis pontificis. Qui
agentibus hereticis, capite truncato martyrio choronatus est.

a   2 Eodem die, sanctorum martyrum Simplicii, Faustini,
et Beatricis. Qui post multa ac diversa supplicia,
iussi sunt capitalem subire sententiam.

F   3 Ipso die, sancti Lupi episcopi de Trecas, qui L
duobus annis sacerdotio functus est.

(30. Juli)   A   III Kal. Aug.

a   1 Romae, Abdon et Sennen, subregulorum, sub Decio
imperatore. Qui ab eodem ducti Romam, post multa
tormenta iussu Valeriani a gladiatoribus interfecti
sunt.

a   2   Eodem die apud Africam, natalis sanctarum virginum
Maximae, Donatillae, et Secundae, quae persequutione
Gallieni sub Anulino iudice passae sunt.

(31. Juli)   B   II Kal. Aug.

F   1   Caesareae passio sancti Fabii martyris. Qui cum
ferre vexilla praesidalia recusaret, a furibundo
iudice capitali sententia condempnatur.

F   2   Ravennae, transitus sancti Germani episcopi
Autisiodorensis, cuius vita virtutibus et miraculis
insignis extitit.

(Fol. 25^V)   MENSIS AUGUSTUS habet dies XXXI.
Luna, Laetaniae indicendae.

(1. Aug.)   C   Kal. Augusti

F   1   Romae, ad sanctum Petrum ad vincula.

F   2   Anthiochiae, natalis sanctorum Machabeorum.

F   3   Apud Italiam civitate Vercellis, sancti Eusebii
episcopi. Qui ob confessionem vere fidei, perse-
quentibus Arrianensis martyrium passus est.

F   4   Apud Arabiam civitate Phyladelfia, sanctorum sex
martyrum una die choronatorum.

F   5   In Hispaniis civitate Gerunda, natalis sancti
Felicis martyris.

       6   Vienna, sancti Veri episcopi, qui unus fuit ex
discipulis apostolorum,

       7   et sancti Nectarii episcopi.

(2. Aug.)   D   IIII Non. Aug.

a   1   Romae in cimiterio Calixti, natalis sancti Stephani
papae et martyris. Quem intrepidum et constantem,
ante altaris sollempnia et cepta perficientem, in
eodem loco iussit Valerianus decollari.

a   2   Eodem die, sanctae Theodotae cum tribus filiis suis,
qui per ignem martirizati sunt.

       3   Apud Viennam, sancti Justi episcopi eximiae sancti-
tatis viri.

(3. Aug.) E   III Non. Aug.

a 1 Iherosolimis, inventio corporis beatissimi Stephani
protomartyris, et sanctorum Gamalihelis, Nichodemi,
et Abibon.

  2 A p u d N o v a r i a m , t r a n s l a t i o
s a n c t i G a u d e n t i i e p i s c o p i .

F 3 Constantinopoli, sancti Ermelli martyris.

(4. Aug.) F   II Non. Aug.

A 1 Natalis beati Aristharchi discipuli sancti Pauli
apostoli.

A 2 Romae in cripta Arenaria, beati Tertullini martyris.
Qui extensus in eculeo, et nervis diutius tortus,
(Fol. 26^{r}) ignibusque concrematus, novissime decol-
latus est.

a 3 Apud Lugdunum adventus corporis sancti Justi episcopi.

(5. Aug.) G   Nonas Aug.

F 1 Apud provintiam Retiae civitate Augustana, natalis
sanctae Affrae. Quae ad Christum conversa, et cum
omni domo sua baptizata, pro confessione domini
igni tradita est.

F 2 Augustiduno, sancti Cassiani episcopi.

U 3 I p s o d i e , n a t a l i s s a n c t i
O s w a l d i m a r t y r i s r e g i s
a n g l o r u m .

(6. Aug.) A   VIII Id. Aug.

Nachtrag: 1 T r a n s f i g u r a t i o d o m i n i
n o s t r i J e s u C h r i s t i i n
m o n t e T h a b o r .

a 2 Romae via Appia in cimiterio Calixti, natalis sancti
Syxti episcopi et martyris.

a 3 Et in cimiterio Praetextati, sanctorum Felicissimi,
et Agapiti, diaconorum eiusdem, sub Decio imperatore, Valeriano praefecto.

| F | 4 | Eodem die in Hispaniis civitate Compluto, Justi et Pastoris fratrum. Qui pueri a Datiano teneri iussi, extra civitatem pro Christo iugulati sunt. |
| | 5 | <u>Ormisdae papae, qui sedit annis X, et VII.</u> |

---

1 Transfiguratio - 2 martyris: der Text dieser beiden Heiligennotizen steht auf Rasur. Um Transfiguratio an die 1. Stelle des Tageseintrags setzen zu können, wurde die Syxtus-Eloge zunächst getilgt und dann zusammen mit dem neuen Festeintrag in gedrängter Schrift eingefügt.

(7. Aug.)	B	VII Id. Aug.
a	1	Apud Tusciam civitate Arescio, natalis sancti Donati episcopi et martyris. Qui postquam calicem fractum in formam pristinam restauravit, propter quod septuaginta novem animae salvatae sunt, gladio percussus migravit ad Christum. Cum quo et Hilarinus monachus tamdiu caesus est, donec spiritum emitteret.
F	2	Romae, sanctorum martyrum Petri, Julianae, cum aliis X et VIII.
a	3	Apud Mediolanum, sancti Fausti, tempore Aurelii Commodi martirizati.
(Fol. 26^V)		
(8. Aug.)	C	VI Id. Aug.
a	1	Romae via Ostiensi miliario VII natalis et memoria beatorum martyrum Cyriaci, Largi, et Smaragdi, quos Maximinus Augustus capite truncari iussit.
F	2	Apud Viennam, Severi presbyteri et confessoris.
(9. Aug.)	D	V Id. Aug.
F	1	Vigilia sancti Laurentii.
F	2	Eodem die Romae sancti Romani militis. Qui confessione sancti Laurentii compunctus petiit ab eo baptizari, et mox iubente Decio decollatus est pro Christo.

(10. Aug.)   E   IIII ^{I}d. Aug.

a   1   Natalis sancti Laurentii archidiaconi et martyris
sub Decio.

a   2   Eodem die Romae militum centum sexaginta quinque,
cum quibus passi sunt Claudius, Severus, Crescentio,
et Romanus.

(11. Aug.)   F   III Id. Aug.

a   1   Romae inter duos lauros, natalis sancti Tyburcii
martyris, qui iussu Fabiani iudicis uno hictu gladii
percussus, migravit ad Christum.

a   2   Eodem die Romae, sanctae Susannae virginis et martyris. Quae in confessione domini permanens, gladio
percussa est intra domum suam.

U   3   A p u d   c a s t r u m   E b r o i c a s ,
n a t a l i s   s a n c t i   T a u r i n i
e p i s c o p i   e t   c o n f e s s o r i s .

(12. Aug.)   G   II Id. Aug.

a   1   In Sicilia civitate Cathyniensium, natalis Eupli
diaconi. Qui flectens genua sua, et finita oratione
decollatus est pro Christo.

F   2   Eodem die sanctae Hylariae matris sanctae Afrae,
quae pro fide Christi igni tradita est, cum Digna
et Eumenia, et Euprepia.

F   3   In Syria, natalis sanctorum Macharii, et Juliani.

(13. Aug.)   A   Idus Aug.

a   1   Romae, sancti Ypoliti martyris. Qui (Fol. 27^r)
ligatis pedibus ad colla indomitorum equorum, et
sic per carduetum et tribulos tractus, emisit beatum
spiritum. Cum quo et numero decem et novem promiscui
sexus ex eius familia decollati sunt.

a   2   Eodem die, sanctae Concordiae, nutricis eiusdem
beati Yppoliti.

F   3   Ipso die, foro Syllae, natalis sancti Cassiani
martyris. Qui a pueris quos educabat crudeliter
passum est.

U   4   P i c t a v i s ,   R a d e g u n d i s
         r e g i n a e .

(14. Aug.)   B   XVIIII Kal. Sept.

F   1   Vigilia assumptionis sanctae MARIAE.

a   2   Eodem die, natalis sancti Eusebii presbyteri et
            confessoris.

(15. Aug.)   C   XVIII Kal. Sept.

a   1   Dormitio sanctae Dei Genitricis et perpetuae vir-
            ginis MARIAE. Quam etsi pro conditione carnis migras-
            se credimus, in coelesti tamen gloria cum Christo
            eam regnare non dubitamus.

A   2   Eodem die, sancti Tarsitii acoliti. Qui corporis
            Christi sacramenta portans, cum paganis nollet ea
            prodere, tamdiu fustibus ac lapidibus mactatus est,
            quo usque exalaret spiritum, nichilque de sacramen-
            tis super eum inventum est.

(16. Aug.)   D   XVII Kal. Sept.

F   1   In Nicea Bithyniae, natalis sancti Ursatii, confes-
            soris, qui tantis virtutibus claruit, ut et demones
            expulisse, et ingentem draconem orando interemisse
            legatur.

A   2   Romae, sanctae Serenae.

(17. Aug.)   E   XVI Kal. Sept.

F   1   Apud Africam, sanctorum martyrum Liberati abbatis,
            Bonifacii diaconi, Servii et Rustici subdiaconorum,
            Rogati et Septimi monachorum, et Maximi pueri, qui
            in modum canum cerebris (Fol. 27$^\text{v}$) comminutis,
            speciosum cursum certaminis sui choronante domino
            perfecerunt.

F   2   Apud Caesaream Cappadotiae, natalis sancti Mametis
            martyris.

(18. Aug.) F   XV Kal. Sept.

A   1 Apud Praenestinam civitatem, miliario ab urbe
tricesimo tertio, natalis sancti Agapiti martyris,
sub Aurelio imperatore, praeside Anthiocho. Qui
flagellis caesus, et bullienti aqua perfusus,
maxillisque confractis, gladio percussus est.

A   2 Eodem die Romae, beatorum presbyterorum Johannis,
et Crispi.

(19. Aug.) G   XIIII Kal. Sept.

F   1 Natalis sancti Magni seu sancti Andreae martyrum,
cum sociis suis duobus milibus quingentis nonaginta
et septem.

F   2 In Galliis pago Sigisterico, in monte qui dicitur
Jura, sancti Donati presbyteri mirae sanctitatis
viri.

A   3 Eodem die Romae, beati Julii senatoris et martyris,
qui tamdiu fustibus est caesus, donec emitteret
spiritum.

(20. Aug.) A   XIII Kal. Sept.

F   1 Samuhelis prophetae.

A   2 Eodem die, beati Porphyrii hominis dei.

(U)   3 I p s o   d i e ,   s a n c t i   P h y l i b e r t i
a b b a t i s ,   e x i m i a e   s a n c t i t a-
t i s   v i r i .

(21. Aug.) B   XII Kal. Sept.

F   1 In territorio civitatis Gabalitanae, vico Mimatensi,
natalis sancti Privati episcopi et martyris, qui
passus est persequutione Valeriani et Gallieni.

F   2 Eodem die, natalis sanctorum martyrum Bonosii, et
Maximiani, quorum gesta habentur.

a   3 In civitate Salona, natalis sancti Anastasii
martyris.

(22. Aug.) C   XI Kal. Sept.

F   1 Romae via Ostiensi in cimiterio (Fol. 28 r) eiusdem,

natalis sancti Thymothei, qui tentus a Tarquinio
urbis praefecto, et longa carceris custodia macera-
tus, tercio caesus et gravissimis suppliciis ad-
trectatus novissime decollatus est.

F   2   Eodem die Augustiduno, natalis sancti Symphoriani,
qui caeso capite martyrium consummavit.

F   3   In portu Romano, sanctorum peregrinorum martyrum
Marcialis, Epicteti, Saturnini, Aprilis, et Felicis
cum sociis eorum.

A   4   Item Romae, beati Antonii martyris.

(23. Aug.)   D   X Kal. Sept.

F   1   Natalis sanctorum martyrum Donati, Restituti, Valeriani, Fructuosae cum aliis duodecim, apud Antiochyam
choronatorum.

A   2   Apud Alexandriam, beati Theone, venerabilis et vere
deo digni.

A   3   Eodem die, beati Zachei episcopi, quarti ab Jacobo
ecclesiae Iherosolimorum.

F   4   Lugduno, sanctorum martyrum Minervi et Eleazari,
cum filiis octo.

F   5   Romae, sancti Yppoliti, Quiriaci, et Archillai.

F   6   Eodem die apud Remensium urbem, sanctorum martyrum
Timothei, et Apollinaris.

(24. Aug.)   E   VIIII Kal. Sept.

F   1   In India, natalis sancti Bartholomei apostoli.

F   2   Eodem die apud Kartaginem, sanctorum martyrum Massae
candidae, trecentorum scilicet virorum, qui per ignem
purgati sunt.

(25. Aug.)   F   VIII Kal. Sept.

a   1   Romae, natalis sancti Genesii martyris, qui choronam
martyrii capitis obtruncatione promeruit.

F   2   Ipso die, natalis sancti Genesii martyris, Arelatensis, qui in ripa fluminis Rodani (Fol. 28^V) decollatus, martyrii gloriam proprio cruore baptizatus
accepit.

A	3	Romae, sanctorum quattuor martyrum Eusebii, Pontiani, Peregrini, atque Vincentii, qui usque ad emissionem spiritus plumbatis mactati sunt.

(26. Aug.)   G   VII Kal. Sept.

a	1	Romae, sancti Zephyrini papae, qui rexit ecclesiam annis octo, mensibus septem, diebus decem.
F	2	Item natalis sanctorum Hyrenei et Habundii, Romae.
F	3	Apud Victimilium castrum Italiae, natalis sancti Secundi martyris, qui post vincula et carcerem martyrium capitis abscisione complevit.
F	4	Apud Italiae quae Pergamis dicitur, natalis sancti Alexandri, qui flectens genua et cervicem humilians oratione fusa ad dominum, animadversus est.

(27. Aug.)   A   VI Kal. Sept.

a	1	Apud Capuam, natalis sancti Rufi martyris.
F	2	Tomis, sanctorum martyrum Marcellini tribuni, et uxoris eius Mameae, et filii ipsius Johannis, et Serapionis clerici, et Petri militis.
a	3	In Galliis civitate Arelatensi, sancti Caesarii episcopi, mirae sanctitatis et pietatis studii viri.
F	4	Apud Augustidunum, sancti Syagrii episcopi et confessoris.

(28. Aug.)   B   V Kal. Sept.

a	1	Romae, beatissimi Hermetis martyris.
a	2	Ipso die in Africa, sancti Augustini episcopi mirae doctrinae viri.
F	3	Eodem die Brivate, natalis sancti Juliani, qui ab insequentibus persequutoribus tentus, desecto gutture, morte horribili necatus est.
F	4	Constantinopolim, (Fol. 29^r) sancti Alexandri episcopi qui Arrium dampnavit.
A	5	Apud Sanctonas, sancti Viviani episcopi et confessoris.

(29. Aug.)   C   IIII Kal. Sept.

    a   1 Romae in Aventino oppido Vindinense ad arcum Fausti-
            ni, beatissimae et illustrissimae Sabinae, quae
            gladii percussione migravit ad Christum.

    a   2 Eodem die, veneratur decollatio sancti Johannis
            baptistae praecursoris domini.

(30. Aug.)   D   III Kal. Sept.

    A   1 Romae via Ostiensi miliario secundo ab urbe, beatis-
            simorum martyrum Felicis et Audacti, qui simul pro
            Christo decollati sunt.

(31. Aug.)   II. Kal. Sept.

    F   1 Treveris, natalis sancti Paulini episcopi. Qui
            exilio relegatus, et apud Frigiam defunctus, beatae
            passionis choronam percepit a domino.

    A   2 Apud Athenas, beati Aristhidis confessoris Christi.

MENSIS SEPTEMBER habet dies XXX.
Luna, Laetaniae indicendae.

(1. Sept.)   F   Kalendas Sept.

   FA   1 Jesu nave et Gedeon prophetarum.

    a   2 Apud Capuam via Aquaria, natalis sancti Prisci
            martyris, ex antiquis Christi discipulis.

    A   3 Apud Senonas, beati Lupi episcopi, sanctitate et
            signis illustrissimi.

    A   4 Item beati Longini martyris, qui latus domini
            nostri Jesu Christi in cruce aperuit. Postmodum
            vero ab apostolis baptizatus, post confessionem
            fidei sub Octaviano praeside lingua abscisa, et
            dentibus excussis, capite truncatus est, et cum eo
            choronatus est Afrodisius commentariensis.

         5 Ipso die Augustiduno,
            gloriosa exceptio sancti
            Lazari quem Deus suscita-
            vit.

(Fol. 29^V)

XII L.   U   6   E o d e m   d i e ,   t r a n s i t u s   b e a t i
             A e g i d i i   a b b a t i s   e t   c o n f e s -
             s o r i s .

(2. Sept.)   G   IIII Non. Sept.

a   1   Natalis sancti Justi Lugdunensis episcopi, mirae
                 sanctitatis et prophetici spiritus viri.

A   2   Eodem die apud praefatam urbem venerabilis deposi-
                 tio beati Helpidii episcopi.

F   3   Apud Appamiam, beati Antonini martyris gloriosi.

(3. Sept.)   A   III Non. Sept.

A   1   Romae, passio et natalis beatae Seraphyae virginis,
                 sub Adriano imperatore, iudice Berillo.

F   2   Apud Capuam, natalis sanctorum martyrum, Antonini
                 pueri annorum XX, et Aristhei episcopi, quorum
                 gesta habentur.

Nachtrag: 3   E o d e m   d i e   R o m a e ,   O r d i n a t i o
                 b e a t i s s i m i   P a p a e   G r e g o r i i .

(4. Sept.)   B   II Non. Sept.

F   1   Moysi prophetae.

F   2   Et apud Ancyram Galatiae, sanctorum martyrum trium
                 puerorum Rufini, Silvani, et Vitalicae.

F   3   Cabilone, natalis sancti Marcelli martyris. Qui
                 temporibus Antonini Veri inaudito crudelitatis
                 genere defodiri cingulotenus erectus iussus est,
                 et sic incontaminatum reddidit spiritum.

(5. Sept.)   C   Non. Sept.

A   1   In suburbanio Romae, beati Victorini martyris.
                 Qui apud eum locum qui Cotilias appellatur ubi
                 putentes aquae et sulphureae emanant, capite deor-
                 sum suspensus, et hoc per triduum pro nomine Christi
                 passus, gloriose choronatus migravit victor ad
                 dominum.

F	2	Item Romae in portu, natalis sancti Herculani.
F	3	Capuae, natalis sanctorum Quinti, Arcontii, et Donati.

(6. Sept.)   D   VIII Id. Sept.

F	1	Zachariae prophetae,
A	2	et natalis beati Onesiphori, apostolorum discipuli.
F	3	Apud Africam, beatissimorum confessorum et episcoporum Donatiani, (Fol. 30^r) Praesidii, Mansueti, Germani, et Fusculi, qui pro assertione catholicae veritatis durissime fustibus caesi, exilio dampnati sunt. Inter quos episcopus nomine Laetus incendio est concrematus.
	4	E o d e m d i e , s a n c t i M a g n i c o n f e s s o r i s .

(7. Sept.)   E   VII Id. Sept.

A	1	Apud Nicomediam, natalis sancti Johannis martyris, qui omnia suppliciorum genera alacriter pro Christo sustinuit.
U	2	A u r e l i a n i s , s a n c t i E v u r c i i e p i s c o p i e t c o n f e s s o r i s .

(8. Sept.)   F   VI Id. Sept.

a	1	Nativitas sanctae Dei genitricis et perpetuae virginis MARIAE.
a	2	Eodem die apud Nicomediam, natalis sancti Adriani martyris, cum aliis viginti tribus.

(9. Sept.)   G   V Id. Sept.

a	1	Apud Nichomediam, passio beatorum martyrum Dorothei et Gorgonii. Qui appensi et flagris toto corpore laniati, visceribus iam pelle nudatis, aceto et sale perfusi, ad ultimum in craticula prunis subterpositis assati, martyrium consummaverunt.
F	2	In Sabinis miliario ab urbe tricesimo, sanctorum Jacyncti, Alexandri, et Tyburcii.

(10. Sept.) A   IIII Id. Sept.

F   1   Apud Africam, natalis sanctorum episcoporum Nemesiani,
             Felicis, Lucii.

F   2   Item Felicis, Littei, Poliani, Victoris, Jaderis,
             et Dativi. Qui ad primam confessionis Christi con-
             stantiam graviter fustibus caesi, deinde compedi-
             bus vincti, et ad fodienda metalla deputati, glorio-
             sae confessionis agonem consummaverunt.

F   3   Eodem die in Calchydonia, natalis sanctorum martyrum
             Sosthenis, et Victoris.

(11. Sept.) B   III Id. Sept.

a   1   Romae via Salaria in cimiterio (Fol. 30^V) Basillae,
             natalis sanctorum martyrum Proti, et Jacincti. Qui
             deprehensi quod essent Christiani, durissime ver-
             berantur, et sic pariter decollantur.

(12. Sept.) C   II Id. Sept.

F   1   Apud urbem Tycinum quae et Papia dicitur, sanctorum
             confessorum Syri, et Yventii, qui in pontificali
             honore fundata et confirmata fide credentium popu-
             lorum, glorioso fine quieverunt in pace.

(13. Sept.) D   Idus Sept.

A   1   Apud Aegyptum civitate Alexandria, beati Phylippi
             episcopi et martyris. Qui praefectus primum, deinde
             baptismi gratia sanctificatus, episcopi dignitatem
             assequutus est, et intra ecclesiam orans interfectus
             est pro Christo.

F   2   Eodem die, sancti Amati presbyteri et abbatis
             monasterii sancti Romerici.

(14. Sept.) E   XVIII Kal. Oct.

a   1   Romae via Appia, in cimiterio Calixti, natalis
             sancti Cornelii papae, cum quo decollati sunt
             numero viginti et unus.

a   2   Apud Africam, beati Cypriani episcopi, qui ductus

ad locum martyrii, genua in terram posuit, orationem-
que ad dominum fudit, et sic gladio percussus
migravit ad Christum. Passi sunt cum eo Crescentianus,
Victor, Rosula, et Generalis.

a   3   Item eodem die, exaltatio sanctae crucis, quae annis
omnibus decreto Sergii papae in basilica salvatoris
quae appellatur constantiniana, die exaltationis
eius ab omni osculatur atque adoratur populo.

(15. Sept.)   F   XVII Kal. Oct.

F   1   Natalis sancti Nichomedis martyris, qui (Fol. 31^r)
plumbatis diutissime caesus, migravit ad dominum.

F   2   Eodem die in territorio Cabilonensi Castro Tenortio,
natalis sancti Valeriani martyris. Quem praeses
Priscus suspensum, et gravi ungularum laceratione
cruciatum, gladio animadverti fecit.

(16. Sept.)   G   XVI Kal. Oct.

a   1   Natalis sanctae Euphemiae virginis, quae martyrizata
est sub Diocletiano imperatore, proconsule autem
Prisco, in civitate Calchydonia.

a   2   Ipso die Romae, natalis sanctorum Luciae et Geminiani,
qui post laudabilem victoriam martyrii gladio animad-
versi sunt.

(17. Sept.)   A   XV Kal. Oct.

F   1   In Britanniis, Socratis et Stephani.

F   2   Sividuno, natalis sanctorum Valeriani, Macrini, et
Gordiani.

a   3   Romae via Tyburtina ad sanctum Laurentium, natalis
beati Justini presbyteri.

A   4   Item Romae, in cripta arenaria, sanctorum martyrum
Narcisci, et Crescentionis.

a   5   Tungrensi diocesi, Leagio villa publica, natalis
sancti Lamberti episcopi et martyris.

---

2 Sividuno: Schreibfehler des Rubrikators , der
Ado-Text hat Nividuno

(18. Sept.)   B   XIIII Kal. Oct.

F   1   Natalis sancti Metodii episcopi Olimpi, et Litiae,
            ac postea Tyri, qui sub Diocletiano in Calcide
            Greciae martyrio choronatus est.

F   2   Viennae, sancti Ferreoli, qui persequutionis tempore
            cum esset tribunitiae potestatis, iussu impiissimi
            praesidis crudelissime verberatus, martyrii palmam
            capitis obtruncatione percepit.

(19. Sept.)   C   XIII Kal. Oct.

F   1   In Neapoli Campaniae, natalis sancti Januarii Bene-
            ventanae civitatis episcopi, cum (Fol. 31^V) Sosio
            diacono civitatis Mesanae, et diacono suo Festo,
            et lectore suo Desiderio, qui post vincula et car-
            ceres, capite sunt caesi pro Christo.

F   2   Eodem die in Palestina, sanctorum martyrum Peley,
            et Nili episcoporum, qui cum plurimis clericis igni
            pro Christo consumpti sunt.

F   3   Apud Nuceriam, natalis sanctorum martyrum Felicis,
            et Constantiae.

F   4   In territorio Lingonicae civitatis, Sigonis presby-
            teri.

(20. Sept.)   D   XII Kal. Oct.

        1   Vigilia sancti Mathei apostoli et evangelistae.
F   2   In Cizicho, natalis sanctorum martyrum Faustae
            virginis, et Evilasii, quorum corpora clavis imple-
            ta, et ad ultimum igne superato, migraverunt ad
            Christum.

(21. Sept.)   E   XI Kal. Oct.

a   1   Natalis sancti Mathei apostoli et evangelistae.

(22. Sept.)   F   X Kal. Oct.

a   1   In Galliis civitate Seduno, loco Agauno, natalis
            sanctorum martyrum Thebeorum, Mauricii, Exuperii,
            Candidi, Victoris, Innocentii, et Vitalis, cum

sociis suis, qui sub Maximiano passi pro Christo,
gloriosissime choronati sunt.

(U)   2 I p s o d i e , s a n c t i E m m e r a m m i
e p i s c o p i e t m a r t y r i s .

(23. Sept.) G   VIIII Kal. Oct.

a   1 Natalis sanctae Teclae virginis, apud Seleutiam
quiescentis, quae de civitate Hyconio a beato
apostolo Paulo instructa est.

(24. Sept.) A   VIII Kal. Oct.

F   1 Conceptio sancti Johannis baptistae.
F   2 Augustiduno, natalis sanctorum martyrum Andochii
presbyteri, Tyrsi diaconi, et Felicis, qui sub
principe Aureliano gloriosissime sunt pro Christo
choronati.

(25. Sept.) B   VII Kal. Oct.

A   1 Natalis beati Cleophae, cui dominus post resurrectio-
nem in via apparuit.
(Fol. 32^r)F 2 Lugduni, sancti Lupi episcopi ex anachoretis.

(26. Sept.) C   VI Kal. Oct.

a   1 Sanctorum martyrum Cypriani episcopi, et Justinae,
qui passi sunt sub Diocletiano imperatore, iudice
Euthelmo.

(27. Sept.) D   V Kal. Oct.

a   1 Apud Aegeam civitatem, natalis sanctorum martyrum
Cosmae et Damiani, persequutione Diocletiani, sub
praeside Lysia, qui fecit eos praecipitare in ignem,
sed virtute Christi nichil laesi, gladio animadverti
illos iussit.

(28. Sept.) E   IIII Kal. Oct.

F   1 In Hispaniis civitate Corduba, sanctorum Fausti,
Januarii, et Marcialis, qui primo equulei poena
cruciati, deinde rasis superciliis, et auribus ac

naribus praecisis, dentibus quoque superioribus
evulsis deturpati, ad ultimum ignis passione martyrium consummaverunt.

2 In Poemia apud Pragam
civitatem natalis sancti
Venzlai martyris, qui
innocenter captus, cito
subvenit.

(29. Sept.) F   III Kal. Oct.

a   1 In monte Gargano, venerabilis memoria beati archan-
         geli Michahelis, ubi ipsius consecrata nomine habe-
         tur ecclesia, vili facta scemate, sed caelesti
         praedita virtute.

(30. Sept.) G   II Kal. Oct.

F   1 In Galliis castro Solodoro, passio sanctorum marty-
         rum Victoris, et Ursi, ex gloriosa legione Thebeorum.
         Qui diris suppliciis excruciati, et in ignem missi,
         gladio consummati sunt.

a   2 <D>epositio eodem die apud Bethleem Iudae, sancti
         Iheronimi presbyteri.

         _____

         2 <D> epositio: das D wurde vom   Rubrikator   ver-
           gessen

(Fol. 32^V) MENSIS OCTOBER habet dies XXXI.
              Luna, Laetaniae indicendae.

(1. Okt.) A   Kal. Octob.

a   1 Apud Autisiodorum, sancti Germani episcopi, qui
         multis virtutibus doctrina et continentia clarus
         extitit.

F   2 Tomis civitate, natalis sanctorum Prisci, Crescentii,
         et Evagrii.

a   3 Remis, sancti Remigii episcopi, viri praeclarissimae
         virtutis et sanctitatis.

(2. Okt.)   B   VI Non. Oct.

   a   1   Apud Nichomediam, natalis sancti Eleutheri martyris, qui martyrium victoriae suae ignibus velut aurum examinatus complevit.

   a   2   In Atratis villa Syricinio, passio sancti Leodegarii, Augustudunensis episcopi.

           3   Eusebii papae.

(3. Okt.)   C   V Non. Oct.

   F   1   Apud antiquos Saxones, natalis sanctorum Evvaldorum presbyterorum, qui Christum praedicantes comprehensi sunt a paganis et occisi.

(4. Okt.)   D   IIII Non. Oct.

   A   1   Apud Chorintum, beatorum Crispi, et Gaii, quorum meminit beatus Paulus Chorinthiis scribens.

   a   2   Apud Aegyptum, natalis sanctorum martyrum Marci, et Marcialis fratrum, et cum eis alii innumerabiles non inferiori gloria, tam viri quam feminae, sed et pueri ac senes, qui pro fide domini nostri Jesu Christi diversis suppliciis martyrizati sunt.

(5. Okt.)   E   III Non. Oct.

   F   1   Apud Syciliam, natalis sanctorum Placidi, Euthycii, et aliorum triginta.

   F   2   In Galliis civitate Valentia, sancti Apollonaris episcopi.

   A   3   Apud Eumeniam, beati Traseae episcopi, apud Smyrnam martyrio consummati.

(Fol. 33^r)

(6. Okt.)   F   II Non. Oct.

   F   1   Apud Capuam, sanctorum Marcelli, Casti, Emilii, Saturnini.

   F   2   In Galliis civitate Aginno, natalis sanctae Fidis virginis et martyris.

A   3   Eodem die, beati Sagaris martyris, et episcopi
Laodicensis.

(7. Okt.)   G   Nonas Oct.

a̱   1   Romae via Appia, natalis sancti Marci papae, qui
sedit annis duobus, mensibus novem, diebus XX.

A   2   Eodem die, sanctorum martyrum Juliae, Sergii et
Bacci, sub Maximiano imperatore, duce Antiocho.

a   3   Ipso die, sanctorum martyrum Marcelli, et Apulei.

(8. Okt.)   A   VIII Id. Oct.

A   1   Apud Cretam urbem Cortinae, beati Phylippi episcopi,
magnis virtutibus et optimis studiis praediti viri.

F   2   Thessalonicae, Demetrii martyris.

(9. Okt.)   B   VII Id. Oct.

F   1   Abrahae patriarchae.

a   2   Apud Parisium, natalis sanctorum martyrum Dyonisii
episcopi Ariopagitae, Rustici presbyteri, et
Eleuterii diaconi, qui a beato Clemente ad praefatam urbem directi, post inaudita tormenta animad-
versi sunt.

a   3   Apud Coloniam Agrippinam, sanctorum martyrum Gereon,
cum aliis CCC, X, et VIII.

(10. Okt.)   C   VI Id. Oct.

F   1   Loth prophetae.

A   2   Apud Cretam, beati Piniti inter episcopos nobilissi-
mi.

F   3   Apud Agripinensem urbem, natalis sanctorum martyrum
Mallosi, et Victoris.

a   4   In Britannia, beati Paulini episcopi Euburaci.

(11. Okt.)   D   V Id. Oct.

F   1   Apud Tharsum metropolim Cylitiae, natalis beatissi-
morum martyrum Tharaci, Probi, et Andronici,qui
longo tempore carcerali squalore afflicti, (Fol. 33^{v})

et diversis tormentis et suppliciis tercio examinati,
in confessione Christi triumphum gloriae adepti sunt.

(12. Okt.)   E   IIII Id. Oct.

F   1 Apud Ravennam via Laurentina, natalis sancti Hedistii.
F   2 Apud Africam, sanctorum confessorum et martyrum
quattuor milium nongentorum septaginta sex, qui
iussu Hunirici regis Arriani pro defensione catholicae veritatis crudeliter martyrizati sunt.

(13. Okt.)   F   III Id. Oct.

A   1 Natalis sancti Carpi discipuli apostoli Pauli,
apud Troadem.
A   2 Anthyochiae, beati Theophyli, viri eruditissimi,
qui sextus ab apostolis ecclesiae pontificatum
tenuit.
       3 I p s o   d i e ,   s a n c t i   G e r a l d i ,
g l o r i o s i   i n   m i r a c u l i s   v i r i .

(14. Okt.)   G   II Id. Oct.

a   1 Natalis sancti Calixti papae, qui sedit Romae annis
septem, mensibus duobus, diebus decem, et sub persequutione Alexandri imperatoris martyrii gloriam
adeptus est.
a   2 Eodem die, transitus sancti Justi episcopi in heremo.
       3 <u>Apud Viennam, sancti Agrati episcopi et confessoris,</u>
<u>et sancti Castuli eiusdem urbis episcopi.</u>

(15. Okt.)   A   Idus Oct.

F   1 In Galliis apud Coloniam Agrippinam, sanctorum
Maurorum numero quinquaginta, ex sacra legione
Thebeorum, qui apud eandem urbem pro Christo passi
sunt.
A   2 Eodem die, apud Lugdunum, beati Anthyochi episcopi.
       3 <u>Apud Viennam, sancti Deodati episcopi.</u>

(16. Okt.)   B   XVII Kal. Nov.

F   1   In Africa, sanctorum martyrum ducentorum septuaginta, pariter choronatorum, (Fol. 34^r) et sanctorum martyrum Marciani, et Satyriani, cum duobus fratribus eorum, et egregiae Christi ancillae Maximae virginis, qui gloriose martyrio choronati sunt.

A 20.2.   2   E o d e m d i e , s a n c t i G a l l i a b b a t i s , d i s c i p u l i s a n c t i C o l u m b a n i .

Nachtrag   3   E o d e m d i e , s a n c t i J u n i a n i c o n f e s s o r i s .

(17. Okt.)   C   XVI Kal. Nov.

A   1   Martae sororis Lazari,

A   2   et beati Aristidonis, qui unus fuit de septuaginta Christi discipulis.

A   3   Et natalis beati Heronis episcopi.

F   4   In Galliis civitate Arausica, sancti Florentii episcopi, qui multis clarus virtutibus in pace quievit.

(18. Okt.)   D   XV Kal. Nov.

a   1   Natalis sancti Lucae evangelistae.

A   2   Eodem die, sancti Asclepiadis Anthyocheni episcopi, qui unus fuit ex praeclaro confessorum numero, qui sub Decio gloriose passi sunt.

a   3   Item Romae, sanctae Triphoniae uxoris Decii, quae a beato Justino cum filia Decii Cyrilla baptizata, alia die defuncta est.

(19. Okt.)   E   XIIII Kal. Nov.

F   1   Apud Anthyochiam Syriae, natalis sanctorum Beronici, Pelagiae, et aliorum quadraginta novem.

a   2   Ipso die, beati Ptholomei, sed et beati Lucii martyrum.

3   E o d e m d i e , s a n c t i A q u i l i n i e p i s c o p i e t c o n f e s s o r i s .

(20. Okt.)   F   XIII Kal. Nov.

F   1   In Galliis civitate Aginno, natalis sancti Caprasii
martyris, qui audiens beatam Fidem virginem pro
Christo fortiter agonizare, animatus ad tolerantiam
passionum, ad aream certaminis alacriter properavit,
et palmam martyrii fortiter dimicando promeruit.

(21. Okt.)   G   XII Kal. Nov.

F   1   Apud Nichomediam, sanctorum martyrum Dasii, Zotai,
et Gaii, cum XII militibus.

(Fol.a34^V)   2   Eodem die, sancti patris nostri Hylarionis, cuius
vitam virtutibus plenam Iheronimus scribit.

F   3   Item eodem die, natalis sancti Asterii presbyteri
Calixti, quem iussit Alexander per pontem praecipitari.

     4   A p u d   C o l o n i a m ,   p a s s i o   s a n c -
t a r u m   u n d e c i m   m i l i a   v i r g i -
n u m .

F   5   Ipso die, transitus sancti Viatoris lectoris.

---

1 Zotai: der Ado-Text hat Zotici

(22. Okt.)   A   XI Kal. Nov.

A   1   Iherosolimis, beati Marci episcopi et martyris,
clarissimi et doctissimi viri.

A   2   Item beatae Salomae, quae legitur circa domini
sepulturam sollicita.

F   3   Apud Adrianopolim Thraciae, natalis sanctorum
Phylippi episcopi, Eusebii, et Hermetis.

(23. Okt.)   B   X Kal. Nov.

F   1   Apud Anthyochyam Syriae, natalis sancti Theodoriti
presbyteri, qui primus equulei poenam et multos ac
durissimos cruciatus, lampadibus etiam circa latera
appositis inflammatus, occisione gladii martyrium
consummavit.

F   2   In Hispaniis, sanctorum martyrum Servandi, et Germani,

qui cursum martyrii sui ferro caesis cervicibus
impleverunt.

3 <u>Viennae, sancti Ecdicii episcopi.</u>

U 4 C o l o n i a e ,   s a n c t i   S e v e r i n i
e p i s c o p i   e t   c o n f e s s o r i s .

5 E o d e m   d i e ,   n a t a l i s   s a n c t i
L e o t a d i i   e p i s c o p i   e t   c o n -
f e s s o r i s .

(24. Okt.)   C   VIIII Kal. Nov.

A   1 In Venusia civitate Apuliae, natalis sanctorum Felicis episcopi, Audactis et Januarii presbyterorum,
Fortunatiani, et Septimi, lectorum, qui occisione
gladii consummati sunt.

(25. Okt.)   D   VIII Kal. Nov.

F   1 In Galliis civitate Sessionis, natalis sanctorum
Crispini, et Crispiniani, qui ad trocleas extenti,
et fustibus (Fol. 35^{r}) caesi, postquam digiti eorum
subulis transfixi sunt, et de dorso eorum lora
praecisa, ad ultimum gladio trucidati, choronam
martyrii consequuti sunt.

2 <u>Bonifacii papae, qui sedit Romae annis tribus.</u>

F   3 Eodem die Petragoricas civitate, sancti Frontonis
episcopi, qui multis miraculis clarus in pace quievit.

a   4 Ipso die Romae, quadraginta sex militum, qui simul
baptizati a beato papa Dyonisio, decollati sunt.

(26. Okt.)   E   VII Kal. Nov.

F   1 Apud Africam, natalis sanctorum martyrum Rogatiani
presbyteri, et Felicissimi, qui persequutione
Valeriani, illustri sunt martyrio choronati.

F   2 Commemoratio agitur ipsa die sanctorum episcoporum Vedasti, et Amandi, quorum vita et mors gloriosa
extitit.

(27. Okt.)　F　　　　　　　　VI Kal. Nov.

　　　　　1　Vigilia apostolorum Symonis et Judae.

　　F　　　2　In Hispaniis Habela civitate, natalis sanctorum
　　　　　　　Vincentii, Sabinae et Christetes, qui primo adeo in
　　　　　　　equuleo sunt extenti, ut omnes compages membrorum
　　　　　　　eorum laxarentur, deinde capita eorum lapidibus
　　　　　　　subposita usque ad excussionem cerebri validis
　　　　　　　vectibus sunt contusa, atque ita martyrium compleve-
　　　　　　　runt sub Datiano.

　　a　　　3　Eodem die apud Tyle castrum, sancti Florentii marty-
　　　　　　　ris.

　　　　　4　Romae_Evaristi_papae_et_martyris,_qui_sedit_annis
　　　　　　　novem.

(28. Okt.)　G　　　　　　　　V Kal. Nov.

　　a　　　1　Natalis apostolorum Symonis et Judae, qui et
　　　　　　　Thaddeus dicitur.

　　F　　　2　Romae, sanctae Cyrillae filiae Decii caesaris, quae
　　　　　　　iubente Claudio, gladio necata est.

(Fol. 35^V)

(29. Okt.)　A　　　　　　　　IIII Kal. Nov.

　　A　　　1　Natalis beati Narcisci Iherosolimorum episcopi,
　　　　　　　viri sanctitate et pacientia ac fide laudabilis.

　　F　　　2　Ipso die apud Sydonem urbem, natalis sancti Zenobii
　　　　　　　presbyteri, qui persequutione Diocletiani martyrio
　　　　　　　choronatus est.

　　　　　3　Viennae,_natalis_sancti_ac_beatissimi_Theuderii
　　　　　　　abbatis.

(30. Okt.)　B　　　　　　　　III Kal. Nov.

　　F　　　1　Civitate Tingitana, passio sancti Marcelli centurio-
　　　　　　　nis, qui capitis abscisione martyrium consummavit.

　　F　　　2　Apud Africam, martyrum numero ducentorum viginti.

　　A　　　3　Apud Anthyochiam, beati Serapionis episcopi et con-
　　　　　　　fessoris.

(31. Okt.)   C   II Kal. Nov.

A   1 Romae, beati Nemesii diaconi, et Lucillae filiae
eius, sub Valeriano et Gallieno.

F   2 In Galliis oppido Virmandensi, natalis sancti
Quintini martyris.

    3 I p s o   d i e   R a t i s p o n e ,   d e p o s i -
t i o   s a n c t i   W o l f g a n g i   e p i s c o -
p i   e t   c o n f e s s o r i s .

MENSIS NOVEMBER, habet dies XXX.
Luna, Laetaniae indicendae.

(1. Nov.)   D   Kal. Novembris

    1 Festivitas beatissimae Dei genitricis MARIAE
perpetuae virginis,

a   2 et omnium martyrum. Quam Bonefatius papa celebrem
et generalem instituit agi omnibus annis in urbe
Roma. Sed et Gregorius papa decrevit eandem in
honore omnium Sanctorum observari ab omni ecclesia
perpetuo in praefata die annuatim.

F   3 In castro Divione, natalis sancti Benigni presbyteri,
(Fol. 36^r) qui ad trocleas extensus et caesus, ad
ultimum collum eius vecte ferreo tundi, et corpus
lancea perforari iubetur.

F   4 Eodem die Romae, natalis sanctorum martyrum Caesarii
diaconi, et Juliani presbyteri.

F   5 Ipso die, sancti Severini monachi.

F   6 Et natalis sanctae Mariae virginis, quae ungularum
laniatione vexata, martyrium consummavit.

    7 E o d e m   d i e ,   n a t a l i s   s a n c t i
L a u t e n i   a b b a t i s   e t   c o n f e s -
s o r i s .

(2. Nov.)   E   IIII Non. Nov.

F   1 Natalis sancti Victorini Pitabionensis episcopi,
et martyris.

U   2 R o m a e ,   s a n c t o r u m   m a r t y r u m
E u s t a c h i i   c o g n o m e n t o

		P l a c i d i , c u m u x o r e s u a
		T h e s p i a , e t f i l i i s A g a p i o ,
		e t T h e o s p i o , q u o r u m m i r i
		a c t u s l e g u n t u r .
A	3	Apud Laoditiam, beati Theodoti episcopi, viri vir- tutibus et rebus ornati.
F	4	Eodem die, sancti Ambrosii abbatis monasteri Agaunensis.
	5	Apud Viennam, sancti Georgii eiusdem urbis episcopi.

(3. Nov.) F

III Non. Nov.

A	1	Natalis sancti Quarti, discipuli apostolorum.
a	2	Apud Caesaream Cappadotiae, sanctorum martyrum Germani, Theophili, Caesarii, et Vitalis, qui optime duxerunt martyrium sub Deciana persequutione.
	3	I p s o d i e c a s t r o V i t e r b e n - s i u m , s a n c t o r u m m a r t y r u m V a l e n t i n i p r e s b y t e r i , e t H y l a r i i d i a c o n i .
	4	Viennae, sancti Domnini episcopi.

(4. Nov.) G

II Non. Nov.

A	1	Apud Alexandriam, beati Hierii presbyteri, viri vita purissimi.
F	2	In Galliis civitate Rothenis, natalis sancti Amancii episcopi, cuius vita sanctitate et miraculis extitit gloriosa.
Nachtrag	3	E o d e m d i e S a n c t i F l o r i e p i s c o p i e t c o n f e s s o r i s .

(Fol. 36$^\mathrm{v}$)

(5. Nov.) A

Nonas Nov.

F	1	Zachariae prophetae, patris Johannis baptistae.
F	2	In Terracina Campaniae civitate, natalis sanctorum Felicis presbyteri, et Eusebii monachi, qui cum nollent sacrificare, decollati sunt simul pro Christo.

(6. Nov.) B

VIII Id. Nov.

F	1	Toniza Africae, natalis sancti Felicis, qui ut

                  sanctus Augustinus scribit in carcerem missus,
                  altera die inventus est exanimis.

F   2   In Oriente civitate Theopoli, sanctorum decem marty-
                  rum, qui sub Sarracenis passi leguntur.

(7. Nov.) C   VII Id. Nov.

A   1   Apud Alexandriam, beati Achylleae episcopi, erudi-
                  tione fide conversatione et moribus insignis.

F   2   Apud Albigensem urbem, natalis sancti Amaranti
                  martyris.

F   3   Apud Perusinam Italiae urbem, sancti Herculani
                  episcopi et martyris.

(8. Nov.) D   VI Id. Nov.

a   1   Romae, sanctorum martyrum Claudii, Nicostrati,
                  Simphroniani, Castorii, et Simplicii, imperantibus
                  Diocletiano et Maximiano.

a   2   Eodem ipso die, natalis sanctorum quattuor chorona-
                  torum, id est Severi, Severiani, Carpophori, et
                  Victorini, qui tamdiu plumbatis caesi sunt, donec
                  spiritum redderent in Christi confessione.

Nachtrag 3   E o d e m d i e , s a n c t i A u s t r e m o -
                  n i i e p i s c o p i e t m a r t y r i s .

(9. Nov.) E   V Id. Nov.

a   1   Natalis sancti Theodori martyris, qui iussu
                  praesidis suspensus in ligno, et ungulis ferreis
                  rasus, novissime in ignem proiectus, laudans et
                  glorificans Christum, emisit spiritum.

A   2   Apud Bituricas, sancti Ursicini primi eiusdem
                  urbis episcopi.

(Fol. 37^r)

(10. Nov.) F   IIII Id. Nov.

F   1   In territorio Agatensi, in Cessarione, natalis
                  sanctorum martyrum Tyberii, Modesti, et Florentiae,
                  qui variis tormentis cruciati, martyrium compleve-
                  runt.

F 2 Eodem die, natalis sancti Martini papae, qui ob
fidem catholicam relegatus apud Cersonam Litiae
provintiae, ibidem vita finivit.

(11. Nov.) G   III Id. Nov.

F 1 In Galliis Turonis civitate, natalis sancti MARTINI
episcopi et confessoris.

a 2 Eodem die in Sycilia metropoli Frigiae Salutariae,
passio sancti Mennae martyris. Qui in eculeo
exungulatus, et lampadibus adustus, plumbatis etiam
collo et maxillis graviter contusus, in laude omni-
potentis dei permanens, gladio animadversus est.

F 3 Item Lugduni, natalis sancti Verani episcopi.

(12. Nov.) A   II Id. Nov.

F 1 Apud Africam, sanctorum martyrum Archadii,
Paschasii, Probi, et Euthychiani, qui atrocissimis
suppliciis excruciati, illustri martyrio mirabiliter
occubuerunt.

A 2 Eodem die, sancti Melanii, Rodonicae civitatis
episcopi.

 3 Apud Viennam, sancti Isicii episcopi.

 4 Ipso die, transitus beatissimi patriarchae Johannis
Alexandrini, magni elemo-
sinarii.

 5 Eodem die, sancti Ymerii
confessoris.

(13. Nov.) B   Idus Nov.

F 1 Ravennae, sanctorum martyrum Valentini, Solutoris,
et Victoris.

F 2 Turonis, natalis sancti Brictii episcopi.

A 3 In provintia apud Aquis civitatem, beati Mitrii
clarissimi martyris.

 4 Apud Viennam, (Fol. 37^V) sancti Leoniani archidiaconi
eiusdem ecclesiae.

(14. Nov.) C   XVIII Kal. Dec.

     F   1 Apud Traciam civitate Heraclea, natalis sanctorum
martyrum Clementini, Theodoti, et Phylumini.

     a   2 Apud Alexandriam, beati Serapionis, quem perse-
quutores crudelissimis affecerunt suppliciis,
ita ut omnes ei iuncturas membrorum prius solventes,
de superioribus praecipitarent eum.

(15. Nov.) D   XVII Kal. Dec.

     F   1 Natalis sancti Felicis episcopi, qui a quinto
decimo aetatis suae anno miraculorum gloria insignis fuit, et sub Martiano praeside cum aliis
triginta martyrium complevit.

(16. Nov.) E   XVI Kal. Dec.

     F   1 Natalis sancti Eucherii episcopi Lugdunensis,
admirandae fidei vitae et doctrinae viri.

         2 I p s o d i e ,   t r a n s i t u s   s a n c t i
O t h m a r i   a b b a t i s .

(17. Nov.) F   XV Kal. Dec.

     A   1 Apud Alexandriam, beati Dyonisii episcopi, in multis
sepe confessionibus satis clari, et pro passionum
tormentorumque diversitate magnifici.

     F   2 Eodem die Cordubae in Hispaniis, passio sanctorum
martyrum Acyscli, et Victoriae, ubi ob commendatio-
nem praeciosae mortis eorum, eodem die rosae ortae
divinitus colliguntur.

     F   3 Aurelianis, sancti Aniani episcopi.

         4 <u>Viennae, sancti Mamati episcopi.</u>

         5 <T> u r o n i s ,   s a n c t i   p a t r i s
n o s t r i   G r e g o r i i   e p i s c o p i
l i b r i   m i r a c u l o r u m   f a c t o r i s .

---

5 <T> uronis: das T wurde vom   Rubrikator   vergessen

(18. Nov.)   G   XIIII Kal. Dec.

F   1 Anthyochyae, natalis sancti Romani monachi, quem
Asclepiades iussit catomo suspendi, ac verberari,
et sic decollari.

(Fol. 38ʳ) F 2 Eodem die in eadem urbe, natalis sancti Esitii,
qui ligato in dextera saxo ingenti, in fluvium
praecipitari iussus est.

        3 I p s o d i e , t r a n s i t u s b e a t i s -
s i m i O d d o n i s c l u n i a c e n s i s
a b b a t i s , m u n d i s s i m a e v i t a e
v i r i .

(19. Nov.)   A   XIII Kal. Dec.

F   1 Romae via Appia, natalis sancti Maximi presbyteri
et martyris.

F   2 Apud Viennam, sanctorum martyrum Severini, Exuperii,
et Feliciani.

A   3 Eodem die, sancti Fausti martyris, qui grandaevus
et plenus dierum confessor perdurans, perfecto martyrio obtruncatione capitis consummatus est.

        4 Gelasii papae, qui sedit annis IIII.

(20. Nov.)   B   XII Kal. Dec.

a   1 Romae, natalis sancti Pontiani papae, qui cum
Yppolito presbytero Sardiniam deportatus, ibique
fustibus mactatus, martyrium consummavit.

F   2 Apud Siciliam civitate Messana, sanctorum Ampeli,
et Gaii.

A   3 Apud Cabilonem, beatissimi Silvestri episcopi.

(21. Nov.)   C   XI Kal. Dec.

A   1 Natalis beati Rufi, discipuli sancti Pauli
apostoli.

F   2 In Italia monasterio Evovio, sancti Columbani
abbatis, qui multorum coenobiorum fundator, et
innumerabilium pater extitit monachorum.

(22. Nov.)   D   X Kal. Dec.

a   1   Natalis sanctae Caeciliae virginis, quae sponsum suum Valerianum et fratrem eius Thyburcium ad credendum Christo perdocuit, et ad martyrium incitavit, ipsaque postmodum gladio consummata est.

(23. Nov.)   E   VIIII Kal. Dec.

a   1   Natalis sancti Clementis papae, qui sub persequutione Traiani martyrio Choronatus est.

a   2   Eodem die, sanctae Felicitatis, matris septem filiorum martyrum, quae decollata est pro Christo.

(Fol. 38^V)

(24. Nov.)   F   VIII Kal. Dec.

a   1   Romae, natalis sancti Grisogoni martyris, qui per biennium coniectus in vinculis, ibique multa perpessus, ductus est ad aquas gradatas, et ibidem decollatus.

(25. Nov.)   G   VII Kal. Dec.

a   1   Natalis sancti Petri episcopi Alexandrini, inter praecipuos egregii, cum quo simul et alii plures ex Aegypto episcopi trucidantur fere cum clericis et laicis sexcenti sexaginta.

(26. Nov.)   A   VI Kal. Dec.

a   1   Natalis sancti Lini papae et martyris, qui sedit Romae annis XII, mensibus tribus, diebus duodecim.

F   2   Apud Alexandriam, sanctorum martyrum Fausti presbyteri, et Ammonii, qui cum beato Petro episcopo trucidati sunt.

A   3   Ipso die, sancti Alexandri episcopi, qui positis genibus, gaudens suscepit gladium.

(27. Nov.)   B   V Kal. Dec.

a   1   Natalis sanctorum martyrum Vitalis et Agricolae, qui apud Bononiam Italiae urbem post alia tormenta ultimo crucifixi, martyrium compleverunt.

F   2 In Galliis civitate Regensi, natalis sancti Maximi
episcopi, qui virtutum omnium gratia praeditus,
tres mortuos vivens, quartum vero iam mortuus suscitavit.

(28. Nov.) C   IIII Kal. Dec.

A   1 Natalis sancti Sosthenes, discipuli apostolorum.

A   2 Eodem die, sancti Rufi martyris, quem dominus Jesus
cum omni domo sua sibi martyrem fecit.

F   3 Ipso die apud Africam, sanctorum martyrum Papiae,
et Mansueti episcoporum, qui pro defensione catholicae fidei candentibus ferri laminis adusti, glorio-
sum agonem consummaverunt.

      4 <u>Viennae, sancti Phylippi episcopi.</u>

      5 <u>Gregorii papae tercii, qui rexit ecclesiam annis X.</u>

(Fol. 39^r)

(29. Nov.) D   III Kal. Dec.

F   1 Vigilia sancti Andreae apostoli.

a   2 Romae, natalis sancti Saturnini martyris, et Sennis,
ac Sisinnii diaconorum, quos Laoditius iussit in
equuleo suspendi, et attrahi nervis, et fustibus ac
scorpionibus caedi, quibus etiam postmodum flammas
ad latera iussit apponi, et sic capite truncari.

F   3 Eodem die apud Tolosam, natalis sancti Saturnini
episcopi, qui tentus a paganis, et tauro ad victimam
praeparato funibus religatus, per omnes gradus
capitolii praecipitatus est.

(30. Nov.) E   II Kal. Dec.

a   1 Natalis sancti Andreae apostoli.

A   2 Ipso die, sancti Troiani episcopi apud Sanctonas,
magnae virtutis et sanctitatis viri.

MENSIS DECEMBER habet dies XXXI.
Luna, Laetaniae indicendae.

(1. Dez.) F   Kalendas Decembris

a   1 Natalis sanctorum martyrum Grisanti et Dariae, qui

tempore Numeriani iudice Caelerino Romae passi sunt.

A   2   Ipso die, beati Eligii, episcopi Novionensis, gloriosi in miraculis.

(2. Dez.)   G   IIII Non. Dec.

A   1   Natalis sanctae Vivianae martyris, beatorum martyrum Fausti, et Dafrosae filiae, quae iubente imperatore Iuliano sacrilego tamdiu plumbatis caesa est, donec spiritum redderet.

(3. Dez.)   A   III Non. Dec.

F   1   Tingi metropolim Mauritaniae Tingitanae, natalis sancti Cassiani martyris gloriosi.

A   2   ⟨I⟩tem sanctorum martyrum Claudii tribuni, et uxoris (Fol. 39ᵛ) eius Hylariae, ac filiorum Jasonis et Mauri, et septuaginta militum, qui omnes ad praedicationem beati Grisanti crediderunt in Christum. Quam ob rem iussu Numeriani Claudius in mari est praecipitatus, reliqui vero capitali sententia puniti pro Christo.

----

2 ⟨I⟩tem: das I wurde vom Rubrikator vergessen

(4. Dez.)   B   II Non. Dec.

A   1   Romae, natalis sanctorum martyrum Symphronii, et Olimpii, qui in ignem missi gratias Christo domino decantantes, emiserunt spiritum.

(5. Dez.)   C   Nonas Dec.

F   1   In Africa apud coloniam Thebestinam, natalis sanctae Crispinae, quae cum sacrificare noluisset, iussu Anulini proconsulis decollata est.

F   2   Eodem die, natalis sancti Dalmatii martyris.

A   3   Item ipso die Treveris, sancti Nicetii episcopi, totius sanctitatis viri.

(6. Dez.)   D   VIII Id. Dec.

F   1   Sancti Nicholai episcopi Myrreorum Litiae.

F   2   Apud Africam, sanctarum Dyonisiae, Dativae, Leontis, et Emiliani medici, et viri religiosi nomine Tercii, et Bonifacii, et Servii, et Victricis, et Maiorici adolescentis, qui omnes pro confessione fidei catholicae gravissimis et innumeris suppliciis excruciati, confessorum Christi numero sociari meruerunt.

(7. Dez.)   E   VII Id. Dec.

A   1   Apud Alexandriam, beati Agatonis martyris, qui in confessione domini persistens, capite pro pietate dampnatus est.

A   2   Apud Sanctonas, beati Martini abbatis, discipuli sancti Martini episcopi.

(8. Dez.)   F   VI Id. Dec.

F   1   Romae, natalis sancti Euthychiani papae, (Fol. 40^r) qui rexit ecclesiam anno uno, et sub Aureliano imperatore martyrio choronatus est.

a   2   Ipso die apud Alexandriam, beati Macharii martyris, qui cum magna constantia fidem suam profiteretur, vivus iussus est exuri.

Nachtrag   3   C o n c e p t i o s a n c t a e d e i g e n i - t r i c i s M a r i e .

(9. Dez.)   G   V Id. Dec.

F   1   Natalis sanctae Leochadiae virginis, quae apud Tholetum dira carceris custodia macerata, genibus in oratione positis, inpollutum spiritum Christum reddidit.

A   2   Ipso die, beati Cypriani abbatis Petragorici.

(10. Dez.)   A   IIII Id. Dec.

    1   Sancti Melchiadis papae, qui sedit Romae annis quattuor.

F   2   Apud Emeritam Hispaniae civitatem, natalis sanctae Eulaliae virginis, quae iussu Datiani in equuleo suspensa et exungulata, faculis ardentibus ex utroque latere appositis, hausto igne spiritum reddidit.

F 3 Eodem die apud praefatam urbem, passio sanctae Juliae, convirginalis eius.

F 4 ⟨I⟩tem apud Hispolitanam civitatem, sanctorum martyrum Carpofori presbyteri, et Abundii diaconi, qui primo fustibus caesi et in carcerem missi, novissime gladio percussi sunt.

  5 <u>Viennae, sancti Sindulfi episcopi.</u>

4 ⟨I⟩tem: das I wurde vom Rubrikator vergessen

(11. Dez.) B   III Id. Dec.

F 1 Danihelis prophetae.

a 2 Romae, sancti Damasi papae, qui rexit ecclesiam annis decem et octo, mensibus tribus, diebus duobus,

a 3 et natalis sanctorum martyrum Pontiani, Pretextati, atque Thrasonis.

a 4 In Galliis civitate Ambianis, natalis sanctorum martyrum Victorini, et Fusciani.

F 5 In Hispaniis, sancti Euthycii, cuius gesta habentur.

(Fol. 40^v)
(12. Dez.) C   II Idus Dec.

F 1 Sanctorum martyrum Hermogenis, Donati, et aliorum viginti duorum.

a 2 Apud Alexandriam, beatorum martyrum Epimachi, et Alexandri, qui diversis suppliciis confecti, ignibus consumi iubentur.

a 3 Eodem die, sanctarum quattuor mulierum, Ammonariae, Mercuriae, Dyonisiae, et alterius Ammonariae, quae inauditis tormentorum generibus toleratis, finem omnium ferro cedente suscipiunt.

(13. Dez.) D   Idus Dec.

a 1 Apud Syracusas Syciliae civitatis, natalis sanctae Luciae virginis et martyris, quae per ignem passionis glorificans Christum, gladio percussa est.

(14. Dez.)   E   XVIIII Kal. Jan.

F   1 Apud Anthyochiam, natalis sanctorum martyrum Drusi,
Zosimi, et Theodori.

a   2 Apud Alexandriam, beatorum martyrum Heronis, Arsenii,
et Isidori, atque Dioscori, qui pro fidei constantia
ignibus traditi sunt.

F   3 Apud Cyprum, natalis sancti Sphyridionis episcopi,
admirandae sanctitatis viri.

        4 Eodem die, beati Lupicini Viennensis ecclesiae
episcopi.

(15. Dez.)   F   XVIII Kal. Jan.

F   1 Apud Africam, sancti Valeriani episcopi et confessoris, qui in confessione catholicae veritatis
et defensione sanctimonii, cursum beatae vitae imple-
vit.

A   2 Aurelianis, beati Maximi presbyteri.

(16. Dez.)   G   XVII Kal. Jan.

F   1 Trium virorum sanctorum, Ananiae, Azariae, et
Misahelis.

A   2 In Tuscia, sanctae Barbarae virginis, quae nervis
et taureis valde caesa, mamillaque praecisa, ac
flammis adusta, gladio vitam finivit.

(Fol. 41^r)   3 Eodem die apud urbem Viennam, beati Adonis episcopi.

---

3 Adonis episcopi: Bischof Ado von Vienne † 875.
Er ist der Verfasser des Martyrologiums, das in
einer Handschrift der 1. Familie der Elsendis als
Vorlage diente. Vermutlich ist er auf dem gleichen
Wege wie die übrigen Vienner Bischöfe und Heiligen
in die Vorlage gelangt.

(17. Dez.)   A   XVI Kal. Jan.

A   1 Translatio sancti Ignatii episcopi et martyris.

A   2 Item eodem die, beati Lazari quem dominus Jesus
suscitavit, et beatae Marthae sororis eius.

F   3   In Oriente apud Eleutropolim civitatem, sanctorum
            martyrum quinquaginta, qui sub Sarracenis passi
            sunt.

(18. Dez.) B   XV Kal. Jan.

F   1   Apud civitatem Macedonum Phylippis, beatorum marty-
            rum Rufi, et Zosimi.

F   2   Apud Africam, natalis sancti Moysetis martyris.

A   3   Turonis, sancti Catiani, primi eiusdem urbis
            episcopi.

(19. Dez.) C   XIIII Kal. Jan.

A   1   Apud Aegyptum, beati Nemesii martyris, quem iudex
            geminatis suppliciis excruciatum, cum latronibus
            iussit incendi.

A   2   Aurelianis, sancti Aviti abbatis prophetici spiri-
            tus viri.

(20. Dez.) D   XIII Kal. Jan.

A   1   Apud Alexandriam, beatorum martyrum Ammonis, Zenonis,
            Ptholomei, Ingenui, et Theophyli, per quorum victo-
            riam gloriosissime Christus de antiquo generis humani
            inimico triumphavit, et suis constantiam praebuit.

(21. Dez.) E   XII Kal. Jan.

a   1   Apud Edissam Mesopotamiae civitatem, sancti Thomae
            apostoli.

A   2   〈C〉athalaunis, sancti Memmii episcopi primi illius
            civitatis, ab urbe Roma directi, qui inter alia
            innumera miracula mortuum suscitavit.

F   3   In Tuscia, sanctorum Johannis et Festi.

----

2 〈C〉athalaunis: das C wurde vom Rubrikator vergessen

(22. Dez.) F   XI Kal. Jan.

a   1   Romae via Lavicana inter duos lauros, natalis

triginta martyrum, simul choronatorum.

(Fol. 41^v) A 2 Apud Alexandriam, beati Schyrionis martyris, qui
prae acuta sude validissima transverberatus per
media viscera, neci traditus est.

A 3 Ipso die apud Aegyptum quamplurimorum martyrum,
qui fame, siti, frigore, languore, latronibus,
bestiisque consumpti, gloriosa martyrii choronati
sunt.

(23. Dez.) G   X Kal. Jan.

a 1 Romae, natalis sanctae Victoriae virginis, quae pro
confessione Christi percussa in corde, migravit ad
dominum.

A 2 Apud Nichomediam, sanctorum martyrum viginti,
sanctorum numero coniuncti.

A 3 Apud urbem Romam, beati Servuli, cuius vitam ad
exemplum pacientiae Gregorius papa scribit.

(24. Dez.) A   VIIII Kal. Jan.

FA 1 VIGILIA NATALIS DOMINI.

FA 2 Eodem die apud Anthyochyam Syriae, natalis sanctarum
virginum quadraginta, quae per diversa tormenta
martyrium consummaverunt.

A 3 Ipso die apud Spoletum, sancti Gregorii presbyteri
et martyris, qui nodosis fustibus verberatus, et
in craticula positus, atque ardentibus lampadibus
adustus, capitis decollatione martyrium complevit.

(25. Dez.) B   VIII Kal. Jan.

a 1 JESUS CHRISTUS FILIUS DEI IN BETHLEEM IUDAE
NASCITUR, anno caesaris Augusti quadragesimo secundo,
olympiadis centesimae nonagesimae terciae, ab urbe
autem condita anno septingentesimo quin-(Fol. 42^r)
quagesimo secundo, compressis cunctarum per orbem
terrae gentium motibus, et firmissima verissimaque
pace, ordinatione dei a caesare Augusto composita,
quando Quirinus ex consilio senatus Iudeam missus,

		census hominum possessionumque describebat, sextamque mundi aetatem, suo piissimo consecravit adventu.
F	2	Eodem die, natalis sanctae Anastasiae, quae per ignem martyrium consummavit, et cum illa ducenti viri et quingentae feminae variis interfectionibus choronam martyrii promeruerunt.
F	3	Ipso die Romae, passio sanctae Eugeniae virginis, quae termis ignitis inclusa, et nichil laesa, gladio iugulata est.

(26. Dez.)   C   VII Kal. Jan.

a	1	Natalis sancti Stephani protomartyris, non longe post ascensionem domini passi, eodem scilicet anno passionis Christi.
	2	Zosimi papae, qui sedit Romae anno uno.

(27. Dez.)   D   VI Kal. Jan.

a	1	Natalis sancti Johannis apostoli et evangelistae dilecti domini, qui obiit sexagesimo octavo anno post passionem domini, aetatis autem suae nonagesimo et nono, Ephesi.
	2	Romae, Dyonisii papae, qui sedit in episcopatu annis sex.

(28. Dez.)   E   V Kal. Jan.

a	1	Bethleem, natalis sanctorum Innocentum, quos Herodes cum Christi nativitatem magorum indicio cognovisset, tricesimo quinto anno regni sui interfici iussit.

(Fol. 42^v)

(29. Dez.)   F   IIII Kal. Jan.

F	1	David regis.
a	2	Item apud Arelatem, natalis sancti Trophimi episcopi, et confessoris, discipuli apostolorum Petri et Pauli.
	3	Eodem die, sancti Crescentis apostoli Pauli discipuli, Viennensis ecclesiae primi doctoris.
Nachtrag	4	I p s o d i e b e a t i T h o m a e

(30. Dez.)   G   III Kal. Jan.

       A   1 Apud Spoletum, passio sancti Sabini episcopi,
Exsuperanti, et Marcelli, diaconorum, et Venustiani
cum uxore et filiis, qui in equuleo suspensi, ac
fustibus macerati, et in ignem missi, in confessione
domini spiritum emiserunt.

(31. Dez.)   A   II Kal. Jan.

       a   1 Romae, natalis sancti Silvestri papae, qui post
beatum Petrum vicesimus quintus, sedit annis viginti
quattuor, mensibus X, diebus undecim.

       F   2 Senonas, sanctae Columbae virginis, quae superato
igne gladio caesa est.

       A   3 Item Senonas, beatorum Sabini, et Potentiani, qui
a beatis apostolis ad praedicandum directi, praefatam urbem martyrii sui confessione illustrem fecerunt.

V. Besonderheiten der Adohandschriften der ersten Familie

Auf die Einträge der Päpste und der Bischöfe von Vienne als
Besonderheit der meisten Handschriften der ersten Familie
wurde bereits hingewiesen. Im folgenden soll untersucht werden, inwieweit die Kurzfassung diesen Besonderheiten Rechnung
trägt.

1. Die Papsteinträge

Die Martyrologanlage der Elsendis bringt diese Einträge bis
auf zwei Ausnahmen jeweils am Schluß der Tageseinträge. Eine
Überprüfung der von Quentin[78] mitgeteilten Papstliste ergibt
für unsere Handschrift folgende geringfügige Abweichungen:

a) Veränderte Position:

        25.10. Bonifacii (in der Textmitte)
        10.12. Melchiadis (am Anfang)

b) Abweichendes Datum:

        3.3. Simplicii (statt 2.3.)
        8.4. **Caelestini (statt 9.4.)**
        8.5. Benedicti (statt 7.5.)

c) Auslassungen:

        15.3. Zachariae
        20.6. Silvestri (bedingt durch die Textlücke)
        3.7. Leonis
        9.9. Sergii

Die von Quentin[79] aufgeführten Zusätze zu einer Reihe von Papst-
einträgen lassen sich in der Handschrift nicht feststellen, da
sie der Textkürzung zum Opfer gefallen sind.

---

78) QUENTIN, Les martyrologes, S. 472 f.
79) Ebd., S. 470 f.

2. Die Einträge der Bischöfe von Vienne

Im allgemeinen stehen auch diese Einträge jeweils am Schluß
der Tageseinträge. Fällt jedoch ein Papsteintrag auf das
gleiche Datum, stehen die Vienner Bischöfe vor den Päpsten[80].
Ein Vergleich mit der von Quentin[81] zusammengestellten Liste
ergibt ebenfalls nur geringfügige Abweichungen.

a) Veränderte Position:

11.2.	Simplidis	(am Anfang)
5.5.	Nicecii	
27.5.	Zachariae	(jeweils in der Textmitte)
1.6.	Cladii	
23.10.	Ecdicii	(am Schluß des Adotextes,
12.11.	Isicii	jedoch vor den Zusätzen
17.11.	Mamati	der Elsendis)

b) Auslassungen:

22.4.	Hylarii	
27.6.	Crescentis	(bedingt durch die Textlücke)

c) Vienner Bischöfe, die sowohl in der Ado-Vorlage als auch in
   der Liste Quentins fehlen:

2.8.	Justi	
16.12.	Adonis	

Diese beiden Zusätze, die sonst in den liturgischen Quellen von
Cluny nicht auftreten, sind möglicherweise in der Zeit, als der
Cluniacenser Warmund Erzbischof von Vienne war (1076-1083)[81a],
in das Martyrologium aufgenommen worden.
Im Falle des Justus liegt wahrscheinlich eine Datumsverwechslung
mit dem am 2.9. gefeierten Justus, Erzbischof von Lyon und Archidiakon von Vienne, vor.

Abgesehen von diesen beiden Zusätzen und den genannten Auslassungen stimmt die Kurzfassung weitgehend mit den Handschriften
der 1. Familie überein.

---

80) Dieses könnte möglicherweise ein Hinweis darauf sein, daß die
    Papsteinträge erst zu einem späteren Zeitpunkt als die Bischö-
    fe von Vienne in das Ado-Martyrologium gelangten.
81) QUENTIN, Les martyrologes, S. 473-475.
81a) MEHNE, Cluniacenserbischöfe, S. 256, 281.

VI. Abweichungen von dem durch Quentin erschlossenen, ursprünglichen Adotext

Quentin[82] stellte in einer weiteren Liste eine Reihe von Notizen zusammen, die nicht in eine purgierte Fassung des Ado-Martyrologiums gehören, z.T. aber in den Editionen als Adotext ausgewiesen sind. Von diesen 28 hier aufgeführten Fehlern sind in unserer Handschrift nur zwei enthalten:

4.2.	persecutio Diocletiani (statt Deciana persecutione)
27.10.	Vigilia Simeonis et Judae

Das zeigt, daß die Handschrift - abgesehen von den für die
erste Familie charakteristischen Zusätzen - doch einen nahezu
authentischen Text des Ado-Martyrologiums bietet. Selbst bei
der Kürzung blieb der ursprüngliche Adotext rudimentär erhalten.

Eine Reihe von Auslassungen gegenüber dem ursprünglichen Ado-
text ist noch zu vermerken:

21.1.	Publii
	Fructuosi, Augurii et Eulogii
23.1.	Severini et Aquilae
11.2.	Desiderii
9.5.	Translatio Timothei
	Hermetis
12.5.	Sotheris
14.6.	Valerii et Rufini
19.7.	Epaphrae
1.9.	Annae
3.9.	Phaebes
15.9.	Apri
23.9.	Sosii
3.10.	Dionysii Areopagitae (s.u. 9.10.)

---

82) QUENTIN, Les martyrologes, S. 476 f.

Ob diese Auslassungen bereits auf die Vorlage zurückzuführen
oder als Abschreibefehler der Elsendis zu deuten sind, läßt
sich nicht entscheiden.

Auf eine bewußte Veränderung des Textes, die jedoch bereits in
der Vorlage enthalten sein konnte, weisen folgende Einträge:

> 31.7.   Germani
> 15.8.   Dormitio Mariae
> 9.10.   **Dionysii**

In den beiden ersten Fällen bietet die Handschrift einen aus-
führlicheren und genaueren Text als Ado.
Der Eintrag des **Dionysius**, der hier als Areopagita bezeichnet
wird, ist auf die seit dem Ende des 9. Jahrhunderts häufig an-
zutreffende Konfusion des Pariser und des Athener **Dionysius**
zurückzuführen; von daher ist auch das Fehlen des **Dionysius**
Areopagita am 3.10. zu erklären.

Nur in zwei Fällen weicht die Handschrift von dem in den Ado-
Martyrologien üblichen Datum ab:

> 3.2.   Blasii (statt 15.2.)[83]
> 16.10. Galli (statt 20.2.)[84]

Diese Korrekturen sind mit großer Wahrscheinlichkeit cluniacensischen Ursprungs und sind auf Informationen zurückzuführen,
die aus dem Kontakt Clunys mit süddeutschen Klöstern herrühren.

---

83 u. 84) Auf beide Heiligeneinträge wird im folgenden Kapitel
   noch näher eingegangen.

VII. Zusätze und Nachträge zum Ado-Martyrologium

Nachdem in den vorangegangenen Kapiteln das Verhältnis unseres
Martyrologiums zur ursprünglichen Fassung des Adotextes untersucht worden ist, sollen jetzt die Zusätze und Nachträge untersucht werden, die das Martyrologium erst als cluniacensischen
Text kennzeichnen.

Wie die für die Handschriften der ersten Familie charakteristischen Einträge stehen auch die Zusätze bis auf wenige Ausnahmen
(11.5. Poncii; 2.11. Eustachii) am Schluß oder an vorletzter
Stelle der Tageseinträge.

Was die beiden Ausnahmen anbelangt, so scheinen sie bereits in
der Vorlage unseres Martyrologiums zum Anlagebestand gehört zu
haben. Beide Festeinträge sind erstmals im Martyrologium des
Usuard anzutreffen und können von dort in cluniacensische Martyrologien gelangt sein.

Für den Eintrag des Pontius in ein cluniacensisches Martyrologium spricht jedoch noch ein anderer Grund. Abt Odo hatte lange Zeit die Reformbemühungen des Herzogs von Aquitanien Raimundus Pontius in der Auvergne unterstützt; so ist es wahrscheinlich, daß er ihm auch zu Hilfe kam, als Raimundus ein Kloster
zu Ehren seines Namenspatrons in Thomières bei Narbonne gründen wollte. Bei der Weihe des Klosters im Jahre 936 war Odo
zugegen[85]. Über eine Marginalnotiz aus Anlaß dieses Ereignisses gelangte der Heilige wohl in die späteren cluniacensischen
Martyrologien, obwohl sein Fest nach Aussage der liturgischen
Handschriften in Cluny nicht gefeiert wurde.

---

85) SACKUR, Die Cluniacenser Bd. 1, S. 85 f.

Wann der Eintrag des Eustachius in die cluniacensischen Marty-
rologien gelangte, ist nicht genau zu sagen, doch wurde der
Heilige in Cluny nachweislich seit dem letzten Drittel des 11.
Jahrhunderts verehrt[86].

Bei den übrigen Zusätzen läßt sich nicht immer mit Sicherheit
entscheiden, ob sie schon dem Anlagebestand der Vorlage ange-
hörten, dort als Nachträge vorhanden waren oder erst von Elsendis eingetragen worden sind.

Eine gewisse Textredaktion durch Elsendis legen jene Zusätze
nahe, die an vorletzter Stelle stehen und denen nur noch die
Einträge der Wiener Bischöfe folgen (9.5. translatio Nicholai;
1.6. Reveriani und Symeonis; 3.11. Valentini et Hylarii). Sie
könnten in der Vorlage als Randnotiz gestanden haben und wurden von Elsendis an eine ihrer Bedeutung angemessene Stelle
gerückt.

Im folgenden werden die in der Textedition gesperrt geschrie-
benen Einträge in kalendermäßiger Abfolge mit Angabe der jeweiligen Position in gekürzter Form wiedergegeben; sie werden
ergänzt durch die wichtigsten Quellenangaben und den Nachweis
der frühesten liturgischen Verehrung; **wenn nicht anders vermerkt, ist das Martyrologium von Marcigny als die früheste
oder einzigste Quelle** [87] **anzusehen.**

Knappe Angaben zur Person des Heiligen schließen sich an
und - soweit möglich - Hinweise auf konkrete historische Beziehungen und Ereignisse, die zur Aufnahme des Heiligen in das
Martyrologium geführt haben können. Auf Spezialliteratur wird
nur in einzelnen Fällen hingewiesen, da sie im allgemeinen über
die Quellenangaben aufzufinden ist.

---

86) Cons. Bern. II,32 S. 355 und Paris BN ms.lat. 12 601;
    vgl. die weiteren Angaben in der Synopse.

87) Zeugnisse weiterer liturgischer Verehrung sind in der
    Synopse aufgeführt.

Folgende Sigeln werden verwendet:

BHL = Bibliotheca Hagiographica latina, hg. von der
Société des Bollandistes, 2 Bde. Brüssel 1896-
1901, Suppl. 1911 (Subsidia Hagiographica 6;12).

Act.SS. = Acta Sanctorum quotquot toto orbe coluntur, hg.
von Johannes BOLLANDUS, Antwerpen 1643 ff.

MR = Martyrologium Romanum, hg. von Hippolyt DELEHAYE
u.a. Brüssel 1940 (Propylaeum ad Acta Sanctorum
Decembris); hier Angabe des Datums und der Position innerhalb der Tageseinträge.

MU = Jacques DUBOIS, Le martyrologe d'Usuard. Texte et
commentaire. Brüssel 1965 (Subsidia Hagiographica
40).

Bibl.SS. = Bibliotheca Sanctorum, hg. vom Insitutum Giovanni
XXIII nella Pontificia Universita Lateranense,
13 Bde. Rom 1961-1970.

LCI = Lexikon der christlichen Ikonographie, begründet
von Engelbert KIRSCHBAUM, hg. von Wolfgang BRAUN-
fels, Bd. 5-8 Ikonographie der Heiligen, Rom - Basel -
Freiburg - Wien 1973-1976.

BC = Bibliotheca Cluniacensis, hg. von Martinus MARRIER
und Andreas QUERCETANUS, Paris 1614, Nachdruck
Mâcon 1915.

Bernard- = Receuil des Chartes de l'Abbaye de Cluny, hg. von
Bruel Auguste BERNARD und Alexandre BRUEL, 6 Bde. Paris
1876-1903 (Collection de documents inédits sur l'histoire de France, Sér. I, Histoire politique).

JL = Regesta Pontificum Romanorum ab condita ecclesia ad
annum post Christum natum MCXCVIII, hg. von Philippus JAFFÉ, 2. Aufl. bearb. von G. Wattenbach, S. Loe-
wenfeld, F. Kaltenbrunner, P. Ewald, 2 Bde., Leipzig
1885-1888.

CCM = Corpus consuetudinum monasticarum. Cura Pontificii
Athenaei Sancti Anselmi de Urbe editum. Publici
iuris fecit Kassius HALLINGER. Bd. 1 ff. Siegburg
1963 ff.

Kalendas Jan. - 1. Januar

9. Coenobio Silviniaco, S. Odilonis abbatis. (R) XII L.

BHL 6280-6285; Act.SS. Ian. I 65-77; MR Ian. 1,12;
Bibl.SS. IX 1116-1119; LCI VIII 79 f.

Cons. Bern. II,7 (S. 293).

5. Abt von Cluny (994-1048), starb in der Neujahrsnacht in
dem Cluniacenserpriorat Souvigny. Fest auf den 2. Januar
verschoben, um ein Zusammenfallen mit der Circumcisio domini zu vermeiden; vgl. Acta SS. O.S.B.saec. VI,1 S. 675 f.
Am 11.8. 1063 Erhebung der Gebeine durch den päpstlichen
Legaten Petrus Damiani (PL 145 Sp. 876). Weitere Festdaten: 12.4. Revelatio Odilonis, 19.4. Exceptio capitis Odilonis apud Cluniacum (1345 ?); vgl. J.-R. HESBERT, Les témoins manuscrits de Saint Odilon, in: A Cluny, Congrès
scientifique. Dijon 1950, S. 51-120 und J. HOURLIER, Saint
Odilon, Abbé de Cluny, Louvain 1964, S. 191-199 (Bibl. de
la Revue d'Histoire Ecclésiastique 40).

XVIII Kal. Febr. - 15. Januar

5. S. Mauri abbatis. XII L.

BHL 5772-5781; Act.SS.Ian. I 1038-1062; MR Ian. 15,2;
Bibl.SS. IX 210-223; LCI VII 614-616; MU S. 161.

Paris BN ms.lat. 13 371, Breviarius lectionum, 10. Jh.;

Cons. Farfa I,27 (S. 27); Reliquien Cons. Farfa I,101 (S. 100).

Schüler Benedikts von Nursia, vermutlich dessen Nachfolger in Subiaco; der Legende nach Gründer von Glanfeuil,
wo er um 580 starb. 868 Reliquientranslation nach S. Maur-
des-Fossés. Das Kloster wurde 988/89 von Abt Maiolus reformiert (BC Sp. 298-302). Abt Odilo schickte Maurusreli-
quien an Abt Theobald (1022-1035) nach Monte Cassino (BC
Sp. 337).

XI Kal. Febr. - 22. Januar

4. S. Gaudentii episcopi Novarien-
sis.

BHL 3278; Act.SS.Ian. II 417-421; MR Ian. 22,4; Bibl.SS. VI
56 f; LCI VI 351.

1. Bischof von Novara, gestorben um 418. Translatio Gaudentii am 3. August. Der Heilige findet sich sonst nicht
in den cluniacensischen Quellen; möglicherweise ist sein
Eintrag auf die Reformtätigkeit der Äbte Odo und Maiolus
in Italien zurückzuführen.

VIII Kal. Febr. - 25. Januar

4. A m a r i n i   a b b a t i s.

BHL 6915, 6916; Act.SS.Ian. II 628-638; MR Ian. 25,3;
Bibl.SS. X 1184 f.; LCI V 113 f.; MU S. 168.

Gründete im 7. Jh. das Kloster Doroangus bei Thann im Elsaß, schloß sich nach einer Wunderheilung dem heiligen
Praejectus, B. von Clermont, an und wurde mit diesem am
25. Januar 676 in Volvic (Puy-de-Dôme) ermordet. Reliquientranslation vor dem 8. Jh. in sein ehemaliges Kloster,
jetzt S. Amarin genannt. Starke Verbreitung seines Kultes
im Elsaß; vgl. J.M.B. CLAUSS, Die Heiligen des Elsass, Düsseldorf 1935, S. 107-110, 221 (Forschungen zur Volkskunde
H. 18/19) und J. GAVA, Saint Amarin d'Alsace, Colmar 1950.
Usuard übernahm den Heiligen aus der Passion des Praejectus
in das Martyrologium.

III Non. Febr. - 3. Februar

2. S. B l a s i i   e p i s c o p i.   XII L.

BHL 1370-1380; Act.SS.Febr. I 331-353; MR Febr. 3,1;
Bibl.SS. III 159 f.; LCI V 416-419.

Bischof von Sebaste in Armenien; um 316 gestorben. Im Orient
am 11. Februar gefeiert, in den älteren Martyrologien bis
Usuard am 15. Februar.
Reliquientranslation 855 aus Rom nach Rheinau und von dort
862 in die Cella Alba, das spätere St. Blasien im Schwarz-
wald (H. JEDIN, Atlas zur Kirchengeschichte, Freiburg 1970,
Taf. 28); bei der Weihe des Klosters 1036 wurde Blasius zum
Patron erhoben.
Durch die Verbindung des Klosters mit den monastischen Reformzentren Fruttuaria, Hirsau und Cluny im ausgehenden 11.
Jh. wurde der Kult des Heiligen weit verbreitet. Im Jahr
1093/94 besuchte Abt Hugo von Cluny das Schwarzwaldkloster
und schloß mit Abt und Konvent einen Verbrüderungsvertrag
(J. WOLLASCH, Muri und St. Blasien, in: DA 17, 1961, S. 445 f.).
Der Eintrag des heiligen Blasius zu dem in St. Blasien üblichen Festdatum kann als direkte Folge dieses Ereignisses angesehen werden, er ist der früheste handschriftliche Zeuge
der Blasius-Verehrung in Cluny. Auch der bevorzugte Aufent-
haltsort Abt Hugos in seinen letzten Lebensjahren, die Kapelle von Berzé-la-Ville, ist dem heiligen Blasius geweiht, dessen Martyrium auf den Fresken dargestellt ist (J. WETTSTEIN,
La fresque romane, Genf 1971, S. 75-96 und Taf. XXXVIII-XL).
Die Blasius-Verehrung könnte auf die engen Kontakte zu Saint-
Benigne-de-Dijon zurückzuführen sein, das eine bedeutende
Blasiusreliquie besaß (Bibl. mun. de Dijon, ms. 634 fol. 145[v]).
Die im Reliquienverzeichnis von 1399 (Paris, BN coll. Baluze
257 fol. 64[a]) erwähnte Reliquie könnte Cluny aus S. Benigne
erhalten haben.

IIII Id. Febr. - 10. Februar

4. S. S c h o l a s t i c a e   v i r g i n i s.   XII L.

BHL 7514-7526; Act.SS.Febr. II 392-412; MR Febr. 10,1;
Bibl.SS. XI 742-749; LCI VIII 313-315; MU S.178.

Cons. Farfa I,38 (S. 29)

Schwester Benedikts von Nursia, gestorben um 547. Fest
seit dem 10. Jh. besonders im Benediktinerorden verbreitet. Vgl. Le culte et les reliques de Saint Benoît et de
Sainte Scholastique (Studia monastica 21, 1979).

III Kal. Maii - 29. April

3. Nachtrag: S. H u g o n i s   a b b a t i s.

BHL 4007-4015; Act.SS.Apr. III 628-662; MR Apr. 29,7;
Bibl.SS. XII 752-755; LCI VI 552.

6. Abt von Cluny (1049-1106) und Gründer von Marcigny,
starb in Cluny. Reliquienerhebung und Heiligsprechung durch
Papst Calixt II. zwischen dem 1. und 6. Januar 1120 (BC
Sp. 559). Aus dieser Zeit stammt auch der Nachtrag in unserer Handschrift; im Necrologium wurde daraufhin der Eintrag Hugos getilgt; vgl. Abb. 3,4 S. 309 f. Eine Reliquientranslation fand am 13. Mai 1220 statt. Sein Kult ist haupt-
sächlich im Benediktinerorden und in der Diözese Autun verbreitet. Vgl. Frank BARLOW, The canonization and the early
lives of Hugh I, abbot of Cluny, in: Analecta Bollandiana
98, 1980, S. 297-334.

Kal. Maii - 1. Mai

5. S. W a l b u r g i s   v i r g i n i s.

BHL 8765-8774; Act.SS.Febr. III 511-572; MR Maii 1,9;
Bibl.SS. XII 876 f.; LCI VIII 585-588.

Äbtissin von Heidenheim, gestorben am 25. Februar 779.
Am 1. Mai 870/879 Reliquientranslation nach Eichstätt.
Seit dem 10. Jh. im Benediktinerorden verehrt (H. HOLZ-
BAUER, Mittelalterliche Heiligenverehrung - Heilige Wal-
purgis. Kevelaer 1972, S. 502 (Eichstätter Studien NF V)).
Abt Odo von Cluny (926-942) berichtet in den Collationes
II cap. 28 (BC Sp. 208) von einer Walpurgiskirche in der
Nähe Clunys. Erklärbar wäre der Eintrag auch aufgrund der
Beziehungen Clunys zu Bischof Gebhard von Eichstätt, dem
späteren Papst Victor II., der im Necrologium zum 28.7.
als "familiaris noster" eingetragen ist. Liturgische Ver-
ehrung in Cluny im 11. und 12. Jh. ist nicht nachweisbar.

VII Id. Maii - 9. Mai

3.   A p u d   B a r u m   t r a n s l a t i o   S. N i c h o -
     l a i   e p i s c o p i.

BHL 6179-6199; Anal.Boll. IV, 1885, S. 169-192;
MR Maii 9,8; Bibl.SS. IX 923-941; LCI VIII 45-58.

Bischof von Myra, gestorben um 342. Bereits seit dem 9. Jh.
in Rom und Unteritalien üblich, erhielt die Nikolausvereh-
rung neue Impulse durch die Heirat Ottos II. mit der griechischen Prinzessin Theophanu (972) und schließlich durch
die Reliquientranslation nach Bari im Jahr 1087 und die
Weihe der Kathedrale von Bari durch Papst Urban II. 1089
(BRAKEL, Heiligenkulte, S. 294). Bei der Weihe von Cluny III
durch Papst **Innozenz II.** (1130) wurde auch ein Altar zu Ehren des heiligen Nikolaus geweiht (BC Sp. 1639).

V Id. Maii - 11. Mai

2.   S. P o n c i i   m a r t y r i s.

BHL 6896; Act.SS.Maii III 272-279, 682-683; MR Maii 14,2;
Bibl.SS. X 1021-1023; LCI VIII 220 f.; MU S. 229 zum 14.5.

Bischof von Cimiez, im 3. Jh. gestorben. Verehrung durch
die Reliquientranslation 936 nach **S. Pons-de-Thomières**
vor allem in Südfrankreich verbreitet (SACKUR, Die Cluniacenser Bd. 1, S. 86). Liturgische Verehrung ist für Cluny
nicht nachweisbar.

V Id. Maii - 11. Mai

4.   S. M a i o l i.   (R)

BHL 5177-5187; Act.SS.Maii II 657-700; MR Maii 11,8;
Bibl.SS. VIII 564-567; LCI VII 473 f.

Cons. ant. C XLIV (S. 60); Reliquien Cons. Farfa II,50
(S. 184).

4. Abt von Cluny (948-994), starb in dem Cluniacenserpriorat Souvigny. Die Verehrung setzte bald nach seinem Tod
ein; Rodulphus Glaber vergleicht seine Beliebtheit mit der
des heiligen Martin von Tours und des heiligen Ulrich von
Augsburg (Raoul Glaber, Les cinq livres de ses histoires
(900-1044), hg. von M. PROU, Paris 1886, S. 41 (Collection
de Textes I)). Bereits im 11. Jh. auch außerhalb Clunys liturgisch verehrt (LEROQUAIS, Sacramentaires Bd. 1, S. 156;
167; 184). 1095 Reliquienerhebung im Beisein Papst Urbans II.
(JL 5586).

III Id. Maii - 13. Mai

3. S. G a n g u l f i c o n f e s s o r i s.

BHL 3328-3331; Act.SS.Maii II 642-655; MR Maii 11,6;
Bibl.SS.VI 127 f.; LCI VI 349 f.

Edelmann am merowingischen Königshof, 760 in Varennes-
sur-Amance gestorben (MGH SS.rer.merov. VII S. 142). Vor-
wiegend im Osten Frankreichs verehrt. Cluny besaß seit
dem 10. Jahrhundert eine Kirche S. Jengulfi (BERNARD -
BRUEL I Nr. 360, 787; II Nr. 1049; III Nr. 2729 u.ö.)
und Gangolf-Reliquien (Reliquienverzeichnis von 1399,
Paris BN coll. Baluze 257 fol. 64^D; 64^E). Liturgische
Verehrung ist in Cluny nicht nachweisbar.

Kal. Junii - 1. Juni

3. S. R e v e r i a n i m a r t y r i s.

BHL 7200; Act.SS.Iun. I 40 f.; MR Iun. 1,2; Bibl.SS. XI
141; MU S. 238.

Cons. Bern. II,34 (S. 360).

Legendärer Bischof von Autun, starb im 3. Jahrhundert während der Aurelianischen Verfolgung. Lokalheiliger der Diözese Autun. Cluny besaß seit Mitte des 11. Jahrhunderts
eine Dependenz S. Reveriani in der Diöz. Nevers (G. de VA-
LOUS, Le monachisme clunisien Bd. 2, S. 205).

Kal. Junii - 1. Juni

4. T r e v e r i s S. S y m e o n i s c o n f e s s o r i s.

BHL 7963-7965; Act.SS.Iun. I 87-107; MR Iun. 1,14; Bibl.
SS. XI 1157-60; LCI VIII 367.

Rekluse in Trier, gestorben 1035, noch im selben Jahr hei-
lig gesprochen (JL 4112; 4113); vgl. M. COENS, Un document
inédit sur le culte de S. Symeon, moine d'Orient et reclus
à Trèves, in: Anal. Boll. 68, 1950 S. 184 . Liturgische
Verehrung in Cluny ist nicht nachweisbar.

IIII Non. Julii - 4. Juli

6. S. Ö d a l r i c i e p i s c o p i.

BHL 8359-8368; Act.SS.Iul. II 73-135; MR Iul. 4,8;
Bibl.SS. XII 796 f.; LCI VIII 507-510.

Bischof von Augsburg, gestorben 973; 993 kanonisiert durch
Papst Johannes XV. (JL 3848); 6.4.1187 Translation. Liturgische Verehrung ist in Cluny nicht nachweisbar.

III Id. Julii - 13. Juli

4. S. M a r g a r e t a e   v i r g i n i s

BHL 5303-5313; Act.SS.Iul. V 24-45; MR Iul. 20,2;
Bibl.SS. VIII 1150-1165; LCI VII 494-500.

Heilige Jungfrau, starb zur Zeit der Diokletianischen
Verfolgung in Antiochien (307). Im westlichen Europa
breitete sich ihr Kult seit dem 7. Jahrhundert aus. Das
Kloster Marcigny besaß eine Margareten-Reliquie (M. COURT-
épée, Voyages en Bourgogne 1776-1777, Autun 1895, S. 91).
Das Festdatum der griechischen Kirche hat das Martyrologium
mit den Festkalendern der Kölner Kirche gemeinsam (G. ZIL-
LIKEN, Der Kölner Festkalender, in: Bonner Jahrbücher 119,
1910, S. 130). In Cluny setzte die Verehrung Ende des 11.
Jahrhunderts ein.

V Kal. Aug. - 28. Juli

3. SS. N a z a r i i   e t   C e l s i.

BHL 6039-6050; Act.SS.Iul. VI 503-534; MR Iul. 28,3;
Bibl.SS. IX 780-784; LCI VIII 32.

Cons. Bern. II,34 (S. 361).

Märtyrer der Diokletianischen Verfolgung in Mailand, ihr
Kult wurde durch die Wiederauffindung der Leiber durch Am-
brosius von Mailand 395/397 weithin verbreitet. In Cluny
ist die liturgische Verehrung seit dem letzten Viertel des
11. Jahrhunderts nachweisbar. Bei der Weihe von Cluny III
durch Papst Innozenz II. (1130) wurde ein Altar zu Ehren
der Heiligen geweiht (BC Sp. 1639).

III Non. Aug. - 3. August

2. A p u d   N o v a r i a m   t r a n s l a t i o   S. G a u -
d e n t i i   e p i.

Vgl. die Angaben zum 22. Januar.

Nonas Aug. - 5. August

3. S. O s w a l d i   m a r t y r i s   r e g i s   A n g l o -
r u m.

BHL 6361-6373; Act.SS.Aug. II 83-103; MR Aug. 5,10;
Bibl. SS. IX 1290-1296; LCI VIII 102 f.; MU S. 278 f.

König von Northumbrien, gestorben 642. Kult wurde durch iro-
schottische Missionare besonders in den Alpenländern verbreitet. Abt Odo von Cluny erwähnt den Heiligen rühmend
in der Vita S. Geraldi cap. 42 (BC Sp. 86). Liturgische
Verehrung ist in Cluny nicht nachweisbar. Vgl. R. FOLZ,
Saint Oswald, roi de Northumbrie, in: Analecta Bollandiana
98, 1980, S. 49-74.

VIII Id. Aug. - 6. August

1. Nachtrag auf Rasur: T r a n s f i g u r a t i o d o -
m i n i   i n   M o n t e   T h a b o r.

Act.SS.Aug. II 122; MR Aug. 6,1.

Oxford, Bodleian Library ms. d'Orville 45 (aus Moissac,
3. Viertel 11. Jh.); Paris BN lat. 5257 (aus Limoges,
nach 1063).

In beiden Handschriften gehört das Transfigurationsfest zum
Anlagebestand; das zeigt, daß das Fest inoffiziell bereits
in den cluniacensischen Klöstern im Süden Frankreichs aufgrund lokaler Traditionen gefeiert wurde. Offiziell wurde
das Fest in allen Cluniacenserklöstern durch Petrus Venerabilis 1132 eingeführt (Statuts de Pierre le Vénérable, hg.
von G. CONSTABLE, in: CCM VI, Rom 1975, cap. 5, S. 45 f.).
Petrus Venerabilis verfaßte selbst das Festoffizium, nach
der Handschrift Paris BN lat. 17 716 ediert von J. LECLERQ,
Pierre le Vénérable, Figures monastiques, S. Wandrille 1946,
S. 382-390.

III Id. Aug. - 11. August

3. S. T a u r i n i   e p i s c o p i.

BHL 7990-7996; Act. SS.Aug. II 635-656; MR Aug. 11,5;
Bibl.SS. XII 146 f.; LCI VIII 421; MU S. 281.

Paris BN nouv.acq.lat. 2390 (Lectionar aus Cluny, 1. Hälfte
11. Jh.); Cons. Farfa I,99 (S. 97); Reliquien Cons. Farfa
II,50 (S. 184).

1. Bischof von Évreux, gestorben um 412. Patron von Évreux und
Fécamp. Die Abtei von Fécamp hatte schon Maiolus reformieren
sollen, erzielte jedoch keine Einigung mit dem Herzog der Normandie Richard I. Nach dessen Tod übernahm der ehemalige Cluniacensermönch Abt Wilhelm von S. Benigne-de-Dijon diese Aufgabe. 1035 wurde die Abtei S. Taurin d'Évreux Fécamp unter-
stellt (Y. DELAPORTE, L'office Fécampois de Saint Taurin, in:
L'abbaye bénédictine de Fécamp, ouvrage scientifique du XIIIe
centenaire 658-1958, Fécamp 1959, Bd. 2, S. 171-189; 377), sodaß auf diesem Wege Taurinus-Reliquien nach Cluny gelangen
konnten und das Fest in die cluniacensische Liturgie aufgenommen werden konnte. Einer anderen, fraglichen Überlieferung
zufolge hatte Cluny die Taurinus-Reliquien über das Kloster
Gigny bekommen (J. HOURLIER, Le Bréviaire de Saint-Taurin.
Un livre liturgique clunisien à l'usage de l'Échelle-Saint-
Aurin (Paris BN lat. 12 601), in: Études grégoriennes 3, 1959.
S. 164). In der Bulle Papst Calixts II. vom 15.2.1120 für das
Kloster Marcigny sind Einkünfte aus dem Zehnten von L'Échelle-
Saint-Aurin aufgeführt (J. RICHARD, Le cartulaire de Marcigny-
sur-Loire, Dijon 1957 Nr. 270, S. 147-150).

Idus Augusti - 13. August

4. R a d e g u n d i s   r e g i n a e.

BHL 7048-7054; Act.SS.Aug. III 46-96; MR Aug. 13,8;
Bibl.SS. X 1348-1352; LCI VIII 245-247; MU S. 283.

Paris BN ms.lat. 12 601, Brevier aus Cluny.

Thüringische Prinzessin, wurde nach der Zerstörung des
Thüringerreiches durch König Clothar I. von Neustrien
als Geisel genommen und zur Ehe gezwungen. Nach der Er-
mordung ihres Bruders auf Geheiß Clothars zog sie sich
nach Poitiers zurück und gründete dort das später **Ste. Croix**
genannte Kloster, in dem sie 587 starb. Ihr Fest ist allgemein in den cluniacensischen Martyrologien verzeichnet;
liturgische Verehrung in Cluny setzt gegen Ende des 11.
Jahrhunderts ein.

XIII Kal. Sept. - 20. August

3. S. P h y l i b e r t i   a b b a t i s.

BHL 6805-6810; Act.SS.Aug. IV 66-95; MR Aug. 20,7;
Bibl.SS. V 702-705; LCI VIII 197 f.; MU S. 287.

Paris BN nouv.acq.lat. 2390 (Lektionar aus Cluny, 1. Hälfte

11. Jahrhundert); Cons. Farfa I,103 (S. 103).

Abt von Jumièges und Noirmoutier, gestorben um 684. Auf
der Flucht vor den Normannen kamen die Mönche von Noirmoutier mit den Reliquien des Heiligen 875 nach Tournus.
Dort überlagerte die Philibert-Verehrung allmählich das
Valerianus-Patrozinium (R. POUPARDIN, Monuments de l'histoire des abbayes de S. Philibert, Paris 1905). Liturgische Verehrung in Cluny seit der 1. Hälfte des 11. Jahrhunderts.

Kalendas Sept. - 1. September

6. S. A e g i d i i   a b b a t i s.   XII L.

BHL 93-98; Act.SS.Sept. I 284-304; MR Sept. 1,1;
Bibl.SS. IV 958-960; LCI V 51-54; MU S. 295.

Cons. Bern. II,49 (S. 242).

Gründer und Abt von S. Gilles in der Provence, um 720 gestorben. Das Kloster S. Gilles kamm 1066 an Cluny (BER-
NARD - BRUEL IV Nr. 3410; V 3871). Hugo von Cluny ließ
die Kirche von S. Gilles restaurieren (BC Sp. 454). Der
Kult verbreitete sich in der 2. Hälfte des 11. Jahrhunderts
schnell, da S. Gilles an der Pilgerroute nach **Santiago-de-**
Compostella lag. Papst Urban II. besuchte das Kloster in
den Jahren 1095 und 1096 und weihte dort einen Altar (BRAKEL,
Heiligenkulte, S. 296 f., 302).

Kalendas Sept. - 1. September

5. A u g u s t i d u n o e x c e p t i o S. L a z a r i.

BHL 4802-4807.

Reliquien: Cons. Farfa II,50 (S. 184).

Lokales Fest in der Diözese Autun. Nach Autun sollen die
Reliquien durch Bischof Gerhard von Autun (968-976) gebracht
worden sein (B. de VREGILLE, Saint Lazare d'Autun ou la
Madeleine de Vézelay? in: Ann. de Bourgogne 21, 1949, S. 34-
43). Cluny besaß seit 951 eine Kirche S. Lazare in der Nähe
von Vienne (BERNARD-BRUEL I Nr. 797). 1078 übertrug Hugo I.,
Herzog von Burgund, im Beisein zahlreicher Adliger die Kirche
St.Maria in Avallon samt ihrer Reliquien, u.a. einem goldenen
Lazarus-Bild, an Cluny und wurde mit seinem Gefolge in die
Gebetsverbrüderung aufgenommen (BERNARD-BRUEL IV Nr. 3518).
Der Streit um die authentischen Lazarus-Reliquien zwischen
Autun und Avallon dauerte bis ins späte Mittelalter an
(M.P. TARTAT, Le culte de saint Lazare à Avallon, Dijon 1959,
S. 23). In einem Reliquienverzeichnis von Cluny aus dem Jahr
1382 werden ebenfalls Lazarus-Reliquien aufgeführt (A. BÉNET,
Le trésor de l'abbaye de Cluny, Inventaire de 1382, in: Revue
de l'art chrétien 1888, S. 195-205).

III Non. Sept. - 3. September

3. Nachtrag: O r d i n a t i o G r e g o r i i p a p a e.

MR Sept. 3,12.

Das Fest tritt erstmals als Nachtrag in den Usuard-Martyrologien auf. In den cluniacensischen Quellen ist es sonst nicht
nachgewiesen. Da der dies natalis Papst Gregors I. in die Fa-
stenzeit fiel, wurde das Fest häufig vom 12.3. auf den 3.9.,
den Tag seines Amtsantritts, verschoben (J. HENNIG, Zur Stellung der Päpste in der martyrologischen Tradition, in: Arch.
Hist. Pontificiae 12, 1974, S. 25).

VIII Id. Sept. - 6. Sept.

4. S. M a g n i c o n f e s s o r i s.

BHL 5162-5164; Act.SS.Sept. II 735-758; Bibl.SS. VIII
542-545; LCI VII 471-473.

Einsiedler in Füssen, starb dort 772. Mitte des 9. Jh. Re-
liquienelevation, 898 kamen Magnus-Reliquien nach St. Gallen (E. MÜNDING, Die Kalendarien von St. Gallen, Untersuchungen, Beuron 1951, S. 107 (Texte und Arbeiten, hg. durch
die Erzabtei Beuron I. Abt. H. 37)).Kult vor allem in Süddeutschland verbreitet. Liturgische Verehrung ist in Cluny
nicht nachweisbar.

VII Id. Sept. - 7. Sept.

2. **S. E v u r c i i   e p i s c o p i.**

> BHL 2799-2800; Act.SS.Sept. III 44-62; MR Sept. 7,7;
> Bibl.SS. V 401; LCI VI 210; MU S. 298.
>
> Cons. Bern. II,34 (S. 362).
>
> Bischof von Orléans, gestorben um 391. Über Fleury kam
> Cluny mit den Bischöfen von Orléans in Kontakt, erhielt
> von ihnen Schenkungen (BERNARD-BRUEL IV Nr. 3049, 3364)
> und schloß mit den Kanonikern einen Gebetsverbrüderungs-
> vertrag (H. DIENER, Das Verhältnis Clunys zu den Bischö-
> fen, in: Neue Forschungen über Cluny, hg. von G. TELLEN-
> BACH, Freiburg 1959, S. 257 f.).

X Kal. Oct. - 22. September

2. **S. E m m e r a m m i   e p i s c o p i.**

> BHL 2538-2542; Act.SS.Sept. VI 452-526; MR Sept. 22,4;
> Bibl.SS. IV 1200 f.; LCI VI 146-148; MU S. 307.
>
> Bischof von Regensburg, 652 gestorben in Kleinhelfendorf
> bei Aschheim. Translatio unter Bischof Gaubald in die Ost-
> krypta von St. Emmeram in Regensburg. Liturgische Vereh-
> rung in Cluny läßt sich nicht nachweisen, doch stand Cluny
> seit dem frühen 11. Jh. mit Regensburg in Kontakt; Abt
> Odilo ist im Martyrologium von St. Emmeram aus dem 11. Jh.
> eingetragen (A.M. ZIMMERMANN, Das älteste Martyrologium
> und Nekrologium von St. Emmeram in Regensburg, in: Studien
> u. Mitt. zur Geschichte des Benediktinerordens 63, 1951,
> S. 151).

IIII Kal. Oct. - 28. September

2. **S. V e n z l a i   m a r t y r i s.**

> BHL 8821-8344; Act.SS.Sept. VII 780-844; MR Sept. 28,1;
> Bibl.SS. XII 991-997; LCI VIII 595.
>
> Herzog von Böhmen, 929 von seinem Bruder ermordet, 932
> Translation in die Veitskirche nach Prag; seine Verehrung
> als Nationalheiliger setzte bald darauf ein. Die Kunde von
> diesem Heiligen ist wahrscheinlich über Regensburg nach
> Cluny gekommen, denn Böhmen war von Regensburg aus missio-
> niert worden und das Bistum Prag wurde 975/976 von B. Wolf-
> **gang von Regensburg begründet (J. STABER, Die Missionierung
> Böhmens durch die Bischöfe und das Domkloster von Regensburg
> im 10. Jahrhundert, in: Regensburg und Böhmen, 1972, S.29-37).
> Liturgische Verehrung in Cluny ist nicht nachweisbar. Der
> Eintrag ist vermutlich zusammen mit den Regensburger Heiligen
> Emmeram und Wolfgang in das Martyrologium gelangt.**

III Id. Oct. - 13. Oktober

3. S. G e r a l d i.

> BHL 3411-3414; Act.SS.Oct. VI 300-331; Bibl.SS. VI 170 f.;
> LCI VI 391.

> Cons. Farfa I,124 (S. 120).

> Graf von Aurillac und Gründer des dortigen Klosters, starb
> 909. Verehrung setzte bald nach seinem Tod ein (J.-C. POU-
> LIN, L'idéal de sainteté dans l'Aquitaine carolingienne
> d'après les sources hagiographiques <750-950>. Quebec 1975).
> Abt Odo von Cluny reformierte das Kloster (SACKUR, Die Clu-
> niacenser Bd. 1, S. 77) und schrieb die Vita des Heiligen
> (BC Sp. 65-114). Vor allem die Cluniacenser sorgten seit dem
> 10. Jh. für die Verbreitung seines Kultes.

XVII Kal. Nov. - 16. Oktober

2. S. G a l l i   a b b a t i s.

> BHL 3245-3256; Act.SS.Oct. VII 856-909; MR Oct. 16,9;
> Bibl.SS. VI 15-19; LCI VI 345-348; MA und MU 20.2. (S. 184).

> Schüler Columbans, starb zwischen 627 und 645 in der Einöde
> bei Arbon, ist offiziell niemals Abt von St. Gallen gewesen.
> Sein Kult ist vor allem in Süddeutschland und der Schweiz
> verbreitet. Das Martyrologium hat abweichend zu dem in den
> Ado-Martyrologien üblichen Datum hier das Datum der St. Gal-
> ler Tradition übernommen (E. MUNDING, Die Kalendarien von
> St. Gallen, Untersuchungen, S. 121). Eine liturgische Ver-
> ehrung in Cluny ist nicht nachweisbar.

XVII Kal. Nov. - 16. Oktober

3. Nachtrag: S. J u n i a n i   c o n f e s s o r i s.

> BHL 4560, 4561; Act.SS.Oct. VII 848-850; Bibl.SS. I 925 f.;
> LCI VII 251.

> Cons. Bern. II,34 (S. 363).

> Einsiedler in der Gegend von Limoges, gestorben um 500. Der
> ursprünglich nur in der Diözese Limoges verehrte Heilige
> wurde, nachdem die Abtei S. Martial-de-Limoges 1062/63 Clu-
> ny unterstellt worden war, auch in Cluny verehrt.

XIIII Kal. Nov. - 19. Oktober

3. S. A q u i l i n i   e p i s c o p i.

> BHL 655; Act.SS.Oct. VIII 489-510; MR Oct. 19,5;
> Bibl.SS. II 330 f.; LCI V 240.

> Cons. Farfa I, 125 (S. 120).

> Bischof von Évreux, starb um 690. Die Einführung dieses
> Festes in die cluniacensische Liturgie geht vermutlich auf
> die gleichen Kontakte zurück wie die des heiligen Taurinus.
> Das Reliquienverzeichnis von 1399 erwähnt Aquilinus-Reliquien
> (Paris BN coll. Baluze 257 fol. 64^{v}).

XII Kal. Nov. - 21. Oktober

4. SS. U n d e c i m   m i l i a   v i r g i n u m.

BHL 8427-8452; Act.SS.Oct. IX 73-303; MR Oct. 21,2;
Bibl.SS. IX 1251-1267; LCI VIII 521-527.

Gefährtinnen der Heiligen Ursula, die in Köln im 4./5.
Jahrhundert das Martyrium erlitten. Verehrung begann im
8. Jahrhundert und breitete sich von Köln in ganz Europa aus. Neue Impulse erhielt der Kult durch die Auffin-
dung der Gebeine im Jahr 1106 (M. **ZENDER, Räume und
Schichten** mittelalterlicher Heiligenverehrung, Düsseldorf
1959, S. 196). Bei der Weihe von Cluny III durch Papst
Innozenz II. (1130) wurde auch ein Altar den 11 000 **Jungfrauen** geweiht (BC Sp. 1639). Liturgische Verehrung in
Cluny ist erst im 13. Jahrhundert nachweisbar (Paris BN
ms.lat. 10 938).

X Kal. Nov. - 23. Oktober

4. C o l o n i a e   S. S e v e r i n i   e p i s c o p i.

BHL 7647-7654; Act.SS.Oct. X 50-66; MR Oct. 23,4;
Bibl.SS. XI 963 f.; LCI VIII 326 f.; MU S. 327.

Bischof von Köln, gestorben Ende 4./Anfang 5. Jahrhundert,
wurde in der Legende vielfach mit dem gleichnamigen Bischof
von Bordeaux identifiziert (Gregor v. Tours, MGH SS. rer.
Merov. I,2 S. 590). Seine Verehrung breitet sich seit dem
10. Jahrhundert von Köln nach Süden und Westen aus (M. ZEN-
DER, Heiligenverehrung, S. 189). Liturgische Verehrung in
Cluny ist nicht nachweisbar.

X Kal. Nov. - 23. Oktober

5. S. L e o t a d i i   e p i s c o p i.

Act.SS.Oct. X 122-128; Bibl.SS. VII 1343 f.

Cons. Bern. I,49 (S. 242).

Bischof von Auch, gestorben Ende 7./Anfang 8. Jahrhundert.
Zuvor soll er Abt in Moissac gewesen sein; der dortigen
Tradition nach starb er in Oudelle in Burgund, das Cluny
gehörte. Er wurde nicht nur in Moissac, sondern in allen
cluniacensischen Klöstern und Prioraten verehrt. Beziehungen zum Kloster S. Orens in Auch sind seit der Mitte
des 11. Jahrhunderts nachweisbar. 1066 war Bernard de Sedirac, später Prior von S. Orens, dann Abt von Sahagun und
Eb. von Toledo, in Cluny (BERNARD-BRUEL IV Nr. 3410); Bischof Wilhelm von Auch (1063-1096) war Cluniacensermönch
**gewesen (J. MEHNE, Cluniacenserbischöfe, in: Frühmittel-
alterliche Studien 11, 1977, S. 257 ff.) und ließ Cluny
einige Schenkungen zugute kommen (H. DIENER, Das Verhältnis Clunys zu den Bischöfen, in: Neue Forschungen über Cluny, hg. von G. TELLENBACH, Freiburg 1959, S. 298 ff.)**

II Kal. Nov. - 31. Oktober

3. S. W o l f g a n g i e p i s c o p i.

BHL 8990-8995; Act.SS.Nov. II,1 527-597; MR Oct. 31,6;
Bibl.SS. XII 1334-1339; LCI VIII 626-629.

Mönch von Einsiedeln und Bischof von Regensburg, gestorben 994. Reliquienerhebung am 7. Oktober 1052 durch
Papst Leo IX. (BRAKEL, Heiligenkulte, S. 268). Liturgische Verehrung in Cluny ist nicht nachweisbar, doch dürfte
dieser Festeintrag auf die gleichen Quellen zurückzuführen
sein wie der des Heiligen Emmeram (s. 22.9.).

Kalendas Nov. - 1. November

7. S. L a u t e n i a b b a t i s.

BHL 4800; Act.SS.Nov. I 280-284; Bibl.SS. VII 1128-1130.

Cons. Farfa I,125 (S. 120).

Abt von Silèze im Jura, gestorben 518 (SCHNÜRER, Das Necrologium, S. 101). Eine Cella Lauteni wird schon im Testament Abt Bernos von Cluny erwähnt (BC Sp. 9). Wegen
des Festes Omnium Sanctorum wurde sein Fest auf den 2. November verschoben. Reliquien gelangten Ende des 10. Jahrhunderts nach Baume.

IIII Non. Nov. - 2. November

2. SS. E u s t a c h i i e t s o c i o r u m.

BHL 2760-2763; Act.SS.Sept. VI 106-137; MR Sept. 20,2;
Bibl.SS. V 281-289; LCI VI 194-199; MU S. 334.

Cons. Bern. II,32 (S. 353).

Märtyrergruppe des 2. Jahrhunderts. Liturgische Verehrung
in Cluny ist seit dem letzten Viertel des 11. Jahrhunderts
nachweisbar.

III Non. Nov. - 3. November

3. SS. V a l e n t i n i e t H y l a r i i.

BHL 8469-8474; Act.SS.Nov. I 613-636;
MR Nov. 3,4; Bibl.SS. XII 904 f.

Cons. Bern. II,32 (S. 355).

Märtyrer in Viterbo um 303. Abt Sichardus von Farfa hatte
um 842 die Gebeine der Märtyrer nach Farfa gebracht (Martyrologium Pharphense ex autographo Cardinalis Fortunati
Tamburini, O.S.B., Codicis Saeculi XI, hg. von I. SCHUSTER,
in: Rev. Bénédictine 26, 1909, S. 439); über die Reformtätigkeit Clunys in Farfa zur Zeit Abt Odilos ist das Fest
dann in die cluniacensische Liturgie gelangt.

II Non. Nov. - 4. November

3. Nachtrag: S. F l o r i e p i s c o p i.

BHL 3066, 3067; Act.SS.Nov. II,1 266-270; Bibl.SS. V
945 f.; LCI VI 255.

Legendärer Bischof von Lodève. Die über dem Grabmal des
Heiligen errichtete Kirche wird Ende des 10. Jh. im Besitz Clunys erwähnt (BOUDET, Cartulaire Nr. II, S. 3 f.
und BERNARD-BRUEL III Nr. 2790). Am 6. Dezember wurde die
neuerrichtete Klosterkirche durch Papst Urban II. geweiht
(BRAKEL, Heiligenkulte, S. 298). Dadurch wurde die Verehrung des Heiligen erneut angeregt. Am 7. Dezember stellte
Urban II. in S. Flour ein Privileg für das Kloster Marcigny
aus (JL 5603; J. RICHARD, Le Cartulaire de Marcigny-sur-
Loire, Dijon 1957, S. 144 Nr. 269). Es ist anzunehmen, daß
Abt Hugo, der bis zum 1. Dezember nachweislich in der Gegen-
wart des Papstes in Clermont weilte (H. DIENER, Das Itinerar
des Abtes Hugo, S. 370 Nr. 118), und u.U. auch der Prior von
Marcigny den Papst nach S. Flour begleitet hatten.

VI Id. Nov. - 8. November

3. Nachtrag: S. A u s t r e m o n i i e p i s c o p i.

BHL 844-854; Act.SS.Nov. I 23-82; MR Nov. 1,8;
Bibl.SS. II 631 f.; LCI V 294.

1. Bischof von Clermont, gestorben im 3. oder 4. Jh. Ihm
wird die Gründung des Klosters S. Allyre in Clermont zuge-
schrieben, das von Odo von Cluny reformiert worden war (SAK-
KUR, Die Cluniacenser Bd. 1, S. 85). Reliquientranslation
durch Bischof Avitus von Clermont (674-690) nach Volvic, 761
nach Mozac. Das Kloster Mozac ist 1095 in einem Privileg
Papst Urbans II. als Besitz Clunys aufgeführt (BC Sp. 516);
die dortige Kirche wurde unter Abt Hugo von Cluny restau-
riert (BC Sp. 455). Das sonst auf die Diözese Clermont be-
schränkte Fest dürfte in dieser Zeit in die cluniacensische
Liturgie eingeführt worden sein.

II Id. Nov. - 12. November

4. S. J o h a n n i s A l e x a n d r i n i p a t r i a r -
c h a e.

BHL 4388-4392; Act.SS.Ian. II 495-535; MR Ian. 23,8;
Bibl.SS. VI 750-756; LCI VII 82 f.

Patriarch von Alexandrien, gestorben 619/620 auf Zypern.
Liturgische Verehrung in Cluny ist nicht nachweisbar, doch
erwähnt bereits Abt Odo den Heiligen rühmend in den Collationes lib. II,8 (BC Sp. 226), und die Consuetudines Farfenses II,51 (S. 185) schreiben die Vita des Heiligen als Fa-
stenlektüre vor.

II Id. Nov. - 12. November

5. S. Y m e r i i   c o n f e s s o r i s.

BHL 3959; Bibl.SS. VII 785; LCI VI 538.

Einsiedler im Schweizer Jura, um 610 gestorben. Das über
seinem Grab errichtete Kloster gelangte 884 an die Abtei
Moûtier-Grandval. Reliquien in Murbach und Muri (M. BARTH,
Handbuch der elsässischen Kirchen im Mittelalter, Straß-
burg 1960-1963, Sp. 893, 1890). Er wurde verehrt in den
Diözesen Basel, Genf, Besançon, Mainz, Bayeux und Lisieux
(J.M.B. CLAUSS, Die Heiligen des Elsaß, S. 72-74). Litur-
gische Verehrung in Cluny ist nicht nachweisbar.

XVI Kal. Dec. - 16. November

2. S. O t h m a r i   a b b a t i s.

BHL 6386-6389; Act.SS.Nov. II 143; MR Nov. 16,6;
Bibl.SS. IX 1299-1301; LCI VIII 104 f.

1. Abt von St. Gallen, 759 auf der Bodenseeinsel Werd ge-
storben. 767/770 Reliquientranslation nach St.Gallen (JEDIN,
Atlas zur Kirchengeschichte, Taf. 28). 867 Reliquienerhebung (MUNDING, Die Kalendarien, Untersuchungen, S. 111,
134). Seit dem 9. Jahrhundert im Bodenseeraum verehrt
(J. DUFT, Sankt Otmar in Kult und Kunst, St. Gallen 1966).
Liturgische Verehrung in Cluny ist nicht nachweisbar. Reliquien werden im 11. Jahrhundert im Martyrologium Pharphense (hg. von I. SCHUSTER, in: Rev. Bénédictine 27, 1910,
S. 374) erwähnt.

XV Kal. Dec. - 17. November

5. S. G r e g o r i i   e p i s c o p i.

BHL 3682; MR Nov. 17,7; Bibl.SS. VII 217-222;
LCI VI 452 f.

Cons. Bern. II,34 (S. 363).

Bischof von Tours, gestorben 594; wurde seit dem 10. Jahrhundert in den Diözesen Tours und Clermont sowie in zahlreichen Klöstern des Benediktinerordens verehrt. Gleich-
lautende Martyrologeinträge haben das Martyrologium von
St. Victor in Xanten (F.W. OEDIGER, Das älteste Totenbuch
des Stiftes Xanten, Kevelaer 1958, S. XXVII (Veröffentlichungen des Xantener Dombauvereins V)) und das Martyrologium Pharphense (hg. von I. SCHUSTER, in: Rev. Bénédictine
27, 1910, S. 374). In der Bibliothek von Cluny waren seine
Werke zahlreich vertreten (DELISLE, Fonds de Cluni, S. 327 f£)

XIIII Kal. Dec. - 18. November

3.   S. O d d o n i s   a b b a t i s.

BHL 6292-6299; Acta SS.O.S.B.saec. V(S. 122-183);
MR Nov. 18,6; Bibl.SS. IX 1101-1104; LCI VIII, 80.

Cons. Farfa I, 132 (S. 129).

2. Abt von Cluny (927-942), 942 in Tours gestorben; wegen
der Martins-Oktav wurde sein Fest auf den 19. November
verschoben. Er bereicherte die cluniacensische Liturgie
durch zahlreiche Hymnen und Sermones und bemühte sich um
die Klosterreform in Aquitanien, Italien und Nordfrankreich.

VI Id. Dec. - 8. Dezember

3.   Nachtrag: C o n c e p t i o   S. M a r i a e.

Das Fest wurde in der griechischen Kirche bereits im 8.
und 9. Jahrhundert gefeiert, in der abendländischen Kirche erscheint es erstmals in den **irischen Kalendarien**
(H. LECLERQ, DACL 10,2, Sp. 2040 f.). Zu Beginn des 11.
Jahrhunderts wurde das Fest in England heimisch (E. BISHOP,
Liturgica historica, Oxford 1918, Nachdruck 1962, S. 238 f.)
In Frankreich ist es erst Mitte des 12. Jahrhunderts anzutreffen; Bernhard von Clairvaux sprach sich gegen die Einführung dieses Festes aus (PL 182, Sp. 336). Offiziell wurde
es 1439 auf dem Konzil von Basel eingeführt.

IIII Kal. Jan. - 29. Dezember

4.   Nachtrag: S. T h o m a e   e p i s c o p i.

BHL 8170-8248; MR Dec. 29,1; Bibl.SS. XII 598-601;
LCI VIII 484-489.

Erzbischof von Canterbury, ermordet 1170, wurde am 2. Februar 1173 von Papst Alexander III. kanonisiert. Am 7. Juli
1220 Reliquientranslation durch Erzbischof Stephan Langton
von Canterbury. Der Kult des Heiligen breitete sich über
die Normandie in ganz Frankreich aus (R. FOREVILLE, La diffusion du culte de Thomas Becket dans la France de l'Ouest
avant la fin du XIIe siècle, in: Cahiers de Civilisation
médiévale 19, 1976, S. 347-369). In Cluny setzte die Verehrung Ende des 12. Jahrhunderts ein.

B. Das Martyrologium von Marcigny-sur-Loire als Quelle für
   die cluniacensische Heiligenverehrung

Im vorausgehenden Kapitel wurde versucht, die Zusätze und Nachträge zum Ado-Martyrologium aus der Perspektive des cluniacensischen Mönchtums zu erklären.

Nicht in allen Fällen konnten Gründe oder Ursachen für den Eintrag eines Heiligen in das Martyrologium gefunden werden, die
es erlauben würden, aus dem Eintrag in das Martyrologium zugleich
auf liturgische Verehrung des jeweiligen Heiligen in Cluny/Mar-
cigny zu schließen. Dies zu wollen, hieße auch das Martyrologium
als Quelle sui generis mißzuverstehen, seine Funktion, nämlich
ein Verzeichnis der Heiligen zu sein, die beim **Kapiteloffizium**
verlesen wurden, **überzuinterpretieren.**
Solche Interpretation wäre allenfalls gerechtfertigt gegenüber
den frühchristlichen Diptychen und Märtyrerverzeichnissen[88], die
ursprünglich nur auf eine Kirchengemeinde bezogen waren und ge-
legentlich noch die Namen der Heiligen einer benachbarten und
befreundeten Kirche aufzeichneten[89]. Den Kompilatoren der sogenannten historischen Martyrologien[90] ging es dagegen in erster
Linie um eine möglichst vollzählige Erfassung aller bekannten
Heiligen; dadurch verloren die Martyrologien ihren ursprünglich
auf eine Gemeinde bezogenen Memorialcharkter, wie er z.B. noch
in den "Depositiones martyrum"[91] gegeben war.

---

88) Vgl. René AIGRAIN, L'hagiographie, ses sources, ses méthodes,
    son histoire, Paris 1953, S. 11 f.
89) Hippolyth DELEHAYE, Le témoignage des martyrologes(Analecta
    Bollandiana 26,1907, S. 78-99) S. 81.
90) Vgl. QUENTIN, Les martyrologes, S. 1 und neuerdings Jacques
    DUBOIS, Les martyrologes du moyen âge latin, Turnhout 1978
    (Typologie des sources du moyen âge occidental, hg. von Léo-
    pold GÉNICOT, Fasc. 26).
91) AIGRAIN, L'hagiographie, S. 14-16.

Erst durch die über einen längeren Zeitraum reichende Benutzung desselben Martyrologiums in ein und derselben Gemeinde
erhielt es individuelle Züge. Durch die zusätzliche Aufnahme
von Diözesanheiligen, Kloster- und Kirchenpatronen, Trans-
lationsfesten - und in selteneren Fällen auch von Dedikations-
daten - sowie durch Nachträge erst später zum Kult der Altäre
zugelassener Heiliger wurde aus dem jeweiligen Grundtypus von
Martyrologien das Martyrologium einer bestimmten Gemeinde.

Doch allein die Aufzeichnung dieser Festdaten in einem Martyrologium besagt noch nichts über die tatsächliche Verehrung
dieser Heiligen in der Messliturgie, solange diese Einträge
nicht durch die Aussagen anderer liturgischer Quellen - hier
vor allem durch Kalendarien, Lectionare, Sacramentare und Breviere - sowie durch die praktischen Anweisungen zur Gestaltung
der Heiligenfeste in den Consuetudines bestätigt werden.
Allein aus der Zusammenschau dieser liturgischen Quellen läßt
sich auf die liturgische Praxis einer bestimmten klösterlichen
oder geistlichen Gemeinschaft innerhalb eines bestimmten Zeitraumes schließen.

Unter diesem Gesichtspunkt gilt es, jene Zusätze und Nachträge
zum Ado-Martyrologium auszusondern, für die anderweitig kein
Nachweis liturgischer Verehrung gefunden werden konnte. Obwohl sie im Kapiteloffizium verlesen wurden, hatten sie keinen
weiteren Einfluß auf die Gestaltung der Tagesliturgie. Nur die
verbleibenden, durch mehrfache liturgische Quellen bezeugten
Heiligeneinträge können schließlich Auskunft über die cluniacensische Heiligenverehrung geben und zur Rekonstruktion des
cluniacensischen Sanctorale an der Wende vom 11. zum 12. Jahrhundert herangezogen werden.

Drei Gruppen von Heiligeneinträgen müssen bei den nachfolgenden Untersuchungen unterschieden werden:

I. Heilige, die der allgemeinen Martyrologtradition angehören,
   für die jedoch keine liturgische Verehrung in Cluny nachgewiesen werden konnte

Diese Gruppe spaltet sich in zwei Untergruppen auf:

1. Heilige, die in der Mehrzahl der historischen Martyrologien [92] und in den meisten cluniacensischen Martyrologien
verzeichnet sind:

25. 1.	Amarinus von Doroangus	MU
11. 5.	Pontius von Cimiez	MU 14.5.
5. 8.	Oswald, König von Northumbrien	W, MU
22. 9.	Emmeram von Regensburg	RM, MU
16.10.	Gallus von St. Gallen	W, RM, MU 20.2.
23.10.	Severin von Köln	W, MU
16.11.	Otmar von St. Gallen	W.19.1.

2. Heilige, die nicht zum Bestand der historischen Martyrologien gehören, jedoch häufig in den Martyrologien von Benedik-
tinerklöstern anzutreffen sind:

1. 5.	Walburg von Heidenheim
9. 5.	Translatio S. Nicolai
13. 5.	Gangolf von Varennes
4. 7.	Ulrich von Augsburg
12.11.	Johannes, Patriarch von Alexandria

Beide Gruppen von Heiligen sind trotz Aufnahme in zahlreiche
cluniacensische Martyrologien auf die Entwicklung des clunia-

---

92) Die Sigeln MU, RM, W verweisen auf die Einträge der Heiligen in den Martyrologien des Usuard (Subsidia hagiographica 40, S. 147-364), des Rabanus Maurus (PL 110 Sp. 1121-
   1188) und des Wandelbert von Prüm (MGH Poetae Carolini
   aevi II, S. 578-603).

censischen Sanctorale im 11./12. Jahrhundert ohne Wirkung geblieben, z.T. wurden sie jedoch zu einem späteren Zeitpunkt
Gegenstand der liturgischen Verehrung. Auffallend ist der
überwiegende Anteil deutscher Heiliger in dieser Gruppierung,
möglicherweise ist er auf die gleichen Ursachen zurückzuführen,
wie die deutschen Heiligen der folgenden Gruppe.

II. Heilige, die einzig und allein im Martyrologium von Marcigny eingetragen sind

22. 1.	Gaudentius von Novara
1. 6.	Simeon von Trier
3. 8.	Translatio Gaudentii
1. 9.	Exceptio Lazari in Autun
3. 9.	Ordinatio Gregorii (Nachtrag)
6. 9.	Magnus von Füssen
28. 9.	Wenzel von Prag
31.10.	Wolfgang von Regensburg
12.11.	Himerius aus dem Schweizer Jura

Ob diese Heiligen auch in dem verlorengegangenen Martyrolog-
Necrolog von Cluny gestanden haben, das für unsere Handschrift
als Vorlage gedient hat, läßt sich nicht mit Sicherheit beantworten. Da jedoch Marcigny und Cluny eine klösterliche Gemeinschaft bildeten, wäre diese Möglichkeit durchaus denkbar.
Andererseits verwundert es dann, daß genau diese Heiligen nicht
in dem etwa gleichzeitig in Cluny entstandenen Martyrologium
von S. Martin-des-Champs auftauchen, das bis auf eine Ausnahme
- Johannes, Patriarch von Alexandria - alle Heiligen der Gruppe I verzeichnet. Demnach hat diese zweite Gruppe nicht zu dem
für alle cluniacensischen Klöster und Priorate verbindlichen
Grundbestand an Heiligen gehört, sondern ist vielmehr als
Eigengut des Martyrologiums von Marcigny anzusehen.

Obwohl weder die Consuetudines noch irgendeine andere liturgische Quelle von der Verehrung dieser Heiligen in Marcigny
berichten, auch im Martyrologium selbst keinerlei liturgische

Rubriken angegeben sind, ist die Verehrung dieser Heiligen in
Marcigny nicht ganz auszuschließen. Zumindest die Exceptio
Lazari deutet auf eine lokale Tradition, denn Marcigny lag in
der Diözese Autun, wo dieser Heilige besonders verehrt wurde.
Auch besaß Cluny nach Aussage der Consuetudines Farfenses II,50
(S. 184) Lazarus-Reliquien.

Aufgrund welcher Umstände die übrigen Heiligen - und hier fallen die deutschen Heiligen abermals auf - in das Martyrologium
von Marcigny gelangt sind, läßt sich nur vermuten. Möglicherweise sind sie auf bisher nicht beachtete Verbrüderungsverträge zurückzuführen.

Die Einträge der deutschen Heiligen könnten auch auf den Einfluß Ulrichs von Zell, des Verfassers der Consuetudines Udalrici, zurückgehen.

Ulrich war Anfang der 60er Jahre aus St. Emmeram in Regensburg
nach Cluny gekommen, um hier Mönch zu werden[93]. Kurze Zeit war
er als Prior in Marcigny[94] tätig, mußte jedoch wegen eines Au-
genleidens nach Cluny zurückkehren[95]. Es ist möglich, daß er
die ihm von Regensburg her vertrauten Heiligen[96] in einer älteren Handschrift - unter Umständen sogar in der Vorlage des
Martyrologiums - als Memorialnotizen am Rande eingetragen hatte,
und daß diese dann bei der Abschrift von Elsendis in den Text
des Ado-Martyrologiums eingegliedert wurden.

---

93) Ernst HAUVILLER, Ulrich von Cluny. Ein biographischer Bei-
trag zur Geschichte der Cluniacenser im 11. Jahrhundert,
Münster 1896, S. 43 und Hugo OTT, Probleme um Ulrich von
Cluny, in: Alemannisches Jahrbuch 1970, S. 9-29.

94) HAUVILLER, Ulrich von Cluny S. 49; vgl. Annales O.S.B., hg.
von Johannes MABILLON, Paris 1707, Bd. 4, S. 612.

95) Vita posterior S. Udalrici prioris Cellensis, cap. 20 (MGH
SS XII, S. 258).

96) Den wechselseitigen Beziehungen zwischen Regensburg und
Cluny, die sich hier in den Memorialnotizen in Regensburg
verehrter Heiliger spiegeln, soll in einem Exkurs nachgegangen werden.

Solange die Herkunft dieser Zusätze nicht geklärt ist, muß
man diese Gruppe von Heiligeneinträgen als Eigengut des Martyrologiums von Marcigny ansehen, das auf lokale Traditionen,
Verbrüderungsverträge oder sonstige Absprachen zurückzuführen
ist. Auch aus den Quellen der anderen Cluniacenserklöster läßt
sich ähnliches, durch lokale Traditionen bedingtes Eigengut
herauskristallisieren - ein Zeichen dafür, wieviel Spielraum
dem einzelnen Kloster oder Priorat blieb, auf lokale Besonderheiten oder durch historische Ereignisse bedingte Veränderungen zu reagieren.

III. Heilige des Martyrologiums von Marcigny, die sowohl in
     anderen cluniacensischen Martyrologien als auch in den
     übrigen liturgischen Quellen verzeichnet sind

Die vorangehenden Gruppen enthielten Heilige, die zwar der allgemeinen und benediktinischen Martyrologtradition entsprachen
und deren Namen täglich beim Kapeloffizium verlesen wurden,
die jedoch auf die Gestaltung der Tagesliturgie keinen Einfluß hatten. Im folgenden sollen jene Heiligeneinträge untersucht werden, die mehrfach in den liturgischen Quellen verzeichnet sind. Allein hier kann man mit Sicherheit von einer
liturgischen Verehrung ausgehen, und es wird möglich sein, aus
diesen Einträgen das cluniacensische Sanctorale eines begrenzten Zeitraumes zu erschließen. Zusammen mit den durch die römischen Sacramentarien vorgegebenen Heiligenfesten bildeten
sie den eigentlichen Festkalender von Cluny/Marcigny und waren
auch weitgehend verbindlich für die übrigen cluniacensischen
Klöster und Priorate.

Von insgesamt 50 Zusätzen, die über das Ado-Martyrologium hinausgehen, verbleiben etwas mehr als 60 Prozent an Heiligeneinträgen, die nachweislich auf das cluniacensische Sanctorale
eingewirkt haben, d.h. deren Fest in Cluny/Marcigny und den
cluniacensischen Klöstern und Prioraten gefeiert wurde.

Diese Zusätze von Heiligennamen werden im einzelnen noch einmal mit Angabe der frühesten Belege aus den Consuetudines und
den liturgischen Quellen aufgeführt; die Sigeln der Handschriften entsprechen denen der nachfolgenden Synopse (s. S. 160-173).
Zusätzlich wurde vermerkt, ob in der Klosterbibliothek von Cluny für die Lektionen an den jeweiligen Heiligenfesten besondere
Heiligenviten zur Verfügung standen. Da die Handschriften mit
Vitae sanctorum aus Cluny sehr rar sind, konnte nur die Handschrift Paris BN lat. 2261[97] vom Ende des 11. Jahrhunderts herangezogen werden, ergänzt durch die im Bibliotheksverzeichnis
von Cluny aus der Mitte des 12. Jahrhunderts aufgeführten Heiligenviten[98].

Die nachfolgend aufgeführten 32 Heiligen können wiederum in
zwei Gruppen aufgeteilt werden:

1. Heilige, die in direktem Bezug zu den lokalen Traditionen
in Cluny und den von Cluny reformierten Klöstern standen.
Als wichtigstes Kriterium für den cluniacensischen Charakter
der Handschrift sind die Einträge der ersten Äbte von Cluny zu
werten. Mit Ausnahme der Äbte Berno und Aymard, die beide im
Necrologium verzeichnet sind[99], sind alle übrigen Äbte im Martyrologium eingetragen, Odilo und Maiolus sogar mit ausführlicher liturgischer Rubrik.

---

97) Vgl. DELISLE, Fonds de Cluni Nr. 112, S. 192-198.
98) Gedruckt bei DELISLE, Fonds de Cluni Nr. 317-424, S. 337-
    373.
99) SCHNÜRER, Das Necrologium, S. 4 zum 13.1. Depositio domni
    Bernonis; S. 75 zum 6.10. Depositio domni Heymardi abbatis.
    Hier wird einmal mehr die enge Verknüpfung zwischen Marty-
    rologium und Necrologium deutlich. Auf die Gefahren, die
    sich aus der isolierten Betrachtung des einen oder anderen
    Teils ergeben, hat schon Joachim WOLLASCH, Mönchtum des
    Mittelalters zwischen Kirche und Welt, München 1973, S. 59
    (Münstersche Mittelalter-Schriften 7) aufmerksam gemacht.

Abt Hugo war ursprünglich im Necrologium verzeichnet und wurde erst nach der Kanonisation[100] durch Papst Calixt II. in das Martyrologium übertragen.

18.11. **Odo**

Cons. Farfa I,132 (S. 129) : 12 L. ⎫
Cons. Bern. I,49 (S. 242) : A   ⎬ jeweils
Kal. Clun. I : C   ⎭ am 19.11.

11.5. **Maiolus**

Cons. ant. C. cap. 44 (S. 60) : C
Kal. Clun. I : C

1.1. **Odilo**

Cons. Bern. II,7 (S. 293) : C ⎫
Kal. Clun. I : C   ⎬ jeweils
MARC : 12 L.   ⎭ am 2.1.

29.4. **Hugo**

Nachtrag in MARC, PSMA I, MOIS I : 12 L.
Kal. Clun. III : 12 L.
CHAR : C

Auf die Anfänge Clunys gehen die folgenden Einträge zurück:

1.11. **Lautenus**

Cons. Farfa I,125 (S. 120) : 12 L. ⎫
Kal. Clun. I : 12 L.   ⎬ jeweils
Vita Nr. 328   ⎭ am 2.11.

17.11. **Gregor, Bischof von Tours**

Cons. Bern. II,34 (S. 363) : 3 L.
Kal. Clun. I : 3 L.
Vita Nr. 377

---

100) BC Sp. 559

Obwohl das Fest Gregors erst durch den Ordo des Bernard bezeugt ist, geht es mit Sicherheit auf die Zeit **Odos zurück. Odo war** Kanoniker in S.Martin in Tours gewesen, ehe er unter Abt Berno Mönch in dem im Jura gelegenen Kloster Balma (Baume-les-Messieurs)[102] wurde. Da die frühesten Consuetudines keine Angaben über die 3-Lektionen-Feste machen, ist das Fehlen dieses Festes in ihnen verständlich.

Lokale Traditionen haben die Einträge folgender Heiliger bewirkt:

3.2. Blasius, Bischof von Sebaste[103]

        MARC : 12 L.
        Kal. Clun. II : N

1.6. Reverianus von Autun

        Cons. Bern. II,34 (S. 360) : 3 L.
        Kal. Clun. I : 3 L.
        Vita Nr. 424

20.8. Philibert von Tournus

        Cons. Farfa I,103 (S. 103) : 12 L.
        Lect. I : 12 L.
        Kal. Clun. I : 12 L.
        Vita BN lat. 2261; Vita Nr. 312

Auch der Eintrag der Exceptio Lazari in Autun am 1.9., der im vorausgehenden Abschnitt als Eigengut der Elsendis ausgewiesen ist, muß bedingt zu dieser Gruppe gezählt werden, obwohl weitere liturgische Quellenbelege fehlen.

---

101) Vita sancti Odonis abbatis Cluniacensis a Johanne monacho, BC Sp. 15.
102) Ebd.: Sp. 23 f.
103) Hier ist nicht mit Sicherheit zu entscheiden, ob der Eintrag auf die enge Verbundenheit Clunys mit S.Bénigne-de-Dijon oder die Gebetsverbrüderung zwischen Cluny und St. Blasien zurückzuführen ist.

Marcigny lag in der Diözese des Bischofs von Autun und seit
1055 war dort Agano, ein ehemaliger Cluniacensermönch[104],
Bischof, der mehrfach in Urkunden für das Kloster Marcigny[105]
auftritt und der an der zweiten Weihe der Kirche von Marcigny
am 13. Februar 1082 beteiligt war[106].

Aus den durch die Reformtätigkeit Clunys geknüpften Beziehungen zu den Klöstern und Bischöfen im Süden und Nordwesten Frankreichs resultiert die folgende Gruppe von Heiligen:

    11.8.   Taurinus, Bischof von Évreux

              Cons. Farfa I,94 (S. 97) : C
              Lect. I : 8 L.
              Kal. Clun. I : C
              Vita BN lat. 2261

    1.9.   Aegidius von S. Gilles

              Cons. Bern. II,49 (S. 242) : a
              MARC : 12 L.
              Kal. Clun. I : 12 L.
              Vita BN lat. 2261; Vita Nr. 325

    7.9.   Evurcius, Bischof von Orléans

              Cons. Bern. II,34 (S. 362) : 3 L.
              Kal. Clun. I : 3 L.
              Vita BN lat. 2261; Vita Nr. 328

    13.10.   Gerald von Aurillac

              Cons. Farfa I,124 (S. 120) : 12 L.
              Cons. Bern. I,49 (S. 242) : a
              Kal. Clun. I : 12 L.
              Vita BN lat. 2261; Vita Nr. 322

---

104) Er ist am 25.6. im Necrologium unter den fratres nostrae con-
    gregationis eingetragen, vgl. SCHNÜRER, Das Necrologium, S. 49.
105) Jean RICHARD, Le cartulaire de Marcigny-sur-Loire (1045-1144),
    Dijon 1957 Nr. 2, 14, 79, 93.
106) Ebd.: Nr. 2

16.10.   Junianus von Limoges (Nachtrag)[107]

Cons. Bern. II,34 (S. 363) : 3 L.
Kal. Clun. I : 3 L.
MARC : N
Vita BN lat. 2261

19.10.   Aquilinius, Bischof von Évreux

Cons. Farfa I,115 (S. 120) : C
Cons. Bern. I,49 (S. 242) : A[108]
Kal. Clun. I : C
Vita BN lat. 2261

23.10.   Leotadius, Bischof von Auch[109]

Cons. Bern. I,49 (S. 242) : a
Kal. Clun. I : 12 L.

4.11.   Florus, Bischof von Lodève (Nachtrag)[110]

MARC : N
Kal. Clun. III : 12 L.
CHAR : 12 L.

8.11.   Austremonius, Bischof von Clermont (Nachtrag)[111]

MARC : N
Kal. Clun. III : 8 L.
CHAR : 8 L.

---

107) Daß dieser Heilige nicht in der Anlage des Martyrologiums
    vertreten ist, ist wohl auf einen Auslassungsfehler der El-
    sendis zurückzuführen; der Nachtrag erfolgte wenig später
    von einer ähnlichen Hand.
108) Hier ist offenbar eine Rückstufung des Festes erfolgt, wie
    sie mehrfach im Vergleich zwischen Cons. Farfa und Cons. Bern.
    zu beobachten ist, s. Synopse.
109) Auf die tatkräftige Unterstützung der cluniacensischen Reform-
    tätigkeit im Süden Frankreichs durch Bischof Wilhelm von Auch
    machten bereits H. DIENER, Das Verhältnis Clunys zu den Bischö-
    fen, in: Neue Forschungen über Cluny und die Cluniacenser,
    S. 298-302 und J. MEHNE, Cluniacenserbischöfe. S. 258, 284 f,
    aufmerksam. Am 23.5. ist Wilhelm unter den Professen Clunys im
    Necrologium eingetragen, vgl. SCHNÜRER, Das Necrologium, S. 42.
110 u. 111) Beide Nachträge sind von der gleichen Hand eingetragen
    und können noch dem Ende des 11. Jh. zugerechnet werden.

Folgende Feste müssen ebenfalls dieser Gruppe zugerechnet werden, obwohl sie in der Textedition nicht durch Sperrdruck gekennzeichnet sind.

20.6.   Florentia

        Cons. Farfa I,81 (S. 81) : 12 L.
        Kal. Clun. I : 12 L.

22.6.   Consortia

        Cons. Farfa I,82 (S. 81) : 12 L.
        Kal. Clun. I : A
        Vita BN lat. 2261; Vita Nr. 328, 377

29.10. Theuderius

        Cons. Bern. II,34 (S. 363) : 3 L.
        Kal. Clun. I : 3 L.
        Vita BN lat. 2261; Vita Nr. 323

Für die heiligen Jungfrauen ist die Verehrung in Cluny durch die
Consuetudines Farfenses seit der ersten Hälfte des 11. Jahrhunderts bezeugt. Das Fehlen dieser Einträge im Martyrologium von
Marcigny ist durch den Verlust einer Seite mit den Einträgen
vom 19.-29. Juni zu erklären. Daß sie in Cluny besondere Verehrung genossen, geht auch aus der Darstellung der beiden Heiligen auf den Fresken der Kapelle von Berzé-la-Ville[112] hervor,
die noch zu Lebzeiten Abt Hugos von Cluny entstanden sind.

Der Eintrag des Abtes Theuderius von Vienne wurde aufgrund der
Untersuchungen Quentins[113] zunächst als Besonderheit der Ado-
texte der 1. Familie eingestuft, doch durch den Ordo des Bernard und die späteren liturgischen Quellen ist seine Verehrung
in Cluny hinreichend bezeugt. Auf besondere Beziehungen zwischen
Cluny und Vienne weisen die Einträge von zwei Vienner Erz-

---

112) Vgl. Exkurs I im Anhang.
113) QUENTIN, Les martyrologes, S. 474.

bischöfen im Necrologium von Marcigny : Subo (927-949/950)[114]
und Warmundus (1076-1083)[115]. Erzbischof Warmundus war zuvor
Prior in Cluny und Abt von Déols gewesen und tritt mehrfach bei
Weihehandlungen in cluniacensischen Klöstern als Konsekrator[116]
auf, so auch bei der zweiten Weihe der Kirche von Marcigny am
13. Februar 1082[117]. Die Verehrung des Theuderius dürfte auf
den Amtsantritt Warmunds als Erzbischof von Vienne zurückgehen.
Möglicherweise sind auch die Einträge der Vienner Bischöfe im
Martyrologium auf die engen Kontakte zwischen Cluny und Vienne
zu dieser Zeit zurückzuführen.

Auf die Zeit des Abtes Petrus Venerabilis geht die Einführung
des folgenden Festes zurück:

> 6.8.   Transfiguratio domini (Nachtrag)
>
>   MARC : N
>   Lect. II : N: 12 L.
>   CHAR : C

Die Bedeutung, die diesem Fest beigemessen wurde, geht allein
schon daraus hervor, daß es in zahlreichen Handschriften nicht
als Nachtrag am Rande vermerkt ist, sondern jeweils auf Rasur
an die erste Stelle des Tageseintrages gesetzt wurde.

2. Allgemein verbreitete Feste:

> 15.1.   Maurus
>
>   Brev. lect.
>   Cons. Farfa I,27 (S. 21) : C
>   Cons. Bern. I,49 (S. 242): A
>   MARC : 12 L.
>   Kal. Clun. I : C
>   Vita Nr. 322

---

114) Am 25.2. unter den monachi nostrae congregationis (SCHNÜ-
     RER, Das Necrologium, S. 16). MEHNE, Cluniacenserbischöfe,
     S. 267, führte ihn unter jenen Bischöfen auf, die in Cluny
     die professio in extremis leisteten.
115) Am 2.1. unter den monachi nostrae congregationis (SCHNÜRER,
     Das Necrologium, S. 1).
116) MEHNE, Cluniacenserbischöfe, S. 256,281.
117) RICHARD, Le cartulaire, Nr. 2.

10.2.   Scholastica

Cons. Farfa I,38 (S. 29) : 12 L.
Cons. Bern. I,49 (S. 242) : a
MARC : 12 L.
Kal. Clun. I : 12 L.

13.7.   Margareta

MARC
Kal. Clun. II : N
Kal. Clun. III : 12 L. am 19.7.

28.7.   Nazarius und Celsus

Cons. Bern. II,34 (S. 361) : 3 L.
Kal. Clun. I : 3 L.

13.8.   Radegundis

MARC
Kal. Clun. I
CHAR : 4 L.
Vita BN lat. 2261; Vita Nr. 312

21.10.   11 000 Jungfrauen

MARC
Lect. III : N
Kal. Clun. III : 12 L.

2.11.   Eustachius

Cons. Bern. II,32 (S. 353) : 12 L.
Kal. Clun. I : 12 L.
Vita Nr. 321

3.11.   Valentinus und Hilarius

        Cons. Bern. II,32 (S. 355) : 4 L.

        Kal. Clun. I : 3 L.

        Vita Nr. 323

8.12.   Conceptio Mariae (Nachtrag)

        MARC : N

        Lect. III : N 12 L.

        Kal. Clun. III : N   12 L.

        CHAR : 12 L.

29.12.   Thomas von Canterbury (Nachtrag)

        MARC : N

        Lect. III : N   12 L.

        Kal. Clun. III : 12 L.

        CHAR : C

Folgende Ergebnisse lassen sich aus dieser Zusammenstellung von
Heiligen mit liturgischer Festtradition festhalten: von insgesamt 32 hier untersuchten Zusätzen zum Ado-Martyrologium sind
mehr als zwei Drittel cluniacensisches Eigengut, d.h. Heilige,
die aufgrund von lokalen Traditionen und engsten Beziehungen
zu den von Cluny reformierten Klöstern in das cluniacensische
Sanctorale aufgenommen wurden.
Ein Drittel der neuen Heiligenfeste geht auf allgemeine benediktinische und kirchliche Traditionen zurück, kann also nicht
als Besonderheit des cluniacensischen Festkalenders angesehen
werden.

Geht man vom römischen Festkalender aus, so ist seit der ersten
Hälfte des 11. Jahrhunderts ein konstantes Anwachsen des cluniacensischen Sanctorale festzustellen. Hielten sich die Consuetudines antiquiores C noch weitgehend an den Festkalender
der römischen Kirche,so werden im Laufe der ersten Hälfte des

11. Jahrhunderts nach Aussage der Consuetudines Farfenses bereits zehn neue Heiligenfeste, allesamt als 12-Lektionen-Feste ausgewiesen, in das cluniacensische Sanctorale aufgenommen; davon entfallen acht Feste auf die cluniacensische, zwei Feste auf die allgemeine Tradition.

In der zweiten Hälfte des 11. Jahrhunderts bleibt zwar der Zuwachs an neuen Festen konstant, auch in diesem Zeitraum sind acht cluniacensische Eigenfeste gegenüber drei allgemein üblichen Festen als Neuzugänge ausgewiesen, doch der Anteil der 12-Lektionen-Feste ist auf vier geschrumpft, der Rest ist als 3-Lektionen-Fest gekennzeichnet.

Hier macht sich bereits eine Tendenz bemerkbar, die sich andeutungsweise schon in der Rückstufung von Festen in cappis zu Festen in albis zwischen den Consuetudines Farfenses und dem Ordo des Bernard zeigt[118], die jedoch im 12. Jahrhundert unter Petrus Venerabilis zu einer konsequenten Verkürzung der liturgischen Feier und zu einer Einschränkung des äußeren Aufwandes geführt hat[119].

Durch die Consuetudines nicht mehr bezeugt, kommen am Ende des 11. Jahrhunderts nochmals drei neue cluniacensische (Blasius, Florus, Austremonius) und drei allgemein übliche Feste (Margareta, Radegundis, 11 000 Jungfrauen) hinzu, die Nachträge des 12. Jahrhunderts bringen jeweils nur noch zwei neue Feste. Aus diesem offenkundigen Rückgang der cluniacensischen Eigenfeste im 12. Jahrhundert ist zu schließen, daß der im 11. Jahrhundert so stark hervortretende Trend zu einer eigenständigen, auf cluniacensischen Traditionen beruhenden Heiligenverehrung erheblich nachgelassen hat.

---

118) Vgl. die in der Synopse wiedergegebenen liturgischen Rubriken.
119) Vgl. Statuta Petri Venerabilis abbatis cluniacensis IX (1146/7), hg. von Giles CONSTABLE, in: CCM Bd. 6, Siegburg 1975 Nr. 31, 32, 52, 67.

Dieser Rückgang kann als Saturierung des cluniacensischen Sanctorale angesehen werden, ist mit Sicherheit auch auf das Nachlassen des cluniacensischen Reformeifers und der dadurch bedingten geringer werdenden Anzahl zu integrierender lokaler Heiligenkulte zurückzuführen. Zum anderen ist hier ein Einschwenken Clunys auf die allgemein übliche Linie der von Rom aus sanktionierten Heiligenverehrung zu erkennen.

C. Das Martyrologium von Marcigny-sur-Loire im Vergleich
mit liturgischen Quellen aus Cluny und den cluniacensischen Reformzentren

War bisher das Martyrologium als solches Gegenstand der Untersuchungen gewesen, so soll es im folgenden als Ausgangspunkt
für eine vergleichende Untersuchung liturgischer Quellen verschiedener Gattungen - Sacramentare, Consuetudines, Lectionare, Martyrologien und Kalender - aus Cluny selbst und aus den
bedeutenden Reformzentren S. Martin-des-Champs, S. Pierre-de-
Moissac, S. Martial-de-Limoges und La Charité dienen.
Hierbei wird noch einmal deutlich werden, in welchem Maße das
Martyrologium die Heiligenverehrung gegen Ende des 11. Jahrhunderts nicht nur in dem Frauenkloster Marcigny, sondern auch in
der Mutterabtei Cluny widerspiegelt. Denn klammert man die als
Eigengut des Martyrologiums von Marcigny definierten Heiligen
(s.o. S. 140) aus, für die sonst keine liturgischen Quellenbelege vorliegen, so steht der restliche Heiligenbestand so sehr
in Einklang mit den übrigen cluniacensischen Quellen, daß man
ihn wohl auch als Grundbestand des verlorengegangenen Martyrologiums von Cluny ansehen kann. Diese Annahme wird bestätigt
durch einen Blick auf den Heiligenbestand der Handschrift
Paris BN lat. 17742, die etwa zur gleichen Zeit in Cluny selbst
entstanden ist[120], in der genau die als Eigengut von Marcigny
definierten Heiligen fehlen.
Da diese Handschrift jedoch kurz nach ihrer Fertigstellung in
das Cluniacenserpriorat S. Martin-des-Champs kam und hier zahlreiche, für das Priorat charakteristische Nachträge erhielt,
wurde sie in der nachfolgenden Synopse als Leithandschrift
für die Überlieferung aus diesem Priorat angeführt.

---

120) Vgl. VEZIN, Un martyrologe copié à Cluny, S. 404-412.

Ungeachtet dessen, daß die eine Handschrift ein Ado-Martyrolog,
die andere ein Usuard-Martyrolog enthält, läßt sich mit Hilfe
dieser beiden Handschriften das Sanctorale von Cluny rekonstruieren.

In der Gegenüberstellung dieser Handschriften mit Martyrologien
und Kalendern aus den cluniacensischen Reformzentren soll ver-
anschaulicht werden, inwieweit das Sanctorale con Cluny für die
cluniacensischen Abteien und Priorate verbindlich war und wieviel Spielraum ihnen blieb, lokale Traditionen zu pflegen, die
teils aus der Zeit vor der Reform durch Cluny herrührten, teils
in der Folgezeit hinzukamen.

Für die Darstellung des vielfältigen Quellenmaterials wurde die
Form der Synopse gewählt. Diese Methode erlaubt es, zum einen
jede Quelle für sich komprimiert wiederzugeben und ihre Besonderheiten festzuhalten, zum anderen bietet sie die Möglichkeit,
Querverbindungen über das gesamte Quellenmaterial hin zu verfolgen.

G. de Valous[121] hat bereits einen ähnlichen Versuch unternom-
men, charakteristische Festdaten aus cluniacensischen Handschriften kalendermäßig zu erfassen; doch hat seine Form der
Darstellung den Nachteil, daß das Eigengut der Handschriften
dabei nicht berücksichtigt werden kann und der Entwicklungsprozeß wie auch die Abhängigkeiten von anderen Handschriften
weniger deutlich zu Tage treten.

Die Synopse kann dennoch nur einen Teil des gesamten durch-
gesehenen Quellenmaterials berücksichtigen. Um ihre Anschau-
lichkeit zu gewährleisten, wurden nur die typischsten Ver-
treter der handschriftlichen Überlieferung aus Cluny, S. Martin-des-Champs, Moissac, Limoges und La Charité in die Darstellung einbezogen. Doch können diese Handschriften quasi
als Leithandschriften betrachtet werden, von denen die spätere Überlieferung mehr oder weniger direkt abhängt.

---

121) De VALOUS, Le monachisme, Bd. 2, S. 399-410.

Eine Begrenzung des Materials wurde zusätzlich durch den Umstand bewirkt, daß nur die Handschriften der Bibliotheken in Paris, London und Oxford berücksichtigt werden konnten; das hatte zur Folge, daß nicht in allen Fällen die verglichenen Quellen der gleichen Zeitebene angehören, brachte andererseits den Vorteil, die Entwicklung des Sanctorale über einen größeren Zeitraum hin verfolgen zu können.

Vom zeitlichen Aspekt aus betrachtet steht das Martyrologium von Marcigny gleichsam als Mittelpunkt zwischen den vor ihm entstandenen Consuetudines und den teilweise später entstandenen Handschriften aus den cluniacensischen Prioraten.
Vor dem Hintergrund des Festkalenders der römischen Kirche, der im Sanctorale des gregorianischen und gelasianischen Sacramentars zum Ausdruck kommt, läßt sich über Consuetudines, Lectionare, Martyrologien und Kalender die stufenweise Entwicklung zu einem zwar am römischen Sanctorale orientierten, doch bewußt eigenständige Züge tragenden, cluniacensischen Sanctorale verfolgen.

I. Überblick über die in der Synopse erfaßten Quellen-
   gattungen

Als "commun dénominateur"[122] oder Grundstock für die vergleichende Untersuchung wurde an den Anfang der Synopse das Sanctorale der gregorianischen und gelasianischen Sacramentare ge-
stellt. Zusammengenommen bilden die hier verzeichneten Heiligenfeste das Repertoire der von der römischen Kirche gebillig-
ten Heiligenfeste. Erst vor dem Hintergrund des römischen
Festkalenders ist es überhaupt möglich, eigenständige Entwick-
lungen und lokale Traditionen im Sanctorale einer bestimmten
geistlichen Gemeinschaft ausfindig zu machen.

Ein Initienverzeichnis von Lektionen zu den einzelnen Heiligenfesten - Breviarium lectionum per annum secundum Cluniacum be-
titelt - ist der einzige Repräsentant einer Quellengattung, die
sonst nicht nochmal überliefert worden ist und auch nichts mit
einem Brevier zu tun hat. Dieses Verzeichnis spiegelt den Festkalender von Cluny aus der ersten Hälfte des 10. Jahrhunderts.

Die anschließende Spalte enthält die Angaben der cluniacensischen Consuetudines[123] des 11. Jahrhunderts. Auf die Wiedergabe der Consuetudines antiquiores B.B 1 [124] konnte verzichtet
werden, da sie in ihrem Festbestand noch weitgehend dem des
gregorianischen Sacramentars entsprechen.
Die Consuetudines gehören zwar nicht zu den liturgischen Quellen im engeren Sinne, enthalten jedoch Angaben über die in
Cluny gefeierten Heiligenfeste, wie sie ausführlicher keine
liturgische Quelle bringen kann. Sie gruppieren die Heiligenfeste nach verschiedenen Festrängen, die zum Teil in den ein-

---

122) Victor LEROQUAIS, Les sacramentaires et les missels ma-
     nuscrits des Bibliothèques publiques de France, Paris
     1924, Bd. 1, S. XLIV.

123) Hier wurde auf die Editionen von Albers, Herrgott und
     D'Achery zurückgegriffen. Durch die vor längerer Zeit im
     Corpus Consuetudinem Monasticarum, hg. von Kassius HAL-
     LINGER, Bd. 1, S. LXII angekündigte Neuedition clunia-
     censischer Consuetudines könnten einzelne Angaben revi-
     dierungsbedürftig werden.

124) Hg. von Bruno ALBERS, Consuetudines monasticae, Bd. 2,
     S. 1-30.

zelnen Consuetudinesfassungen variieren[125], machen Angaben
über die Gestaltung der Tagesliturgie, die Ausschmückung der
Kirche, die Anzahl der Responsorien und Lektionen, bestimmen,
ob die Lektionen aus der Vita des Heiligen, aus der Bibel
oder aus den Werken der Kirchenväter gelesen werden, schreiben
vor, welche Mönche beim Hochamt Cappa oder Albe tragen, ob das
Invitatorium von zwei oder vier Mönchen gesungen wird, machen
Angaben über Prozessionen und dabei mitzuführende Reliquien
und bestimmen die caritativen Leistungen, die mit dem jeweiligen Fest verbunden sind.
Es ginge zu weit, all diese Informationen in die Synopse aufzunehmen, daher werden dort nur die Angaben über die Anzahl
der Lektionen und den Festrang (C = in cappis, A = in albis,
c = invitatorium in cappis, a = invitatorium in albis) wiedergegeben, wie sie zum Teil auch in den Kalendern auftreten.

Sämtliche Consuetudinesfassungen liegen in ihrer Entstehungszeit noch vor der Niederschrift des Martyrologiums von Marcigny, sodaß sich schon aus ihnen allein der Entwicklungsweg vom
gregorianischen Sanctorale zu einem cluniacensisch geprägten
Festkalender ableiten ließe.

Die folgende Spalte versucht, den cluniacensischen Festkalender aus den Texten von drei Lectionaren aus verschiedenen,
doch nahe beieinanderliegenden Zeiträumen zu rekonstruieren.
Alle drei Lectionare zeigen den für die cluniacensischen
Lectionare typischen Aufbau, indem sie die Texte für das Temporale und das Sanctorale nicht getrennt, sondern in der Abfolge des Kirchenjahres aufzeichnen.

---

125) Vgl. Cons. Farfa I,139 (S. 133);
        Cons. Bern. I,50 (S. 243-245);
        Cons. Udal. I,11 (Sp. 654-656).
    S. hierzu Ernst TOMEK, Studien zur Reform der deutschen
    Klöster im XI. Jahrhundert, Wien 1910, S. 211-213 und
    Stephan HILPISCH, Chorgebet und Frömmigkeit im Spät-
    mittelalter, in: Heilige Überlieferung, hg. von Odo CASEL,
    Münster 1938, S. 265-268.

Das Martyrologium von Marcigny - zum Teil durch die liturgischen Randnotizen den Festkalender schon vorzeichnend - wird
im folgenden drei Festkalendern aus cluniacensischen Brevieren und Missaliengegenübergestellt; an ihnen kann die Entwicklung des Sanctorale von Cluny vom Ende des 11. Jahrhunderts
bis zur Mitte des 13. Jahrhunderts verfolgt werden.

In den folgenden Spalten werden jeweils die Martyrologien von
S. Martin-des-Champs, Moissac und Limoges zusammen mit Kalendern aus denselben Klöstern aufgeführt. Auf diese Weise ist
einmal die jeweilige Martyrologtradition - unabhängig davon,
ob es sich um Ado-, Usuard- oder Pseudo-Florus-Martyrologien
handelt - erkennbar, zum anderen geben die Kalender darüber
Auskunft, welche Heilige von den vielen im Martyrologium verzeichneten tatsächlich liturgisch verehrt wurden.
Da der älteste greifbare Kalender aus S. Martin-des-Champs jedoch dem 14. Jahrhundert angehört, wurde auf das Martyrologium
von S. Léonor-de-Beaumont-sur-Oise, einem von S. Martin-des-
Champs abhängigen Priorat, zurückgegriffen, das neben den martyrologischen Einträgen auch liturgische Rubriken, ähnlich
denen des Martyrologiums von Marcigny, enthält und somit Aufschluß über den Festkalender von S. Martin-des-Champs und der
von ihm abhängigen Priorate geben kann. Hier fallen vor allem
die lokalen Heiligenfeste aus dem Pariser Raum auf.

Das Martyrologium aus Moissac verdient besonderes Interesse;
es ist in einer Zeit entstanden, in der sich die Reform von
Cluny noch nicht voll durchgesetzt hatte, und wurde erst nachträglich "clunifiziert". Ein Vergleich mit dem einige Jahre
später entstandenen Kalender aus Moissac zeigt deutlich den
vollzogenen Assimilierungsprozeß an das cluniacensische Sanctorale.

Die Martyrologien und Kalender aus S. Martial-de-Limoges sind
allesamt dem cluniacensischen Sanctorale angepaßt, weisen jedoch den größten Spielraum für lokale Traditionen auf.

Für La Charité ließ sich kein Martyrologium ausfindig machen,
daher steht der Kalender für sich allein. Er zeigt, wie wenig
sich im Laufe des 12. Jahrhunderts das cluniacensische Sanctorale verändert hat, enthält er doch praktisch den gleichen
Festkalender wie das Martyrologium von Marcigny, nur daß hier
die Nachträge des Martyrologiums bereits in die Anlage des Kalenders integriert wurden. An Eigenfesten fallen hier die Heiligen der Diözese Auxerre auf, was darauf zurückzuführen ist,
daß Bischof Gaufred von Auxerre (1051-1076)[126] eine maßgeb-
liche Rolle bei der Gründung von La Charité spielte. Das Fest
der heiligen Milburga deutet auf das Engagement von La Charité
in der Reformtätigkeit besonders in England hin.

Dieses Engagement von Cluny und La Charité bei der Reform eng-
lischer Klöster berücksichtigend, bildet den Abschluß der
Synopse ein Kalender aus der Benediktinerabtei Reading. Obwohl
diese Abtei niemals zu Cluny gehört hat, zeigt die Handschrift
in hohem Maße cluniacensische Einflüsse, sodaß sie als bei-
spielhaft für das Wirken Clunys und La Charités über die Grenzen Frankreichs hinaus gelten kann.

In ähnlicher Weise könnte versucht werden, die Einflüsse cluniacensischer Heiligenverehrung in italienischen und spani-
schen Handschriften aus cluniacensischen Prioraten zu verfolgen, doch würde das an dieser Stelle zu weit führen.

---

126) Vgl. Hans-Erich MAGER, Studien über das Verhältnis der
    Cluniacenser zum Eigenkirchenwesen, in: Neue Forschungen
    über Cluny und die Cluniacenser, S. 208 und Hermann DIE-
    NER, Das Verhältnis Clunys zu den Bischöfen, ebda. S. 263f.

II. Die in der Synopse berücksichtigten Quellen

Sacramentare

Sacr. greg. = Sacramentarium Gregorianum.
          Heiligenfeste dieser Rubrik entsprechen der Edi-
          tion von J. DESHUSSES, Le sacramentaire grégo-
          rien. Ses principales formes d'après les plus
          anciens manuscrits, Freiburg/Schweiz 1971 (Spi-
          cilegium Friburgense 16).

Dieses Sacramentar der römischen Kirche lag in der erweiterten
Fassung des sogenannten Hadrianums der Vereinheitlichung der
Liturgie durch Karl den Großen im fränkischen Reich zugrunde.

Sacr. gel. = Sacramentarium Gelasianum.
          Nach der Edition von L.C. MOHLBERG, Liber Sacra-
          mentorum Romanae Aecclesiae ordinis anni circuli
          (Cod.Vat.Reg.lat. 316 / Paris BN lat. 7193, 41/56),
          Rom 1960 (Rerum ecclesiasticarum documenta, Ser.
          maior, Fontes IV).

Dieses Sacramentar der römischen Titelkirchen war seit 750 im
fränkischen Reich in Benutzung und hatte zum Teil gallikanische
Einflüsse aufgenommen.

Das Sanctorale beider Sacramentarien zusammengenommen bildet
die Basis, von der aus die Entwicklung zu einem eigenen cluniacensischen Sanctorale ihren Ausgangspunkt nehmen konnte.

Brev.lect. 10. Jh. = Paris BN lat. 13 371 fol. 87^r-96^v.
Breviarius lectionum per annum secundum
Cluniacum. - L. DELISLE, Fonds de Cluni
Nr. 32, S. 85-86; Cat. mss. dat. III, S.
329, Taf. CCXXXIII; A. WILMART, Artikel
Cluny, in: DACL III,2 Sp. 2085; R. ÉTAIX,
Le lectionnaire de l'office à Cluny S.91,135f.

Die Sammelhandschrift aus der Zeit Abt Odos (927-942) überliefert eine einzigartige Liste von Lektionsanfängen zu den in
Cluny gefeierten Heiligenfesten; sie ist der früheste erhaltene
Textzeuge für die cluniacensische Heiligenverehrung. Die hier
verzeichneten Heiligenfeste stimmen weitgehend mit dem Festkalender der römischen Kirche überein, insgesamt 16 Heiligeneinträge sind neu hinzugekommen.

C o n s u e t u d i n e s

Cons. Ant. C. = Consuetudines Cluniacenses antiquiores C, hg.
von Bruno ALBERS, in: Consuetudines Monasticae
Bd. 2, Monte Cassino 1905, S. 31-61.

Die Entstehungszeit dieser Consuetudines fällt in die Zeit zwischen 996 und 1030 (B. ALBERS, Untersuchungen zu den ältesten
Mönchsgewohnheiten, München 1905 (Veröffentlichungen aus dem
kirchenhistorischen Seminar München, II. Reihe, Nr. 8)).

Cons. Farfa = Consuetudines Farfenses, hg. von Bruno ALBERS,
in: Consuetudines Monasticae Bd. 1, Wien - Stuttgart 1900.

Die Entstehungszeit dieser Consuetudines fällt in die Jahre
1042/43 (A. WILMART, Le couvent et la bibliothèque de Cluny
vers le milieu du XIe siècle, in: Revue Mabillon 11, 1921, S. 89-
124; J. HOURLIER, Saint Odilon Bâtisseur, in: Revue Mabillon 51,
1961, S. 303-324), künftig Liber tramitis aevi Odilonis abbatis,
hg. von P. DINTER (Corpus Consuetudinum Monasticarum 10).

Cons. Bern. = Ordo Cluniacensis per Bernardum saeculi XI scrip-
        torem, hg. von Marquard HERRGOTT, Vetus discipli-
        na monastica, Paris 1726, S. 133-364.

Die Entstehungszeit dieser Consuetudines fällt in die Mitte der
70er-Jahre des 11. Jahrhunderts (K. HALLINGER, Klunys Bräuche
zur Zeit Hugos des Großen (1049-1109), in: Zeitschrift der Savigny-Stiftung für Rechtsgeschichte 76, Kanonistische Abteilung
45, 1959 , S. 99-140). Ch.J. Bishko grenzt die Zeit der Entstehung auf die Jahre 1078-1082 ein (Ch.J. BISHKO, Liturgical intercession at Cluny for the King-Emperors of Leon, in: Studia
monastica 3, 1961, S. 60-65). Diese Datierung wird dadurch bestätigt, daß die von Bernard genannten Heiligenfeste dem Kalender der Handschrift Paris BN lat. 12 601, der um 1075 entstanden ist, entprechen, sich jedoch eine Rückstufung zahlreicher
Feste in eine rangniedere Festkategorie bei Bernard feststellen läßt.

Cons. Udal. = Antiquiores Consuetudines Cluniacensis Monasterii,
        collectore Udalrico monacho benedictino, hg. von
        Luc d'ACHERY, Spicilegium sive collectio veterum
        aliquot scriptorum, Paris 1723, Bd. 1, S. 639-703;
        Nachdruck in Migne PL 149 Sp. 635-778.

Diese Consuetudines sind Anfang der 80er-Jahre entstanden (K.HAL-
LINGER, Klunys Bräuche zur Zeit Hugos des Großen (1049-1109), in:
Zeitschrift der Savigny-Stiftung für Rechtsgeschichte 76, Kanonistische Abteilung 45, 1959, S. 99-140; H. JAKOBS, Die Hirsauer,
Köln - Graz 1961, S. 27 (Kölner Historische Abhandlungen Bd. 4).
Von paläographischen Kriterien der Handschrift Paris BN nouv.
acq. lat. 638 ausgehend setzt M. Schapiro die Entstehung der Consuetudines nach 1082 an (M. SCHAPIRO, The Parma Ildefonsus, a romanesque illuminated manuscript from Cluny and related works,
S. 28 Anm. 92 (Monographs on archaeology and fine arts Bd. 11,
1964).

L e c t i o n a r e

Lect. 11. Jh. = Paris BN nouv.acq.lat. 2390.

                  Lectionar aus Cluny, Anfang 11. Jahrhundert. -

                  Cat. mss. dat. IV,1, S. 245, Taf. X; WILMART

                  Sp. 2085 f.; ÉTAIX S. 91, 136.

Die Handschrift ist unvollständig und enthält nur das Sanctorale vom 2. Juni (Marcellini et Petri) bis zum 9. Oktober (Dionysii). Die hier aufgezeichneten Heiligenfeste stimmen weitgehend mit den Consuetudines Farfenses überein.

Lect. Ende 11. Jh. = Paris BN nouv.acq.lat. 2246.

                  Lectionar aus Cluny. - DELISLE, Fonds de Cluni

                  Nr. 15, S. 20-31; Cat. mss. dat. IV,1, S.235,

                  Taf. XVI; WILMART Sp. 2086 f.; Étaix S. 91, 137-

                  139; M. SCHAPIRO, The Parma Ildefonsus, S. 42-48.

Die Handschrift ist ebenfalls unvollständig, es fehlt der Anfang
des Temporale bis Oct. Epiphaniae; das Sanctorale vom 22. Januar
(Cathedra Petri) bis zum 11. Juni (Barnabae) und vom 24. Juni
(Johannis Bapt.) bis 21. Dezember (Thomae ap.) ist vorhanden,
weist jedoch dazwischen zahlreiche Textlücken auf. Der Heiligenbestand stimmt mit dem der Consuetudines des Bernard und Udalrich
überein. Nachträge stammen aus dem 12. und 13. Jahrhundert.

Lect. 12. Jh. = Paris, Bibliothèque de l'Arsenal ms. 162.

                  Lectionar des 12. Jahrhunderts aus dem Clunia-

                  censerpriorat S. Arnoul-de-Crépy. - H. MARTIN,

                  Catalogue des manuscrits de la Bibliothèque de

                  l'Arsenal Bd. 1, Paris 1885, S. 82-85; Ph. LAUER,

                  Les manuscrits de Saint-Arnoul de Crépy, in: BEC

                  63, 1902, S.488; ÉTAIX S. 147-150.

Die Handschrift gibt sehr getreu das Sanctorale der Handschrift
BN nouv.acq.lat. 2246 wieder und kann deren Lücken zum Teil ergänzen, enthält jedoch ebenfalls zahlreiche Lücken. Nachträge
reichen bis ins 14. Jahrhundert.

M a r t y r o l o g i e n   und   K a l e n d e r

MARC   =   Paris BN nouv.acq.lat. 348.

Fol. 8^r - 42^v Ado-Martyrologium aus dem Kapiteloffiziumsbuch von Marcigny-sur-Loire, um 1093-1094
nach einer Vorlage aus Cluny entstanden. - DELISLE,
Fonds de Cluni Nr. 126, S. 216-218; Cat. mss. dat.
IV,1, S. 73, Taf. XVII; WILMART Sp. 2089; SCHNÜRER,
Das Necrologium, S. I-III, 99-102; MEHNE, Cluniacenserbischöfe, S. 251; J. WOLLASCH, Les obituaires,
témoins de la vie clunisienne, in: Cahiers de civilisation médiévale 22, 1979, S.151-153.

Das Martyrologium ist bis auf eine Lücke zwischen dem 18. - 30.
Juni vollständig. Eine fast gleichzeitige Hand hat die Heiligenfeste von Januar bis Mai mit liturgischen Rubriken versehen. Die
Nachträge stammen zum Teil vom Ende des 11. Jahrhunderts (Juniani
16.10.; Flori 4.11.; Austremonii 8.11.), zum Teil aus dem 12. Jahrhundert (Hugonis 29.4.; Transfiguratio Domini 6.8.; Conceptio Mariae 8.12.; Thomae epi. 29.12.).

Kal. Clun. I = Paris BN lat. 12 601.

Fol. 16^v - 22^v Kalender aus einem Brevier aus Cluny,
zwischen 1064 und 1095 entstanden. - LEROQUAIS, Les
Bréviaires Bd. 3, Nr. 607, S. 226-228; Cat. mss. dat.
III, S. 651, Taf. XXIV; J. HOURLIER, Le Bréviaire de
Saint-Taurin, in: Études Grégoriennes 3, 1959, S. 163
-173; M.C. GARAND, Manuscrits monastiques et scripto-
ria aux XIe et XIIe siècles, in: Codicologica 3, 1980,
S. 23 f.

Der Kalender enthält liturgische Rubriken (XII L., in albis XII L.,
in cap⟨pis⟩ XII L.) sowie vereinzelte necrologische Einträge. Mitte
des 12. Jahrhunderts gelangte die Handschrift in das Cluniacenser-
priorat S. Taurin in L'Échelle-Saint-Aurin. Nachträge beziehen sich
auf die dort verehrten Lokalheiligen Quintinus, Medardus, Dionysius,
Honoratus, Firminus und Vedastus. Das Sanctorale stimmt weitgehend
mit dem des Lectionars Paris BN nouv.acq.lat. 2390 überein.

Kal. Clun. II = Bibliothèque municipale du Mans ms. 23.
Fol. 4^r - 9^r. Kalender aus dem Missale des
Cluniacenserpriorates S.Denis-de-Nogent-le-
Rotrou, Ende des 11. Jahrhunderts entstanden[127].
LEROQUAIS, Les sacramentaires Bd. 1, Nr. 76,
S. 178-180; M.-C. GARAND, Le missel clunisien
de Nogent-le-Rotrou, in: Hommages à André
Boutémy, hg. von Guy CAMBIER, Brüssel 1976,
S. 129-151 (Collection Latomus 145).

Obwohl dieser Teil der Handschrift nicht in Cluny geschrieben
wurde, enthält der Kalender nur wenige lokale Feste (16.12. dedicatio huius monasterii Sancti Dionisii) und stimmt weitgehend
mit dem Ordo des Bernard überein. Der Kalender enthält zum Teil
liturgische Rubriken (XII L., III L., c.p. XII L. = in cappis
processio XII lectiones); Hochfeste sind in Auszeichnungsschrift
eingetragen.

Kal. Clun. III = Paris BN lat. 10 938.
Fol. 8^r - 13^v Kalender aus einem Kapiteloffi-
ziumsbuch aus Cluny aus der Zeit Abt Yvos I,
(1256-1275). - DELISLE, Fonds de Cluni Nr. 12,
S. 12-16; Cat. mss. dat. III, S. 211, Taf. XLVIII;
WILMART Sp. 2088.

Der Kalender enthält liturgische Rubriken (XII, VIII, IIII, III L.;
c. pro XII L. = in cappis processio XII lectiones; a^{II} pro = in
albis duo, processio; a.o. pro = in albis omnes, processio); zahlreiche Heiligenfeste sind durch Rubrizierung hervorgehoben. Nachträge reichen bis ins 14. Jahrhundert.

---

127) Da der Kalender nicht im Original eingesehen werden konnte,
wurde der Synopse die Edition des Kalenders von M.-C. GA-
RAND, Le missel clunisien, S. 145-150 zugrundegelegt.

PSMA I = Paris BN lat. 17 742.

Fol. 1^v - 73 ^{v}. Usuard-Martyrologium aus einem Kapitelsbuch aus Cluny, Ende des 11. Jahrhunderts
(zwischen 1087 und 1095) entstanden. - A. MOLINIER,
Les obituaires français du moyen âge, Paris 1890, S.
165, Nr. 59; Cat. mss. dat. III, S. 589, Taf. CCXXXIV;
VEZIN, Un martyrologe copié à Cluny à la fin de
l'abbatiat de saint Hugues, S. 404-412.

Die Handschrift gelangte Anfang des 12. Jahrhunderts nach
S. Martin-des-Champs und erhielt dort zahlreiche Nachträge,
weshalb es sinnvoll erschien, sie als Leithandschrift für dieses Kloster in der Synopse aufzuführen. Der Heiligenbestand
stimmt mit dem des Martyrologiums von Marcigny weitgehend
überein. Wie das Ado-Martyrologium von Marcigny wurde hier das
Usuard-Martyrologium mit ähnlichen Zusätzen versehen und dem
cluniacensischen Festkalender angepaßt. Beginn des Martyrologiums am 1. Januar.

PSMA II = Paris, Bibliothèque de l'Arsenal ms. 228.

Fol. 1^r - 6^v. Kalender aus einem Brevier aus S.Mar-
tin-des-Champs, 14. Jahrhundert. - H. MARTIN, Catalogue des manuscrits de la Bibliothèque de l'Arsenal Bd. 1, S. 121 f.

Aus Ermangelung eines älteren Kalenders aus S.Martin-des-Champs
wurde diese Handschrift zum Vergleich herangezogen. Sie enthält
die üblichen liturgischen Rubriken, zahlreiche Heiligenfeste
sind rubriziert. Neben den cluniacensischen Heiligen verzeichnet der Kalender zahlreiche Lokalheilige, der Eintrag der heiligen Milburga weist auf die Reformtätigkeit S.Martin-des-Champs'
in England (vgl. den unter der Rubrik Char wiedergegebenen Kalender aus La Charité).

BEAU   =   Paris BN lat. 18 362.

Fol. 2^r - 54^r Usuard-Martyrologium aus einem Kapiteloffiziumsbuch des zu S.Martin-des-Champs gehörenden
Cluniacenserpriorats S.Léonor-de-Beaumont-sur-Oise,
Ende des 12. Jahrhunderts entstanden. - MOLINIER, Les
obituaires, S. 200, Nr. 235; J. DEPOIN, Manuscrits funèbres de Saint-Léonor de Beaumont. Obituaire et martyrologe (Mém. de la Société hist. et archéol. de l'arrondissement de Pontoise et du Vexin 35, 1918, S. 1-60);
Cat. mss. dat. III, S. 748; J. MEHNE, Eine Totenliste
aus Saint-Martin-des-Champs, in: Frühmittelalterliche
Studien 10, 1976, S. 212-247.

Die Untersuchungen von J. Mehne legen es nahe, die Entstehung der
Handschrift in S. Martin-des-Champs anzunehmen, denn das Fest des
Klosterpatrons von S. Léonor (1.7.) wie auch das Dedikationsfest
(13.10.) sind nachgetragen. Neben den für S. Martin-des-Champs
typischen Einträgen finden sich zahlreiche auf den Pariser Raum
weisende Heiligenfeste. Das Martyrologium beginnt am 24. Dezember.

MOIS I = Paris BN lat. 5548.

Fol. 1^r - 81^v Usuard-Martyrologium aus einem Kapiteloffiziumsbuch aus S.Pierre-de-Moissac, zwischen 1073
und 1078 entstanden. - L. d'ALAUZIER, Un martyrologe
et un obituaire de Moissac, in: Bulletin de la Société
archéologique de Tarn-et-Garonne, 1959, S. 8-14;
J. WOLLASCH, Qu'a signifié Cluny pour l'abbaye de Moissac?, in: Moissac et l'Occident au XIe siècle, Toulouse
1964, S. 23; ders., Zur frühesten Schicht des cluniacensischen Totengedächtnisses, in: Geschichtsschreibung
und geistiges Leben im Mittelalter, Festschrift für
H. LÖWE, 1978, S. 249; J. DUFOUR, La bibliothèque et le
scriptorium de Moissac, Genf/Paris 1972, S. 144, Nr. 94;
MEHNE, Cluniacenserbischöfe, S. 252; künftig A. MÜSSIG-
BROD, Die Abtei Moissac (1050-1150). Zu einem Zentrum
cluniacensischen Mönchtums in Südwestfrankreich, in Vorbereitung; ders., Begleittext zur Faksimileausgabe clu-

niacensischer Necrologien, hg. vom Sonderforschungsbe-
reich 7 der Universität Münster, in Vorbereitung.

J. Dufour setzte die Entstehung der Handschrift trotz älterer
Schriftmerkmale an den Anfang des 12. Jahrhunderts. Aufgrund der
Necrologeinträge datierte J. Mehne die Handschrift in die Zeit
zwischen 1064/1068. Neuere Untersuchungen des Sonderforschungs-
bereichs 7 haben die Entstehung der Handschrift in den Jahren
1073-1078 eingegrenzt. Aus dem Martyrologtext ergibt sich als
terminus post quem das Jahr 1063, denn der Eintrag Abt Odilos ist
von anlegender Hand. Die übrigen cluniacensischen Heiligenfeste
wurden nachträglich eingetragen und mit liturgischen Rubriken versehen, die sich vermutlich auf die Anzahl der Lektionen beziehen
$(a/\vartheta$ = XII L.; τ = III L.). Das Martyrologium beginnt mit dem 24.
Dezember und bricht mit dem 14. Dezember ab. Das Fest Transfiguratio domini (6.8.) ist von anlegender Hand (vgl. auch die Quellen aus S.Martial-de-Limoges), ein Zeichen dafür, daß das Fest in
Südfrankreich bereits bekannt war, ehe es 1132 in allen cluniacensischen Klöstern eingeführt wurde.
Einen nahezu identischen Heiligenbestand enthält das Sacramentar
der Handschrift London BL fonds Harleian ms. 2893, das Mitte des
12. Jahrhunderts entstanden ist.

MOIS II = Oxford, Bodleian Library ms. d'Orville 45.
Fol. 3^V - 11^V Kalender aus einem Psalterium aus Saint-
Pierre-de-Moissac, um 1075 entstanden. - F. MADAN, A
summary Catalogue of Western Manuscripts in the Bod-
leian Library at Oxford, Bd. 4, S. 48 f., Nr. 16923;
J. LECLERCQ, Les méditations d'un moine de Moissac au
XIe siècle, in: Revue d'ascétique et de mystique, 1964,
S. 197-210; DUFOUR, La bibliothèque et le scriptorium
de Moissac, S. 108, Nr.36; A.G. WATSON, Dated and
datable medieval manuscripts in the Bodleian library,
in: Manuscripts at Oxford, an exhibition in memory of
Richard William HUNT (1908-1979), Oxford 1980, S. 138 f.,
Nr. XXX,3, Abb. 102.

Im Gegensatz zur vorhergehenden Handschrift sind hier bereits die
cluniacensischen Heiligen von anlegender Hand; sehr aufschlußreich
für die fortschreitende Anpassung Moissacs an cluniacensische Ge-
wohnheiten sind zwei Litaneien der Handschrift, die eine (fol. 28^v
-29^v) ist ohne cluniacensische Heilige, in der anderen (fol. 12^v-
13^r) stehen sie auf Rasur (zum schrittweisen Angliederungsprozeß
Moissacs an Cluny vgl. J. HOURLIER, L'entrée de Moissac dans l'
ordre de Cluny, in: Moissac et l'occident, S. 25-33). A.G. Watson
datierte neuerdings die Handschrift aufgrund von Markierungspunk-
ten in der Ostertafel (fol. 14^v-17^r) auf die Zeit zwischen Ostern
·1067 und 1068.

LEMA I   =   Paris BN lat. 5257.
            Fol. 1^v - 42^v Martyrologium des Pseudo-Florus aus einem
            Kapiteloffiziumsbuch aus S.Martial-de-Limoges, kurz nach
            1063 entstanden. - QUENTIN, Les martyrologes, S. 133;
            MOLINIER, Les obituaires, S. 251, Nr. 496; J. VEZIN,
            Les manuscrits datés de l'ancien fonds latin de la Bib-
            liothèque Nationale de Paris, in: Scriptorium 19, 1965,
            S. 88 f.; WOLLASCH, Zur frühesten Schicht des cluniacen-
            sischen Totengedächtnisses, S. 249.

Die Handschrift ist kurz nach dem Anschluß an Cluny entstanden;
die typisch cluniacensischen Heiligen sind von anlegender Hand,
desgleichen das Fest Transfiguratio domini (6.8.). Das Martyrologium beginnt mit dem 1. Januar.
Einen ähnlichen Heiligenbestand weist das Usuard-Martyrologium der
Handschrift Paris BN lat. 5243 auf, das zwischen 1095 und 1120 entstanden ist.

LEMA II =   Paris BN lat. 5245.
            Fol. 1^r - 71^r Usuard-Martyrologium aus einem Kapitel-
            offiziumsbuch aus S.Martial-de-Limoges, Ende des 12.
            Jahrhunderts entstanden. - MOLINIER, Les obituaires,
            S. 252, Nr. 496; VEZIN, Les manuscrits datés, S. 89.

Das Martyrologium beginnt mit dem 24. Dezember. Die Handschrift
wurde in die Synopse aufgenommen, da sie noch deutlicher als

LEMA I das Verhältnis zwischen cluniacensischen und lokalen Heiligenfesten zum Ausdruck bringt, sie ist weitgehend eine Kopie
der Handschrift Paris BN lat. 5243.

LEMA III = Paris BN lat. 822.

      Fol. 2^r - 7^v Kalender aus einem Sacramentar aus S.Mar-
      tial-de-Limoges, Anfang des 12. Jahrhunderts entstan-
      den. - LEROQUAIS, Les sacramentaires Bd. 1, Nr. 91, S.
      203-204; Cat. mss. dat. II, S. 33.

Das Sacramentar selbst ist vor 1029 entstanden; für den Kalender
ergibt sich aus dem Eintrag der Kirchweihe vom 31.12.1095 durch
Urban II. von anlegender Hand und dem Nachtrag des Abtes Hugo am
29.4. für die Entstehung der Zeitraum zwischen 1095 und 1120. Der
Kalender enthält vereinzelt obiit-Einträge späterer Hände.

CHAR = London, British Library fonds Harleian 2895.

      Fol. 1^r - 6^v Kalender aus einem Psalterium aus La Cha-
      rité, Ende des 12. Jahrhunderts entstanden. - Catalogue
      of the Harleian Manuscripts in the British Museum, Bd.2,
      London 1808, Nr. 2895; Illuminated Manuscripts exhibi-
      ted in the Grenville Library London, by the Trustees
      of the British Museum, London 1967, S. 38, Nr.40.

Vom Schriftbild her als auch dem Heiligenbestand nach zu urteilen
muß die Handschrift einem cluniacensischen Skriptorium zugeordnet
werden. Der Eintrag "dedicatio ecclesiae de kar" am 9. März[128] sowie die beiden Heiligeneinträge Amatoris epi. am 30.4. und Iuvin-
iani am 5.5.[129] weisen nach La Charité. Von dort gelangte die
Handschrift vermutlich in das 1079 von La Charité gegründete
Priorat Much Wenlock[130], dessen Patronin Milburga am 23.2. eingetragen ist. Die Entstehungszeit der Handschrift ergibt sich aus

---

128) La Charité wurde am 9. März 1107 durch Papst Paschalis II.
    geweiht (JL 6125; Recueil des Historiens de la France, hg.
    von M.J.J. BRIAL, Paris 1877, Bd. 14, S. 120 f.).

129) Beide Heilige wurden in Auxerre verehrt; die Gründung von
    La Charité ging auf eine Schenkung des Bischofs Gaufredus
    von Auxerre zurück (BERNARD-BRUEL IV Nr. 3557).

130) Monsticon Anglicanum, hg. von R. DODSWORTH und W. DUGDALE,
    London 1655, Bd. 2, S. 613.

dem Eintrag Thomae archiepi. am 29.12. von anlegender Hand.
Neben den üblichen Lektionsangaben enthält der Kalender folgende liturgische Rubriken: in c.o. = in cappis omnes, in a.o.
= in albis omnes, ina.II = in albis duo, am 9.3. zum Dedikationsfest in c.o.p.per eccl. = in cappis omnes, processio per
ecclesiam. Sowohl der Heiligenkalender als auch die Litanei
fol. 88^r - 89^v weisen einen ähnlichen Heiligenbestand auf wie
die Martyrologien MARC und PSMA I, ergänzt durch die lokalen
Heiligen von La Charité und die Nachträge des 12. Jahrhunderts.

READ = London, British Museum Cotton. Add. 29 436 (Cotton.
ms. Vespasian. E V).
Fol. 11^v - 16^v. Kalender aus einer Sammelhandschrift
aus der Benediktinerabtei Reading, nach 1226 entstanden. - Catalogue of the manuscripts in the Cottonian
Library deposited in the British Museum, London 1802,
S. 480.

Obwohl sie nicht aus einem Cluniacenserpriorat stammt, wurde
die Handschrift in die Synopse aufgenommen, da sie besonders
auffällig den Einfluß cluniacensischer Klöster auf das benediktinische Mönchtum in England zeigt. Die Abtei Reading, 1121
gegründet, erhielt als ersten Abt Hugo von Amiens (1123-1130),
den späteren Erzbischof von Rouen, der zuvor Mönch in Cluny und
Prior von Lewes (1120-1123) gewesen war[131]. Noch zwei weitere
Äbte kamen aus Lewes, Ansger (1130-1135) und Hugo (1186-1199),
der 1199 Abt von Cluny wurde. Der enge Bezug zu Cluny und den
englischen Cluniacenserprioraten kommt nicht nur in den Heiligen des Kalenders zum Ausdruck, sondern auch in der Liste von
Gebetsverbrüderungen fol. 37^r - 38^r, in der Cluny und die englischen Cluniacenserpriorate an erster Stelle stehen und in
der für das Priorat S.Pancratius in Lewes zusätzlich ein 30-
Tage-Gedächtnis vorgesehen war.

---

131) D. KNOWLES, The Heads of religious houses, England and
Wales 940-1216, Cambridge 1972, S. 63.

Neben den üblichen liturgischen Rubriken sind zahlreiche Heiligenfeste des Kalenders durch blaue oder rote Schrift hervorgehoben. Obiit-Einträge der Äbte von Reading, so als letzter
der des Abtes Simon camerarius (gestorben 1226) von anlegender Hand, erlauben, die Entstehungszeit des Kalenders für das
zweite Viertel des 13. Jahrhunderts anzunehmen.
Einen ähnlichen Heiligenbestand weist der Kalender aus S.Pan-
cratius von Lewes der Handschrift Cambridge, Fitzwilliam Museum ms. 369 auf (gedruckt in: V. Leroquais, Le Bréviaire -
Missel du prieuré clunisien de Lewes, Paris 1935, S.8-11).

Zum Schluß sei noch auf die Verfahrensweisen bei der Wiedergabe der Heiligeneinträge in der Synopse hingewiesen.
Da das Martyrologium von Marcigny Ausgangspunkt der Untersuchung war, ist es auch in der Synopse der zentrale Bezugspunkt,
an dem sich alle übrigen Angaben orientieren. Die Rubrik MARC
enthält alle Heiligeneinträge des Martyrologiums, die aufgrund
der Sacramentarien und der Consuetudines als besondere Feste
ausgewiesen sind. Zusätze zum Ado-Text wurden durch Majuskel-
druck kenntlich gemacht, Nachträge durch N gekennzeichnet.

    x   kennzeichnet identische Einträge in den übrigen Quellen;

(x) weist auf einen Eintrag, der durch die Martyrologtradi-
       tion bezeugt ist, jedoch in liturgischen Quellen sonst
       nicht anzutreffen ist;

  -   deutet das Fehlen des entsprechenden Eintrages in der
       jeweiligen Handschrift an;

  /   weist auf eine Lücke im Text hin;

[ ] die Textlücke wurde analog zu den übrigen Quellen er-
       gänzt;

2.1. die Handschrift hat den Eintrag zu einem anderen Datum;

  =   die Handschrift folgt dem veränderten Datum einer der
       vorhergehenden Quellen.

Um die Übersichtlichkeit der Synopse zu erhalten, wurden die
liturgischen Angaben normalisiert, auf die Hinweise von Prozessionen wurde verzichtet, da sie sich meistens nur zu den
Hochfesten finden.
Neben den Lektionsangaben werden die Feste in cappis und in
albis gekennzeichnet:

    C = in cappis omnes, XII lectiones
    c = invitatorium in cappis, XII lectiones
    A = in albis omnes, XII lectiones
    a = invitatorium in albis, XII lectiones.

III. SYNOPSE

Januar

	Sacramentare greg.	gel.	Brev. lect. 10. Jh.	Ant.C	Consuetudines Farfa	Bern.	Udal.	Anf. 11. Jh.	Lectionare Ende 11. Jh.	12. Jh.	MARC Martyrologium um 1093	I 1064/95	CLUN II Kalender Ende 11. Jh.	III 1265/75
1.	Circumcisio Dom.	x	x	c	C	C	C	/	/	12	Circumcisio Dom.	12	12	12	12
	-	-	-	-	-	2.1.	=	/	/	=	ODILONIS abb.	12	=	=	=
	-	-	-	-	-	-	-	/	/	-		-	-	-	-
2.	-	-	-	-	-	Odilonis C	C	/	/	12	-	1.1	C	x	12
	-	-	-	oct. Steph.	3	x	-	/	/	-	-	-	x	x	x
3.	-	-	-	oct. Joh.	3	4	-	/	/	-	-	-	3	3	4
	-	-	-	-	-	Marini 8	-	/	/	12	-	-	-	-	8
	-	-	-	-	-	-	-	/	/	-	-	(x)	-	-	-
4.	-	-	-	oct. Inn.	3	3	-	/	/	-	-	-	3	3	3
	-	-	-	-	-	3.1	-	/	/	-	-	-	-	-	-
5.	-	Vigilia Epiph.	-	x	x	x	x	/	/	-	-	-	-	x	-
	-	-	-	-	-	-	-	/	/	-	-	-	-	-	-
6.	Epiphania	x	x	C	C	C	C	/	/	12	Epiphania	12	C	12	x
7.	-	-	-	-	-	-	-	/	/	-	-	-	-	-	N:Eduardi 12
	-	-	-	-	-	-	-	/	/	-	-	-	-	-	-
8.	-	-	-	-	-	-	-	/	/	-	-	(x)	-	-	-
9.	-	-	-	-	-	-	-	/	/	-	-	-	-	-	-
10.	-	-	-	-	-	-	-	/	/	-	-	-	-	-	N:Petronii 12
	-	-	-	-	-	-	-	/	/	-	-	-	-	-	-
11.	-	-	-	-	-	-	-	/	/	-	-	-	-	-	-
12.	-	-	-	-	Hilarii	a	a	/	/	14.1	-	13.1	A	12	12

Januar

PSMA I Mart. 1087/95	PSMA II Kal. 14. Jh.	BEAU Mart. Ende 12. Jh.	MOIS I Mart. um 1073/78	MOIS II Kal. um 1075	LEMA I Mart. nach 1063	LEMA II Mart. Ende 12. Jh.	LEMA III Kal. 1095/1120	CHAR Kal. Ende 12. Jh.	READ Kal. 13. Jh.
x	C	12	12	x	x	x	x	C	C
=	=	N	=	x	x	=	=	=	=
-	-	-	-	-	-	Marini	-	-	-
x	C	=	12	-	=	x	x	A	A
-	-	-	-	-	x	-	x	x	x
-	-	-	-	-	x	-	x	x	x
-	4.1.	=	-	-	-	1.1.	-	8	A
Genofevae	8	12	(x)	-	(x)	(x)	-	-	-
-	-	-	-	-	x	-	x	3	3
-	Marini }12	N:12	-	-	-	1.1	-	3.1	=
-	-	-	-	-	-	-	x	-	-
-	-	-	-	-	-	-	-	-	N:Eduardi
x	C	12	12	x	x	x	x	C	C
-	-	-	-	-	-	-	-	-	5.1.
-	-	-	-	-	-	Tilloni	x	-	-
Luciani	A	12	(x)	-	(x)	(x)	-	-	x
-	-	-	-	-	-	-	-	-	-
-	-	-	-	-	-	-	-	-	-
-	-	-	-	-	Valerici	x	x	-	-
-	-	-	-	-	-	-	-	-	-
=	14.1.	13.1.	=	=	=	=	=	14.1.	=

Januar

Day	Sacramentare greg.	gel.	Brev. lect. 10. Jh.	Ant.C	Farfa	Bern.	Udal.	Anf. 11. Jh.	Ende 11. Jh.	12. Jh.	MARC Martyrologium um 1093		I 1064/95	II CLUN Kalender Ende 11. Jh.	III 1265/75
13.	-	-	-	-	12.1.	=	-	/	/	14.1	Hilarii	12	12.1.	=	=
	-	oct. Epiph	x	x	a	a	a	/	/	12	-	-	A	12	A
	-	-	-	-	-	-	-	/	/	Remi gii	-	-	-	-	-
14.	Felicis	x	-	-	-	3	-	/	/	-	Felicis	3	3	3	4
	-	-	-	-	-	-	-	/	/	-	-	-	-	-	N:Vincentii 8
	-	-	Hilarii	-	12.1	=	=	/	/	12	-	13.1	12.1.	=	=
15.	-	-	Mauri	-	c	A	A	/	/	x	MAURI abb.	12	C	12	A
	-	-	-	-	-	-	-	/	/	-	-	(x)	-	-	-
	•	-	-	-	-	-	-	/	/	-	-	-	-	-	-
16.	Marcelli pp.	x	x	C	c	C	C	/	/	/	Marcelli	12	C	12	12
	-	-	-	-	-	-	-	/	/	/	-	(x)	-	-	-
17.	-	-	-	-	-	Speusippi Elasippi Melasippi 3	-	/	/	/	Speusippi Elasippi Melasippi	3	-	3	4
	-	-	-	-	-	-	-	/	/	/	-	-	-	-	-
	-	-	-	-	-	-	-	/	/	/	-	-	-	-	-
18.	Priscae	-	-	-	-	3	-	/	/	/	Priscae	3	3	3	3
	-	-	-	-	-	-	-	/	/	/	-	-	-	-	N:Antonii 12
19.	-	Mariae et Marthae	-	-	-	-	-	/	/	/	-	-	-	-	-
20.	Fabiani et	x	-	-	x	a	-	/	/	/	Fabiani et Sebastiani } 12		12	12	12
	Sebastiani	x	x	-	x	a	-	/	/	/					
21.	Agnetis	x	x	-	x	a	a	/	/	12	Agnetis	12	A	12	A
	-	-	-	-	-	-	-	/	/	-	-	-	-	-	-

Januar

PSMA I Mart. 1087/95	PSMA II Kal. 14. Jh.	BEAU Mart. Ende 12. Jh.	MOIS I Mart. um 1073/78	MOIS II Kal. um 1075	LEMA I Mart. nach 1063	LEMA II Mart. Ende 12. Jh.	LEMA III Kal. 1095/1120	CHAR Kal. Ende 12. Jh.	READ Kal. 13. Jh.
x	14.1.	x	12	x	x	x	x	=	=
-	x	N:12	-	x	x	x	x	a	A
x	-	x	-	-	x	x	15.1	-	⊥
x	x	4	3	x	x	x	x	x	x
-	-	-	-	-	-	-	-	-	-
13.1.	x	=	=	=	=	=	=	x	a
x	a	12	x	x	x	x	x	12	A
(x)	-	(x)	Macharii 12	-	-	x	-	-	-
13.1.	-	=	-	-	13.1.	=	Remigii	-	-
x	x	12	12	x	x	x	x	a	C
(x)	-	(x)	Honorati 3	-	x	x	x	-	-
x	4	3	3	-	x	x	x	x	3
Sulpicii	8	x	x	-	x	x	x	-	-
-	-	-	-	-	Genulphi	x	x	-	-
x	x	3	3	x	x	x	x	3	3
-	-	-	-	-	-	-	-	-	-
-	-	-	-	-	x	x	-	-	-
x	x	12	12	x	x	x	x	x	} a
x	x			x	x	x	x	x	
x	A	12	12	x	x	x	x	x	a
(x)	-	(x)	Fructuosi, Augurii et Eulogii 3	-	(x)	(x)	-	-	-

Januar

	Sacramentare		Brev. lect. 10. Jh.	Consuetudines				Lectionare			MARC Martyrologium 1093		CLUN I 1064/95	II Kalender Ende 11. Jh.	III 1265/75
	greg.	gel.		Ant.C	Farfa	Bern.	Udal.	Anf. 11. Jh.	Ende 11. Jh.	12. Jh.					
22.	Vincentii	-	x	-	c	C	A	/	/	12	Vincentii	12	C	12	12
	-	-	-	-	-	-	-	/	/	-	GAUDENTII epi.	x	-	-	-
23.	-	Emerentianae	-	-	-	-	-	/	/	-	-	(x)	-	└	-
	-	Macharii	-	-	-	-	-	/	/	-	-	-	-	-	-
	-	-	-	-	-	-	-	/	oct. Marcelli	-	-	-	-	-	24.1.
24.	-	-	-	-	-	-	-	/	/	-	-	-	-	-	N:oct. Marcelli 12
25.	-	Conversio Pauli	x	x	c	C	A	/	/	12	Conversio Pauli	12	C	12	C
	-	Praeiecti	-	-	-	-	-	/	/	-	Praeiecti et AMARINI	(x)	-	-	-
26.	-	-	-	-	Policarpi	3	-	/	/	-	Policarpi	3	3	3	3
27.	-	-	-	-	Johannis	3	-	/	/	-	Johannis epi	3	3	3	12
	-	-	-	-	-	-	-	/	/	-	-	-	-	-	-
28.	Agnetis sec.	-	-	-	x	4	-	/	/	4	Agnetis secundo	4	4	} 12	4
	-	-	-	-	Johannis prsb.	8	-	/	/	8	Johannis presb.	8	8		8
29.	-	-	-	-	-	-	-	/	/	oct. Vincentii 12	-	-	-	-	12
30.	-	-	-	-	-	-	-	/	/	-	-	-	-	-	-
31.	-	-	-	-	-	-	-	/	/	-	-	-	-	-	-

Januar

PSMA I Mart. 1087/95	PSMA II Kal. 14. Jh.	BEAU Mart. Ende 12. Jh.	MOIS I Mart. um 1073/78	MOIS II Kal. um 1075	LEMA I Mart. nach 1063	LEMA II Mart. Ende 12. Jh	LEMA III Kal. 1095/1120	CHAR Kal. Ende 12. Jh.	READ Kal. 13. Jh.
x	x	12	12	x	x	x	x	C	C
-	-	-	-	-	-	-	-	-	-
(x)	-	(x)	(x)	-	(x)	(x)	-	-	-
-	-	(x)	-	-	-	-	-	-	-
-	-	N:oct. Marcelli 12	-	-	-	-	-	-	-
-	-	-	-	-	-	-	-	-	-
x	x	12	12	x	x	x	x	C	C
(x)	-	(x)	(x)	x	(x)	(x)	x	-	-
x	x	3	3	-	x	x	x	x	3
x	x	3	3	x	x	x	x	x	} 12
Juliani	-	x	-	-	-	-	-	-	
x	-	4	3	x	x	x	x	x	3
x	8	8	12	x	N	x	x	x	x
-	-	-	-	-	-	-	-	x	a
N:Baltil- dis reginae	x	3	-	-	-	-	-	-	-
-	-	-	-	-	-	-	-	-	-

Februar

	Sacramentare greg.	gel.	Brev. lect. 10. Jh.	Ant.C	Farfa	Bern.	Udal.	Anf. 11. Jh.	Ende 11. Jh.	12. Jh.	MARC Martyrologium um 1093	CLUN I 1064/95	CLUN II Kalender Ende 11. Jh.	CLUN III 1265/75
1.	-	-	-	-	-	Ignatii 3	-	/	/	-	Ignatii 3	3	3	12
	-	-	-	-	-	-	-	/	/	-	-	-	-	-
2.	Purificatio	x	x	C	C	C	C	/	/	12	Purificatio 12	C	12	A
3.	-	-	-	-	-	-	-	/	/	N:Blasii	BLASII 12	-	N	12
4.	-	-	-	-	-	-	-	/	/	-	-	-	-	-
5.	Agathae	x	x	-	x	a	a	/	/	12	Agathae 12	12	12	A
6.	-	-	-	-	-	-	-	/	/	-	-		Vedasti et	-
	-	-	-	-	-	-	-	/	/	-	-	26.10	Amandi	-
7.	-	-	-	-	-	-	-	/	/	-	-	-	-	-
8.	-	-	-	-	-	-	-	/	/	-	-	-	-	-
9.	-	-	-	-	-	-	-	/	/	-	-	-	oct.Purific. 12	-
	-	-	-	-	-	-	-	/	/	-	-	-	-	-
10.	-	-	-	-	Scholasticae	a	-	/	/	12	SCHOLASTICAE 12	12	12	12
	-	Sotheris, Zotici et soc.	-	-	-	-	-	/	/	-	-	(x)	-	-
11.	-	-	-	-	-	-	-	/	/	-	-	-	-	N:Apolloniae 12
12.	-	-	-	-	-	-	-	/	/	-	-	-	-	-
13.	-	-	-	-	-	-	-	/	/	-	-	-	-	-

Februar

PSMA I Mart. 1087/95	PSMA II Kal. 14. Jh.	BEAU Mart. Ende 12. Jh.	MOIS I Mart. um 1073/78	MOIS II Kal. um 1075	LEMA I Mart. nach 1063	LEMA II Mart. Ende 12. Jh.	LEMA III Kal. 1095/1120	CHAR Kal. Ende 12. Jh.	READ Kal. 13. Jh.
x	12	3	x	-	x	x	x	x	3
-	-	-	-	-	Suri conf.	-	x	-	-
x	C	12	12	x	x	x	x	C	C
15.2.	12	=	=	-	-	x	N	x	3
-	-	-	-	-	-	-	-	-	-
x	x	12	12	x	x	x	x	x	a
(x)	-	(x)	} 12	-	(x)	(x)	-	-	-
(x)	-	(x)		x	(x)	(x)	-	-	-
N:Richardi regis	-	-	-	-	-	-	-	-	-
-	-	-	-	-	-	-	-	-	-
-	a	-	-	-	-	-	-	A	A
-	-	-	N:Ansberti 12	-	-	-	-	-	-
x	12	12	12	x	x	x	x	12	a
(x)	-	(x)	(x)	-	-	6.2.	-	-	
-	-	-	-	-	-	-	-	-	-
-	-	-	-	-	-	-	-	-	-
-	-	-	-	-	-	-	-	-	-

Februar

	Sacramentare greg.	gel.	Brev. lect. 10. Jh.	Consuetudines Ant.C	Farfa	Bern.	Udal.	Lectionare Anf. 11. Jh.	Ende 11. Jh.	12. Jh.	MARC Martyrologium um 1093	CLUN I 1064/95	CLUN II Kalender Ende 11. Jh.	CLUN III 1265/75
14.	Valentini	x	-	-	-	3	-	/	/	-	Valentini	3 } C	3	12
	-	-	-	-	dedic. eccl. Cluniac. C	C	C	/	/	-	-	-	-	-
	-	Vitalis, Feliculae	-	-	-	-	-	/	/	-	-	(x)	-	-
15.	-	-	-	-	-	-	-	/	/	-	-	3.2.	=	=
	-	-	-	-	-	-	-	/	/	3.2	-	-	-	-
16.	-	Julianae	-	-	-	-	-	/	/	-	-	(x)	-	-
	-	-	-	-	-	-	-	/	/	-	-	-	-	-
17.	-	-	-	-	-	-	-	/	/	-	-	-	-	-
18.	-	-	-	-	-	-	-	/	/	-	-	-	-	-
19.	-	-	-	-	-	-	-	/	/	-	-	-	-	-
20.	-	-	-	-	-	-	-	/	/	-	-	-	-	-
21.	-	-	-	-	-	-	-	/	/	-	-	-	-	-
22.	-	Cathedra Petri	x	C	C	C	C	/	12	12	Cathedra Petri	12	C	12
23.	-	-	-	-	-	-	-	/	/	-	-	-	-	N:Milburgae 12
24.	-	-	-	-	-	Mathiae a ap.	-	/	-	-	Mathiae ap.	12	A	12
25.	-	-	-	-	-	-	-	/	-	-	-	-	-	-
26.	-	-	-	-	-	-	-	/	-	-	-	-	-	-
27.	-	-	-	-	-	-	-	/	-	-	-	-	-	-
28.	-	-	-	-	-	-	-	/	-	-	-	-	-	-

Februar

PSMA I Mart. 1087/95	PSMA II Kal. 14. Jh.	BEAU Mart. Ende 12. Jh.	MOIS I Mart. um 1073/78	MOIS II Kal. um 1075	LEMA I Mart. nach 1063	LEMA II Mart. Ende 12. Jh.	LEMA III Kal. 1095/1120	CHAR Kal. Ende 12. Jh.	READ Kal. 13. Jh.
x	12	3	3	x	x	x	x	3	3
x	-	-	-	-	-	-	-	-	-
(x)	-	(x)	(x)	-	-	(x)	-	-	-
Blasii	3.2.	(x)	(x)	-	-	3.2.	=	=	=
(x)	-	(x)	(x)	-	-	(x)	N	-	-
N:Honesti	-	12	-	-	-	-	-	-	-
-	-	-	-	-	-	-	-	-	-
-	-	-	-	-	-	-	-	-	-
-	-	-	-	-	-	-	-	-	-
-	-	-	-	-	-	-	-	-	-
-	-	-	-	-	-	-	-	-	-
x	x	12	12	x	x	x	x	C	C
N	12	N	-	-	-	-	-	C	A
x	C	12	12	x	x	x	x	x	A
-	-	-	-	-	-	-	-	-	-
-	-	-	-	-	-	-	-	-	-
-	-	-	-	-	-	-	-	-	-
-	-	-	-	-	-	-	-	-	-

März

	Sacramentare greg.	gel.	Brev. lect. 10. Jh.	Ant.C	Consuetudines Farfa	Bern.	Udal.	Lectionare Anf. 11. Jh.	Ende 11. Jh.	12. Jh.	MARC Martyrologium um 1093	I 1064/95	CLUN II Kalender Ende 11. Jh.	III 1265/75
1.	-	-	-	-	-	-	-	/	-	-	-	-	-	N:Albini	-
2.	-	-	-	-	-	-	-	/	-	-	-	-	-	-	-
3.	-	-	-	-	-	-	-	/	-	-	-	-	-	-	-
4.	-	-	-	-	-	-	-	/	-	-	-	-	-	-	-
5.	-	-	-	-	-	-	-	/	-	-	-	-	-	-	-
6.	-	-	-	-	-	-	-	/	-	-	-	-	-	-	-
7.	-	Perpetuae et Felicitatis	-	-	-	-	-	/	-	-	-	(x)	-	N	-
8.	-	-	-	-	-	-	-	/	-	-	-	-	-	-	-
9.	-	-	-	-	-	-	-	/	-	-	-	-	-	-	-
10.	-	-	-	-	-	-	-	/	-	-	-	-	-	-	-
11.	-	-	-	-	-	-	-	/	-	-	-	-	-	-	-
12.	Gregorii pp.	-	x	-	a	A	a	/	12	12	Gregorii	12	A	12	A
13.	-	-	-	-	-	-	-	/	-	-	-	-	-	transl. Consortiae
14.	-	-	-	-	-	-	-	/	-	-	-	-	-	-	-
15.	-	-	-	-	-	-	-	/	-	-	-	-	-	-	-
16.	-	-	-	-	-	-	-	/	-	-	-	-	-	-	-

März

PSMA I Mart. 1087/95	PSMA II Kal. 14. Jh.	BEAU Mart. Ende 12. Jh.	MOIS I Mart. um 1073/78	MOIS II Kal. um 1075	LEMA I Mart. nach 1063	LEMA II Mart. Ende 12. Jh.	LEMA III Kal. 1095/1120	CHAR Kal. Ende 12. Jh.	READ Kal. 13. Jh.
(x)	-	(x)	(x)	/	(x)	(x)	N	a	- David a
-	-	-	-	/	-	-	-	-	-
-	-	-	-	/	-	-	-	-	-
-	-	-	-	/	-	commemoratio Marcialis	-	-	-
-	-	-	-	/	-	-	-	-	-
-	-	-	-	/	-	-	-	-	-
(x)	-	(x)	(x)	/	(x)	(x)	N	-	-
-	-	-	-	/	-	-	-	-	-
-	-	-	-	/	-	-	-	-	-
-	-	-	-	/	-	-	-	dedic.eccl. Caritatis C	-
-	-	-	-	/	-	-	-	-	-
x	C	12	12	/	x	x	x	c	C
x	-	-	-	/	-	-	-	-	-
-	-	-	-	/	-	-	-	-	-
-	-	-	-	/	-	-	-	-	-
-	-	-	-	/	-	-	-	-	-

März

	Sacramentare greg.	gel.	Brev. lect. 10. Jh.	Ant.C	Consuetudines Farfa	Bern.	Udal.	Anf. 11. Jh.	Lectionare Ende 11. Jh.	12. Jh.	MARG Martyrologium um 1093	I 1064/95	CLUN II Kalender Ende 11. Jh.	III 1265/75
17.	-	-	-	-	-	-	-	/	-	-	-	-	-	-
18.	-	-	-	-	-	-	-	/	-	-	-	-	-	-
19.	-	-	-	-	-	-	-	/	-	-	-	-	-	-
20.	-	-	-	-	-	-	-	/	-	-	-	-	-	N:Ulphini 12
	-	-	-	-	-	-	-	/	-	-	-	-	-	-
21.	-	-	Benedicti	C	a	A	a	/	12	12	Benidicti	12	A	12	A
22.	-	-	-	-	-	-	-	/	-	-	-	-	-	-
23.	-	-	-	-	-	-	-	/	-	-	-	-	-	-
24.	-	-	-	-	-	-	-	/	-	-	-	-	-	-
25.	Adnuntiatio Mariae	x	x	-	C	A	a	/	12	12	Adnuntiatio Mariae	12	A	12	12
26.	-	-	-	-	-	-	-	/	-	-	-	-	-	-
27.	-	-	-	-	-	-	-	/	-	-	-	-	Resurrectio Dni.	x	12
28.	-	-	-	-	-	-	-	/	-	-	-	-	-	-
29.	-	-	-	-	-	-	-	/	-	-	-	-	-	-
30.	-	-	-	-	-	-	-	/	-	-	-	-	-	-
31.	-	-	-	-	-	-	-	/	-	-	-	-	-	-

März

PSMA I Mart. 1087/95	PSMA II Kal. 14. Jh.	BEAU Mart. Ende 12. Jh.	MOIS I Mart. um 1073/78	MOIS II Kal. um 1075	LEMA I Mart. nach 1063	LEMA II Mart. Ende 12. Jh.	LEMA III Kal. 1095/1120	CHAR Kal. Ende 12. Jh.	READ Kal. 13. Jh.
-	-	-	-	/	-	-	-	-	-
-	-	-	-	/	-	-	-	-	Eduardi a
-	-	-	-	/	-	-	-	-	-
-	-	-	-	/	-	-	-	-	-
-	-	-	-	/	-	-	-	-	Cuthberti 12
x	x	12	12	/	x	x	x	C	C
-	-	-	-	/	-	-	-	-	-
-	-	-	-	/	-	-	-	-	-
-	-	-	-	/	-	-	-	-	-
x	C	12	12	/	x	x	x	x	C
-	-	-	-	/	-	-	-	-	-
-	C	-	-	/	-	-	N	-	-
-	-	-	-	/	-	-	-	-	-
-	-	-	-	/	-	-	-	-	-
-	-	-	-	/	-	-	-	-	-
-	-	-	-	/	-	-	-	-	-

April

	Sacramentare greg.	gel.	Brev. lect. 10. Jh.	Ant.C	Farfa	Bern.	Udal.	Anf. 11. Jh.	Ende 11. Jh.	12. Jh.	MARC Martyrologium um 1093	I 1064/95	II Kalender Ende 11. Jh.	III 1265/75
1.	-	-	-	-	-	-	-	/	-	-	-	-	-	-
2.	-	-	-	-	-	-	-	/	-	-	-	-	-	-
3.	-	-	-	-	-	-	-	/	-	-	-	-	-	-
4.	-	-	-	-	Ambrosii c	a	-	/	12	12	Ambrosii x	12	x	12
5.	-	-	-	-	-	-	-	/	-	-	-	-	-	-
6.	-	-	-	-	-	-	-	/	-	-	-	-	-	-
7.	-	-	-	-	-	-	-	/	-	-	-	-	-	-
8.	-	-	-	-	-	-	-	/	-	-	-	-	-	-
9.	-	-	-	-	-	-	-	/	-	-	-	-	-	-
10.	-	-	-	-	-	-	-	/	-	-	-	-	-	-
11.	-	Leonis pp.	-	-	-	-	-	/	-	-	-	-	N	-
12.	-	-	-	-	-	-	-	/	-	-	-	-	-	-
13.	-	Euphemiae	-	-	-	-	-	/	-	-	-	-	N	-
14.	Tiburtii, Valeriani et Maximi	-	-	-	-	3	-	/	-	-	Tiburtii Valeriani et Maximi x	3	x	3
15.	-	-	-	-	-	-	-	/	-	-	-	-	-	-
16.	-	-	-	-	-	-	-	/	-	-	-	-	-	-

April

PSMA I Mart. 1087/95	PSMA II Kal. 14. Jh.	BEAU Mart. Ende 12. Jh.	MOIS I Mart. um 1073/78	MOIS II Kal. um 1075	LEMA I Mart. nach 1063	LEMA II Mart. Ende 12. Jh.	LEMA III Kal. 1095/1120	CHAR Kal. Ende 12. Jh.	READ Kal. 13. Jh.
-	-	-	-	-	-	-	-	-	-
Mariae Aegyptiacae	x	12	x	-	-	x	-	-	-
-	-	-	-	-	-	-	-	-	-
x	C	12	12	-	x	x	x	A	12
-	-	-	-	-	-	-	-	-	-
-	-	-	-	-	-	-	-	-	-
/	-	-	-	-	-	-	-	-	-
/	-	-	-	-	-	-	-	-	-
/	-	-	-	-	-	-	-	-	-
/	-	-	-	-	-	-	-	-	-
/	-	(x)	(x)	-	(x)	(x)	N	-	-
/	-	-	-	-	-	-	-	-	-
/	-	(x)	-	-	(x)	(x)	-	-	-
/	3	3	3	x	x	x	x	3	3
/	-	-	-	-	-	-	-	-	-
/	-	-	-	-	dedic.eccl. Michaelis	-	-	-	-

April

	Sacramentare greg.	gel.	Brev. lect. 10. Jh.	Ant.C	Farfa	Bern.	Udal.	Anf. 11. Jh.	Ende 11. Jh.	12. Jh.	MARC Martyrologium um 1093		I 1064/95	CLUN II Kalender Ende 11. Jh.	III 1265/75
17.	-	-	-	-	-	-	-	/	-	-	-	-	-	-	-
18.	-	-	-	-	-	-	-	/	-	-	-	-	-	-	-
19.	-	-	-	-	-	-	-	/	-	-	-	-	-	-	-
	-	-	-	-	-	-	-	/	-	-	-	-	-	-	-
20.	-	-	-	-	-	-	-	/	-	-	-	-	-	-	-
21.	-	-	-	'	-	-	-	/	-	-	-	-	-	inventio Dionysii	-
22.	-	-	-	-	-	-	-	/	-	-	-	-	-	-	-
	-	-	-	-	-	-	-	/	-	-	-	-	-	-	-
23.	Georgii	-	-	-	-	3 } Felicis Fortunati, Achillei	-	/	-	} 4	Georgii Felicis, Fortunati Achillei	x x	} 3	x -	} 12
	-	-		-	-			/	-						
24.	-	-	-	-	-	-	-	/	-	-	-	-	-	-	Roberti abb. 3
	-	-	-	-	-	-	-	/	-	-	-	-	-	-	-
25.	-	-	Marci ev.	-	a	A	-	/	12	12	Marci ev.	x	A	x	A
26.	-	-	-	-	-	-	-	/	-	-	-	-	-	-	N:Cleti pp.
27.	-	-	-	-	-	-	-	/	-	-	-	28.4.	Vitalis 3	=	=
	-	-	-	-	-	-	-	/	-	-	-	-	-	-	-

April

PSMA I Mart. 1087/95	PSMA II Kal. 14. Jh.	BEAU Mart. Ende 12. Jh.	MOIS I Mart. um 1073/78	MOIS II Kal. um 1075	LEMA I Mart. nach 1063	LEMA II Mart. Ende 12. Jh.	LEMA III Kal. 1095/1120	CHAR Kal. Ende 12. Jh.	READ Kal. 13. Jh.
/	-	-	-	-	-	-	-	-	-
/	exceptio reliquarum S.Martini 3	-	-	-	-	-	-	-	-
- -	- -	- -	- -	- -	transl. Tilloni -	- -	- -	- -	- dedic. eccl. Reading C
-	-	-	-	-	-	-	-	-	-
-	-	-	-	-	-	-	-	-	-
N:inventio Dionysii N:Oportunae	4 8	12 x	- -	- -	- -	- -	- -	- -	- -
x x	8 4	4 x	3 x	x -	x -	x x	x x	} 3	} 3
- Coronae	- -	- x	- -	- -	- -	- x	- -	- -	- -
x	C	12	12	x	x	x	x	A	A
-	-	-	-	-	-	-	-	-	-
= -	= -	= -	= -	= -	= Alpiniani	= x	= x	= -	= -

April

	Sacramentare greg.	gel.	Brev. lect. 10. Jh.	Ant.C	Consuetudines Farfa	Bern.	Udal.	Lectionare Anf. 11. Jh.	Ende 11. Jh.	12. Jh.	MARC Martyrologium 1093		I 1064/95	CLUN II Kalender Ende 11. Jh.	III 1265/75
28.	Vita-lis	-	-	-	-	3	-	/	-	-	Vitalis	x	27.4.	x	4
	-	-	-	-	-	-	-	/	-	-	-	-	-	-	N:Petri 8
29.	-	-	-	-	-	-	-	/	-	N	N:HUGONIS	N	-	-	12
	-	-	-	-	-	-	-	/	-	-	-	-	-	-	-
30.	-	-	-	-	-	-	-	/	-	-	-	(x)	-	-	Eutropii 12
	-	-	-	-	-	-	-	/	-	-	-	-	-	-	-
	-	-	-	-	-	-	-	/	-	-	-	-	-	-	-

April

PSMA I Mart. 1087/95	PSMA II Kal. 14. Jh.	BEAU Mart. Ende 12. Jh.	MOIS I Mart. um 1073/78	MOIS II Kal. um 1075	LEMA I Mart. nach 1063	LEMA II Mart. Ende 12. Jh.	LEMA III Kal. 1095/1120	CHAR Kal. Ende 12. Jh.	READ Kal. 13. Jh.
x	3	3	3	x	-	x	N	3	3
-	-	-	-	-	-	-	29.4.	-	-
N	C	12	N:12	-	-	x	N	C	A
-	-	-	-	-	-	-	N:Petri	-	-
(x)	-	(x)	(x)	-	N	x	N	-	3
-	-	-	-	-	-	-	N:inventio Frontonis	-	-
1.5.	-	=	=	-	-	=	-	N:Amatoris A	-

Mai

	Sacramentare greg.	gel.	Brev. lect. 10. Jh.	Consuetudines Ant.C	Farfa	Bern.	Udal.	Lectionare Anf. 11. Jh.	Ende 11. Jh.	12. Jh.	MARC Martyrologium 1093	CLUN I 1064/95	II Kalender Ende 11. Jh.	III 1265/75
1.	Philippi et Jacobi	x	x	–	C	A	A	/	12	12	Philippi et Jacobi	x	C	x	12
	–	–	–	–	–	–	–	/	–	–	WALPURGIS	x	–	–	–
	–	–	–	–	–	–	–	/	–	–	Andeoli	x	x	x	x
	–	–	–	–	–	–	–	/	–	–	–	–	–	–	–
2.	–	–	–	–	–	Athanasii 3	–	/	–	–	Athanasii	3	3	x	4
	–	–	–	–	–	–	–	/	–	–	–	–	–	–	N:Orientis 8
	–	–	–	–	–	–	–	/	–	–	–	–	–	–	–
3.	–	Inventio Crucis	x	C	C	C	C	/	4	4	Inventio Crucis	x	} 3	x	4
	Alexandri, Eventii et Theoduli	–	x	–	x	x	–	/	8	8	Alexandri Eventii et Theodoli	x		x	8
	–	Juvenalis	–	–	–	–	–	/	–	–	–	(x)	–	–	–
4.	–	–	–	–	–	–	–	/	–	–	–	(x)	–	–	–
5.	–	–	–	–	–	–	–	/	–	–	–	(x)	–	–	–
6.	Johannis	–	–	–	–	3	–	/	N:12	–	Johannis	3	3	x	A
7.	–	–	–	–	–	–	–	/	–	–	–	–	–	–	–
8.	–	–	–	–	–	–	–	/	–	–	–	–	–	–	–
9.	–	–	–	–	–	Gregorii 3	–	/	–	–	Gregorii	x	3	x	3
	–	–	–	–	–	–	–	/	–	–	Transl. NICHOLAI	x	–	–	–

Mai

PSMA I Mart. 1087/95	PSMA II Kal. 14. Jh.	BEAU Mart. Ende 12. Jh.	MOIS I Mart. um 1073/78	MOIS II Kal. um 1075	LEMA I Mart. nach 1063	LEMA II Mart. Ende 12. Jh.	LEMA III Kal. 1095/1120	CHAR Kal. Ende 12. Jh.	READ Kal. 13. Jh.
x	C	12	12	x	x	x	x	A	C
(x)	-	-	-	-	-	(x)	-	-	-
x	x	x	x	-	-	x	x	x	-
-	-	-	N:Teodardi	-	-	-	-	-	-
-	-	-	-	-	dedic.eccl. Petri	2.5.	=	-	-
x	3	3	3	-	-	x	x	x	} 3
-	-	-	-	-	-	1.5.	-	-	
-	-	-	-	-	1.5.	dedic.eccl. Petri	x	-	-
x	C	4	12	x	x	x	x	3	C
x	x	8	x	x	x	x	x	8	-
(x)	-	(x)	(x)	-	-	(x)	-	-	-
(x)	-	(x)	(x)	-	-	(x)	-	Quiriaci 12	-
(x)	-	(x)	(x)	-	(x)	(x)	-	Juviniani C	-
x	A	12	3	x	x	x	x	A	A
-	-	-	-	-	-	-	-	-	-
-	-	-	-	-	-	-	-	-	oct.Philippi et Jacobi a
x	} A	3	x	-	N	x	x	x	3
x		x	-	-	-	-	N	-	-

Mai

	Sacramentare greg.	gel.	Brev. lect. 10. Jh.	Ant.C	Farfa	Bern.	Udal.	Lectionare Anf. 11. Jh.	Lectionare Ende 11. Jh.	Lectionare 12. Jh.	MARC Martyrologium um 1093	CLUN I 1064/95	CLUN II Kalender Ende 11. Jh.	CLUN III 1265/75
10.	Gordiani et Epimachi	-	-	-	-	3	-	/	-	-	Gordiani et Epimachi x	3	x	3
11.	-	-	-	Maioli C	C	C	C	/	12	12	MAIOLI x	C	x	12
	-	-	-	-	-	-	-	/	-	-	PONCII x	-	-	-
	-	-	-	-	-	-	-	/	-	-	- 13.5.	-	-	-
	-	-	-	-	-	-	-	/	-	-	-	-	-	-
12.	-	Nerei et Achillei	-	-	-	} 3	-	/	} 12	} 12	Nerei et Achillei x	} 3	x	} 12
	Pancratii	x	-	-	-		-	/			Pancratii x		x	
	-	-	-	-	-	-	-	/	-	-	-	-	-	-
13.	-	-	-	-	-	-	-	/	-	-	GANGULFI x	-	-	-
	-	-	-	-	-	-	-	/	-	-	-	-	-	-
	Mariae ad martyres	-	-	-	-	-	-	/	-	-	- (x)	-	-	-
14.	-	-	-	-	Victoris et Coronae 3	-	-	/	-	-	Victoris et Coronae x	3	x	3
	-	-	-	-	-	-	-	/	-	-	- 11.5.	-	-	-
15.	-	-	-	-	-	-	-	/			-			
16.	-	-	-	-	-	-	-	/	-	-	-	-	N:Honorati 12	-
17.	-	-	-	-	-	-	-	/	-	-	-			
18.	-	-	-	-	-	-	-	/	-	-	-			-
19.	-	-	-	-	-	Potentianae 3	-	/	-	-	Potentianae x	3	x	3

Mai

PSMA I Mart. 1087/95	PSMA II Kal. 14. Jh.	BEAU Mart. Ende 12. Jh.	MOIS I Mart. um 1073/78	MOIS II Kal. um 1075	LEMA I Mart. nach 1063	LEMA II Mart. Ende 12. Jh.	LEMA III Kal. 1095/1120	CHAR Kal. Ende 12. Jh.	READ Kal. 13. Jh.
x	3	3	3	x	x	x	x	3	x
x	C	12	N:12	x	x	x	x	A	A
14.5.	-	=	=	-	-	=	-	-	-
Gangulfi	-	-	-	-	-	-	-	-	-
Montani	-	-	-	-	-	-	-	-	-
x	} 12	12	3	x	x	x	x	} 8	-
x		x	x	x	x	x	x		C
-	-	-	-	-	-	-	-	oct. Juviniani 4	-
11.5.	-	-	-	-	-	-	-	-	-
N:transl.	12	N	-	-	-	-	-	-	-
Hugonis									
(x)	-	(x)	(x)	-	(x)	(x)	-	-	-
x	3	3	x	-	x	x	x	3	3
Poncii	-	(x)	(x)	-	-	(x)	-	-	-
-	-	-	-	-	-	-	-	-	-
-	-	-	-	-	-	-	-	-	-
-	-	-	-	-	-	-	-	-	-
-	-	-	-	-	-	-	-	-	-
x	x	3	3	x	x	x	x	3	- Dunstania

Mai

	Sacramentare greg.	gel.	Brev. lect. 10. Jh.	Ant.C	Farfa	Bern.	Udal.	Anf. 11. Jh.	Ende 11. Jh.	12. Jh.	MARC Martyrologium um 1093		I 1064/95	II Kalender Ende 11. Jh.	III 1265/75
20.	-	-	-	-	-	-	-	/	-	-	-	-	-	-	-
	-	-			-	-	-	/	-	-		-	-	N•Austre-gisili	-
21.	-	-	-	-	-	-	-	/	-	-	-	-	-	-	-
22.	-	-	-	-	-	-	-	/	-	-	-	-	-	-	-
23.	-	-	-	-	-	-	-	/	-	-	-	-	-	-	-
24.	-	-	-	-	-	Dona-tiani et Ro-gatia-ni 3	-	/	-	-	Donatiani et Roga-tiani	x	3	x	3
25.	Urbani pp.	-	-	-	-	3	-	/	-	-	Urbani	x	3	x	3
	-				-	-	-	/	-	-	-		-	-	-
26.	-	-	-	-	-	-	-	/	-	-	-	(x)	-	-	-
27.	-	-	-	-	-	-	-	/	-	-	-	-	-	-	-
28.	-	-	-	-	-	-	-	/	-	-	-	(x)	-	N:Germani	-
29.	-	-	-	-	-	-	-	/	-	-	-	-	-	-	-
30.	-	-	-	-	-	-	-	/	-	-	-	-	-	-	-
31.	-	-	-	-	-	-	-	/	-	-	-	-	-	-	-

Mai

PSMA I Mart. 1087/95	PSMA II Kal. 14. Jh.	BEAU Mart. Ende 12. Jh.	MOIS I Mart. um 1073/78	MOIS II Kal. um 1075	LEMA I Mart. nach 1063	LEMA II Mart. Ende 12. Jh.	LEMA III Kal. 1095/1120	CHAR Kal. Ende 12. Jh.	READ Kal. 13. Jh.
-	-	transl. Theodorae	-	-	-	-	-	-	-
x	-	x	x	-	x	x	x	3	-
-	-	Romani abb.	-	-	-	-	-	-	-
-	-	-	-	-	Lupi ep.	x	x	-	-
-	-	-	-	-	-	-	-	-	-
x	x	3	3	x	x	x	-	3	3
x	3	3	3	x	x	x	x	3	-
-	-	-	-	-	-	-	-	-	Inventio Mariae Salomae 12
(x)	-	(x)	(x)	-	(x)	(x)	-	-	Augustini C
-	-	-	-	-	-	-	-	-	-
x	x	12	x	x	x	x	x	-	-
-	-	-	-	-	-	-	-	-	-
-	-	-	-	-	-	-	-	-	-
-	-	-	-	-	-	-	-	-	-

Juni

	Sacramentare greg.	gel.	Brev. lect. 10. Jh.	Consuetudines Ant.C	Farfa	Bern.	Udal.	Lectionare Anf. 11. Jh.	Ende 11. Jh.	12. Jh.	MARC Martyrologium um 1093	I 1064/95	CLUN II Kalender Ende 11. Jh.	III 1265/75
1.	Dedic. Nichomedis	-	-	-	-	3	-	-	-	-	Dedic.Nichomedis	x	x	12
	-	-	-	-	-	Reveriani	-	-	-	-	REVERIANI	x	x	
	-	-	-	-	-	-	-	-	-	-	SYMEONIS	x	-	-
	-	-	-	-	-	-	-	-	-	-	-	-	-	-
2.	Marcellini et Petri	x	-	-	12	a	-	12	12	12	Marcellini et Petri	x	12	x	12
3.	-	-	-	-	-	-	-	-	-	-	-	-	-	-
4.	-	-	-	-	-	-	-	-	-	-	-	-	-	-
5.	-	-	-	-	-	-	-	-	-	-	-	-	-	-
6.	-	-	-	-	-	-	-	-	-	-	-	-	-	-
7.	-	-	-	-	-	-	-	-	-	-	-	-	exceptio rel.Sergii et Quirini 12	-
8.	-	-	-	-	-	Medardi 3	-	-	-	4	Medardi	x	3	x	3
9.	-	Primi et Feliciani	-	-	-	3	-	4	-	-	Primi et Feliciani	x	-	x	3
10.	-	-	-	-	-	-	-	-	-	-	-	-	-	-
11.	-	-	-	-	-	Barnabae a	-	12	12	12	Barnabae	x	N	x	C
	-	-	-	-	-	-	-	-	-	-	-	-	-	-
12.	-	Nazarii	-	-	-	Nazarii et Celsi 3	-	-	-	-	Nazarii et Celsi	x	-	x	3
	-	Basilidis Cyrini et Naboris	-	-	-		-	-	-	-	Basilidis Cyrini et Naboris	x	-	x	
	-	-	-	-	-	11.6.	-	=	=	=	-	11.6.	=	=	=

Juni

PSMA I Mart. 1087/95	PSMA II Kal. 14. Jh.	BEAU Mart. Ende 12. Jh.	MOIS I Mart. um 1073/78	MOIS II Kal. um 1075	LEMA I Mart. nach 1063	LEMA II Mart. Ende 12. Jh.	LEMA III Kal. 1095/1120	CHAR Kal. Ende 12. Jh.	READ Kal. 13. Jh.
x	} 3	3	3	x	x	x	x	} 3	} 3
x		x	x	-	-	x	x		
-	-	-	-	-	-	-	-	-	-
-	-	-	-	-	N:Clari	x	x	-	-
x	12	12	12	x	x	x	x	12	3
-	-	-	-	-	-	-	-	-	-
-	-	-	-	-	-	-	-	-	Petroci 3
-	-	-	-	-	-	-	-	-	-
-	-	-	-	-	-	-	-	-	-
-	-	-	-	-	-	-	-	-	-
x	A	3	3	x	x	x	x	3	3
x	3	3	3	x	x	x	x	3	3
-	-	-	-	-	-	-	-	-	-
x	12.6.	12	12	x	x	/	x	a	c
N:dedic. Martini	C	x	-	-	-	/	-	-	-
x	} 12	x	x	x	x	/	x	} 3	} 3
x		3	3	x	x	/	x		
=	Barnabae	=	=	=	=	/	=	=	=

Juni

	Sacramentare greg.	gel.	Brev. lect. 10. Jh.	Ant.C	Farfa	Bern.	Udal.	Lectionare Anf. 11. Jh.	Ende 11. Jh.	12. Jh.	MARC Martyrologium um 1093		CLUN I 1064/95	II Kalender Ende 11. Jh.	III 1265/75
13.	-	-	-	-	-	-	-	-	-	-	-	(x)	-	-	-
14.	-	-	-	-	-	Basilii 3	-	-	-	-	Basilii	x	3	x	3
15.	-	Viti	-	-	-	-	-	-	-	-	-	(x)	-	-	-
16.	-	-	-	-	-	Cyrici et Ju-littae 3	-	-	-	-	Cyrici et Julittae	x	3	x	3
	-	-	-	-	-	-	-	-	-	-	-	-	-	-	-
17.	-	-	-	-	-	-	-	-	-	-	-	-	-	-	N:Desiderii 12
	-	-	-	-	-	-	-	-	-	-	-	-	-	-	-
18.	Marci et Marcelliani	x	Marci	-	-	3	-	4	/	-	Marci et Marcelliani	x	3	x	3
	-	Vigilia Gerv. et Prot.	-	-	-	-	-	-	/	-	-	-	-	-	-
19.	Gervasii et Protasii	x	x	-	-	3	-	4	/	12	[Gervasii et Protasii]	/	3	x	3
20.	-	-	-	-	Floren-tiae 12	a	-	-	/	-	[FLOREN-TIAE]	/	12	x	12
	-	-	-	-	-	-	-	-	/	-		/	-	-	-
21.	-								/			/	-	-	-
22.	-	-	-	-	Consor-tiae 12	a	a	-	/	-	[CONSOR-TIAE]	/	A	x	A
	-	-	-	-	-	-	-	-	/	-		/	-	-	-
23.	Vigilia Joh.	x	-	x	x	-	-	-	/	-	-	/	x	x	x
	-	-	-	-	-	-	-	-	/	-	-	/	-	-	-
24.	Johannis Bapt.	x	x	C	C	C	C	12	12	12	[Johannis Bapt.]	/	C	x	12

Juni

PSMA I Mart. 1087/95	PSMA II Kal. 14. Jh.	BEAU Mart. Ende 12. Jh.	MOIS I Mart. um 1073/78	MOIS II Kal. um 1075	LEMA I Mart. nach 1063	LEMA II Mart. Ende 12. Jh.	LEMA III Kal. 1095/1120	CHAR Kal. Ende 12. Jh.	READ Kal. 13. Jh.
(x)	–	(x)	(x)	–	–	/	–	Feliculae 12	–
x	3	x	x	–	x	/	x	3	3
x	x	x	x		x	x	x	–	–
x	x	3	12	x	x	x	x	12	3
–	–	–	–	–	–	Marcialis	N	–	–
–	–	–	–	–	–	–	–	–	–
–	–	–	–	–	–	–	–	–	Botulfi 12
x	3	3	3	x	x	x	x	3	3
–	–	–	–	–	–	–	–	–	–
x	a	12	12	x	x	x	x	12	3
x	12	12	N:12	x	x	x	x	12	3
–	–	–	–	–	transl. Genulfi	–	–	–	–
–	–	–	–	–	–	–	–	–	–
x	12	12	N:12	x	x	x	x	12	12
–	–	–	–	–	–	–	–	–	Albani
x	x	x	x	–	x	x	x	x	x
–	–	–	–	–	–	–	–	–	Etheldre-dae 3
x	C	12	12	x	x	x	x	C	C

Juni

	Sacramentare greg.	gel.	Brev. lect. 10. Jh.	Consuetudines Ant.C	Farfa	Bern.	Udal.	Lectionare Anf. 11. Jh.	Ende 11. Jh.	12. Jh.	MARC Martyrologium 1093		CLUN I 1064/95	II Kalender Ende 11. Jh.	III 1265/75
25.	-	Vigilia Joh.et Pauli	-	-	-	-	-	-	-	-	-	/	-	-	-
	-	-	-	-	-	-	-	-	-	-	-	/	-	-	-
	-	-	-	-	-	-	-	-	-	-	-	/	-	-	-
26.	Johannis et Pauli	x	x	-	-	3	x	12	-	-	[Johannis et Pauli]	/	3	x	12
27.	-	-	-	-	Irenaei et soc. 3	x		-	-	-	[Irenaei]	/	3	x	3
28.	Vigilia Petri	x	-	x	x	x	x	x	-	-	[Vigilia Petri et Pauli]	/	} 3	x	x
	Leonis pp.	-	-	-	-	x	x	-	-	-	[Leonis]	/		x	3
	-	-	-	-	-	-	-	-	-	-	-	/	27.8.	=	=
29.	Petri ap.	et Pauli	Petri et Pauli	C	C	C	C	12	12	12	[Petri et Pauli]	/	C	12	12
30.	Pauli ap.	-	Commemoratio Pauli	x	C	-	C	12	12	12	Commemoratio Pauli	x	C	x	C
	-	-	-	-	7.7.	=	=	-	=	N	Marcialis	x	7.7.	=	=

Juni

PSMA I Mart. 1087/95	PSMA II Kal. 14. Jh.	BEAU Mart. Ende 12. Jh.	MOIS I Mart. um 1073/78	MOIS II Kal. um 1075	LEMA I Mart. nach 1063	LEMA II Mart. Ende 12. Jh.	LEMA III Kal. 1095/1120	CHAR Kal. Ende 12. Jh.	READ Kal. 13. Jh.
-	-	-	-	-	-	-	-	-	-
-	-	-	-	-	Amandi	x	x	-	-
-	transl. Elegii 12	x	-	-	-	-	-	-	-
x	A	12	12	x	x	x	x	12	3
28.6.	3	-	-	-	-	-	-	-	3
x	} 3	x	x	-	x	x	x	} x	-
x		3	3	x	x	x	-		3
Irenaei	-	3	x	-	-	x	-	x	-
x	C	12	12	x	x	x	x	C	C
x	C	12	12	x	x	x	2.7.	C	C
x	-	x	x	x	x	x	x	-	3.7.

Juli

	Sacramentare greg.	gel.	Brev. lect. 10. Jh.	Consuetudines Ant.C	Farfa	Bern.	Udal.	Lectionare Anf. 11. Jh.	Ende 11. Jh.	12. Jh.	MARC Martyrologium 1093		I 1064/95	CLUN II Kalender Ende 11. Jh.	III 1265/75
1.	-	-	-	-	-	-	-	-	-	-	-	-	-	-	-
	-	-	oct. Johannis	-	a	a	a	12	12	/	-	-	A	x	A
	-	-	-	-	-	-	-	-	-	/	-	-	-	-	-
2.	Processi et Martiniani	-	x	-	-	3	-	4	-	/	Processi et Martiniani	x	3	x	x
	-	-	-	-	-	-	-	-	-	/	-	-	-	-	-
	-	-	-	-	-	-	-	-	-	/	-	-	-	-	-
3.	-	-	-	-	-	-	-	-	-	/	-	30.6.	7.7.	=	=
4.	-	-	ordinatio Martini	-	x	a	a	12	12	/	transl. Martini UDALRICI	x	A	x	A
	-	-	-	-	-	-	-	-	-	/		(x)	-	-	-
5.	-	-	-	-	-	-	-	-	-	/	-	-	-	-	-
6.	oct. Petri et Pauli	x	x	C	C	C	C	12	12	/	oct. Apostolorum	x	C	x	C
	-	-	-	-	-	-	-	-	-	/	-	-	Gervasii	x	-
7.	-	-	-	-	-	-	-	-	-	/	-	-	-	-	-
	-	-	-	Marcialis 12	C	A	-	-	N:12	/	-	30.6.	A	x	12
	-	-	-	-	-	-	-	-	-	/	-	-	-	-	-
8.	-	-	-	-	-	-	-	-	-	/	-	-	-	-	-
9.	-	-	-	-	-	-	-	-	-	/	-	-	-	-	-

Juli

PSMA I Mart. 1087/95	PSMA II Kal. 14. Jh.	BEAU Mart. Ende 12. Jh.	MOIS I Mart. um 1073/78	MOIS II Kal. um 1075	LEMA I Mart. nach 1063	LEMA II Mart. Ende 12. Jh.	LEMA III Kal. 1095/1120	CHAR Kal. Ende 12. Jh.	READ Kal. 13. Jh.
Eparchi	-	x	x	-	x	x	x	a	-
-	A	12	-	x	-	-	x	-	.A
N:Leonorii	-	N	-	-	-	-	-	-	-
x	x	x	3	x	x	x	x	x	x
-	-	-	-	-	Comm.Pauli	30.6.	=	=	=
-	-	-	-	-	-	-	-	-	Svithuni 12
30.6.	7.7.	30.6.	=	=	=	=	=	7.7.	Marcialis A
x	C	12	12	x	x	x	x	A	a
(x)	-	-	-	-	-	(x)	-	-	-
-	-	-	-	-	-	-	-	-	Modwennae 12
x	C	12	12	x	x	x	x	12	C
-	-	-	-	-	-	-	-	-	-
-	-	-	-	-	oct.Marcialis	x	x	-	-
=	12	12	-	-	=	=	=	12	3.7.
-	-	-	-	-	-	-	-	-	transl. Thomae C
1.7.	Leonorii a	1.7.	-	-	-	-	-	-	-
-	-	-	-	-	-	-	-	-	-

Juli

	Sacramentare greg.	gel.	Brev. lect. 10. Jh.	Consuetudines Ant.C	Farfa	Bern.	Udal.	Lectionare Anf. 11. Jh.	Ende 11. Jh.	12. Jh.	MARC Martyrologium 1093		CLUN I 1064/95	II Kalender Ende 11. Jh.	III 1265/75
10.	7 fratrum - -	- - -	- - -	- - -	- - -	3 - -	- - -	3 - -	3 - -	3 - -	7 fratrum - -	x - -	3 - -	x - -	3 - -
11.	- -	Benedicti -	x -	- -	C -	C -	C -	12 -	12 -	12 -	transl. Benedicti -	x -	C -	12 -	12 -
12.	- -	- -	- -	- -	- -	- -	- -	- -	- -	- -	- -	- -	- -	- -	- -
13.	- -	- -	- -	- -	- -	- -	- -	- -	- -	- -	MARGARE-TAE -	(x) -	- -	- -	19.7. -
14.	- -	- -	- -	- -	- -	- -	- -	- -	- -	- -	- -	- -	- -	- -	- -
15.	- -	- -	- -	- -	- -	- -	- -	- -	- -	- -	- -	- -	- N:Vedasti	- -	- -
16.	- -	- -	- -	- -	- -	- -	- -	- -	- -	- -	- -	- -	- -	- -	- -
17.	- -	- -	- -	- -	- -	- -	- -	- -	- -	- -	- -	- -	18.7. -	- -	oct.Benedicti A -
18.	- -	- -	- -	- oct.Be-nedicti a	- a	- a	-	- 12	- 12	12 12	Arnulfi -	(x) -	- A	- 12	12 17.7.
19.	- -	- -	- -	- -	- -	- -	- -	- -	- -	20.7. 18.7.	- -	13.7. 18.7.	- -	- -	Margarethae 12 "

Juli

PSMA I Mart. 1087/95	PSMA II Kal. 14. Jh.	BEAU Mart. Ende 12. Jh.	MOIS I Mart. um 1073/78	MOIS II Kal. um 1075	LEMA I Mart. nach 1063	LEMA II Mart. Ende 12. Jh.	LEMA III Kal. 1095/1120	CHAR Kal. Ende 12. Jh.	READ Kal. 13. Jh.
x	3	3	3	x	x	x	x	3	3
N:Vulda-rici	-	-	-	-	-	-	-	-	-
N:Baboli-nini abb.	-	-	-	-	-	-	-	-	-
x	C	12	12	x	x	x	x	A	C
(x)	-	(x)	(x)	-	(x)	(x)	N:Savini	-	-
-	-	-	-	-	-	-	-	-	-
20.7.	-	-	-	-	-	-	-	N:20.7.	-
-	-	-	-	-	-	Cypriani	N	-	-
-	-	-	-	-	-	-	-	-	-
-	-	-	-	-	-	-	-	Liberatio S. Sepulchri	-
-	-	-	-	-	-	-	-	-	-
-	-	N:Alexii	-	-	N:Justi-niani	x	x	-	-
17.7.	-		-	-		-	-	-	-
-	-	-	-	x	-	-	-	-	-
Alexii	-	16.7.	-	-	-	x	-	-	-
N u. 16.8.	19.7.	12	16.8.	-	x	-	-	19.7.	-
-	-	N:12	-	-	-	-	x	a	12
20.7.	-	-	-	-	-	-	-	-	-
-	Arnulphi 12	-	16.8.	-	18.7.	16.8.	-	N:12	12

Juli

	Sacramentare greg.	gel.	Brev. lect. 10. Jh.	Ant.C	Farfa	Bern.	Udal.	Lectionare Anf. 11. Jh.	Ende 11. Jh.	12. Jh.	MARC Martyrologium 1093	CLUN I 1064/95	II Kalender Ende 11. Jh.	III 1265/75
20.	-	-	-	-	Excep- tio rel.Gre- gorii C	A	A	-	-	-	-	-	C	12
	-	-	-	-	-	-	-	-	-	-	13.7.	-	N:Margare- thae	19.7.
21.	-	-	-	-	-	Praxe- dis	-	-	-	-	Praxedis x	3	x	4
	-	-	-	-	-	Victo- ris et Alexan- dri	-	-	-	-	Victoris et Ale- xandri x	-	x	8
22.	-	-	-	-	-	Mariae Magda- lenae 3	-	-	12	12	Mariae Magdale- nae x	3	12	12
23.	-	-	-	-	-	Apolli- naris a	-	12	12	12	Apolli- naris x	12	12	12
24.	-	-	-	-	-	-	-	-	-	-	(x)	-	-	N:Chri- stinae 12
25.	-	Jacobi ap.	x	-	C	A	A	12	12	/	Jacobi ap. x	A	12	12
	-	-	-	-	-	x	-	-	-	/	Christo- phori x	x	x	x
	-	-	-	-	-	x	-	-	-	/	Cucufa- tis x	x	x	x
26.	-	-	-	-	-	-	-	-	-	/	-	-	-	N:Annae 12
27.	-	-	-	-	-	-	-	-	N:8	/	-	-	-	exceptio Capitis Clemen- tis 12
	-	-	-	-	-	-	-	-	-	/	-	-	-	26.7.
28.	-	-	-	-	-	Naza- rii et Celsi 3	-	-	-	/	NAZARII et CELSI x	} 3	x	} 12
	-	-	-	-	-	-	-	-	-	/	Pantaleo- [nis] x		x	

Juli

PSMA I Mart. 1087/95	PSMA II Kal. 14. Jh.	BEAU Mart. Ende 12. Jh.	MOIS I Mart. um 1073/78	MOIS II Kal. um 1075	LEMA I Mart. nach 1063	LEMA II Mart. Ende 12. Jh.	LEMA III Kal. 1095/1120	CHAR Kal. Ende 12. Jh.	READ Kal. 13. Jh.
x	-	-	-	-	-	-	-	-	-
N	12	N	-	-	-	x	N	N:12	a
x	4	4	3	x	x	x	x	4	} 3
x	8	8	12	-	-	x	-	8	
x	C	12	12	-	x	x	x	C	C
x	x	12	3	x	x	x	x	12	12
(x)	-	/	(x)	.	(x)	(x)	-	-	-
x	} 12	/	12	x	x	x	x	A	C
x		/	x	x	x	x	x	x	-
x		/	x	-	-	x	-	x	-
N	27.7.	/	-	-	-	N	-	-	-
-	-	/	-	-	-	-	-	-	-
=	N:Annae	/	-	-	-	=	-	-	-
x	x	/	N:3	x	x	x	x	} 3	} 3
x	x	/	x	x	x	x	x		

Juli

	Sacramentare greg.	gel.	Brev. lect. 10. Jh.	Ant.C	Consuetudines Farfa	Bern.	Udal.	Lectionare Anf. 11. Jh.	Ende 11. Jh.	12. Jh.	MARC Martyrologium 1093		I 1064/95	CLUN II Kalender Ende 11. Jh.	III 1265/75
29.	Feli-cis pp.	-	-	-	-	⎫	-	3	-	/	Felicis	x	-	x	x
	Simpli-cii, Fausti-ni et Beatri-cis	x	-	-	-	⎬ 3	-	-	-	/	Simplicii. Faustini et Bea-tricis	x	3	x	x
	-	-	-	-	-	⎭ -	-	-	-	/	-	-	-	-	N:Marthae
30.	Abdon et Sennen	x	x	-		3	-	3	3	/	Abdon et Sennen	x	3	x	3
31.	-	-	Germani -	-	C -	A -	A -	12 -	12 -	12 -	Germani -	x -	C -	x -	A -

Juli

PSMA I Mart. 1087/95	PSMA II Kal. 14. Jh.	BEAU Mart. Ende 12. Jh.	MOIS I Mart. um 1073/78	MOIS II Kal. um 1075	LEMA I Mart. nach 1063	LEMA II Mart. Ende 12. Jh.	LEMA III Kal. 1095/1120	CHAR Kal. Ende 12. Jh.	READ Kal. 13. Jh.
x	x	/	x	x	x	x	x	} 3	x
x	x	/	3	x	x	x	x		x
-	-	/	-	-	-	-	-	-	-
x	x	/	3	x	x	x	x	3	x
x -	x -	12 -	12 -	x -	x -	x -	x -	A -	- oct. Ja- cobi C

August

	Sacramentare greg.	gel.	Brev. lect. 10. Jh.	Ant.C	Consuetudines Farfa	Bern.	Udal.	Lectionare Anf. 11. Jh.	Ende 11. Jh.	12. Jh.	MARC Martyrologium um 1093		I 1064/95	CLUN II Kalender Ende 11. Jh.	III 1265/75
1.	Petri ad Vincula	–	x	C	C	C	C	12	12	12	Petri ad Vincula	x	C	12	12
	–	–	–	–	x	–	–	–	–	–	Eusebii	x	x	x	x
	–	Machabaeorum	–	–	–	–	–	–	–	–	–	(x)	–	–	–
2.	Stephani pp.	–	–	–	–	3	–	3	–	–	Stephani	x	3	x	3
	–	–	–	–	–	–	–	–	–	–	–	–	–	–	–
3.	–	–	Inventio Stephani	–	–	A	A	12	12	12	Inventio Stephani transl.	x	12	12	A
	–	–	–	–	–	–	–	–	–	–	GAUDENTII	x	–	–	–
4.	–	–	–	–	–	–	–	–	–	–	–		–	–	–
5.	–	–	–	–	–	–	–	–	–	–	OSWALDI	(x)	–	–	–
6.	Sixti, Feliciscimi et Agapiti	x	–	–	–	3	x	3	–	–	Sixti, Felicissimi et Agapiti	x / x	} 3	x / x	x / x
	–	–	–	–	–	–	–	N:12	–		N:TRANSFIGURATIO	N	–	–	–
	–	–	–	–	–	–	–	–	–	–	–	–	–	–	–
7.	–	Donati	–	–	–	–	–	–	–	–	–	(x) 5.8.	–	–	–
	–	–	–	–	–	–	–	–	–	–	–		–	–	–
8.	Cyriaci	–	–	–	–	3	–	–	–	–	Cyriaci Largi et Smaragdi	x	3	x	x
9.	Vigilia Laurentii	x	–	–	x	–	–	–	–	–	–	–	x	–	–
	–	–	–	–	–	–	–	–	–	–	–	–	–	–	–
10.	Laurentii	x	x	C	C	C	C	12	12	12	Laurentii	x	C	x	12

August

PSMA I Mart. 1087/95	PSMA II Kal. 14. Jh.	BEAU Mart. Ende 12. Jh.	MOIS I Mart. um 1073/78	MOIS II Kal. um 1075	LEMA I Mart. nach 1063	LEMA II Mart. Ende 12. Jh.	LEMA III Kal. 1095/1120	CHAR Kal. Ende 12. Jh.	READ Kal. 13. Jh.
x	} C	12	12	x	x	x	x	C	C
x	}	x	x	-	x	x	x	-	-
(x)	-	(x)	(x)	x	-	(x)	-	-	-
x	3	3	12	x	x	x	x	3	3
-	-	-	-	Felicis	-	-	-	-	-
x	A	12	12	x	x	x	x	-	A
-	-	-	-	-	-	-	-	-	-
-	-	-	-	-	-	-	-	-	-
(x)	-	(x)	(x)	-	-	(x)	-	N	12
x	} C	/	x	x	x	x	x	} 3	-
x	}	/	x	x	x	x	x	}	-
N	}	/	N:12	x	x	x	x	C	C
-	-	/	-	-	Androchii	x	-	-	-
-	-	/	-	-	Celsi	-	x	-	-
(x)	-	/	(x)	-	(x)	-	-	-	-
=	-	/	=	-	(x)	(x)	Afrae	-	-
x	12	/	3	x	x	x	x	3	3
-	-	/	-	-	-	x	-	x	-
-	-	/	-	-	Martini	x	x	-	-
x	C	/	12	x	x	x	x	C	C

August

	Sacramentare greg.	gel.	Brev. lect. 10. Jh.	Ant.C	Farfa	Bern.	Udal.	Anf. 11. Jh.	Ende 11. Jh.	12. Jh.	MARC Martyrologium um 1093	CLUN I 1064/95	CLUN II Ende 11. Jh.	CLUN III 1265/75
11.	Tiburtii x	-	-	-	-	x	-	4	-	-	Tiburtii x	C	-	x
	-	-	-	-	Taurini C	A	-	8	12	12	TAURINI x	C	-	A
12.	-	-	-	-	-	-	-	-	-	-	13.8.	-	-	N:Cassiani 12
13.	Hippolyti x	-	-	-	-	3	-	-	-	-	Hippolyti x	3	x	3
	-	-	-	-	-	-	-	-	-	-	RADEGUNDIS x	x	-	x
	-	-	-	-	-	-	-	-	-	-	-	-	-	-
14.	Vigilia Assumptionis -	-	-	x	x	x	x	-	-	-	Vigilia Assumpt. Mariae x	x	-	3
	Eusebii -	-	-	-	x	3	x	-	-	-	Eusebii x	3	x	x
15.	Assumptio Mariae x	x	x	C	C	C	C	12	12	12	Assumptio Mariae x	C	12	12
16.	-	-	-	-	-	-	-	-	-	-	-	-	-	-
17.	-	oct. Laurentii	-	-	12	3	-	-	-	-	-	3	x	x
18.	Agapiti x	-	-	-	-	3	-	-	-	-	Agapiti x	3	x	x
19.	-	Magni	-	-	-	-	-	-	-	-	- (x)	-	-	-
20.	-	-	-	-	Philiberti	a	-	12	12	12	PHILIBERTI x	12	x	23.8.
21.	-	-	-	-	-	Timothaei et Symphoriani 3	-	-	-	-	22.8.	23.8.	=	=

August

PSMA I Mart. 1087/95	PSMA II Kal. 14. Jh.	BEAU Mart. Ende 12. Jh.	MOIS I Mart. um 1073/78	MOIS II Kal. um 1075	LEMA I Mart. nach 1063	LEMA II Mart. Ende 12. Jh.	LEMA III Kal. 1095/1120	CHAR Kal. Ende 12. Jh.	READ Kal. 13. Jh.
x	x	/	3	x	x	x	x	8	} 12
x	12	/	x	x	x	N	x	4	
=	-	/	=	-	=	=	-	-	-
x	3	/	3	x	x	x	x	8	4
x	x	/	x	-	x	x	x	4	8
-	-	/	-	-	Juniani	x	x	-	-
x	x	/	x	-	x	x	x	x	x
x	3	/	3	x	x	x	-	x	3
x	C	/	12	x	x	x	x	C	C
-	-	/	-	-	-	-	-	-	-
x	A	/	3	x	x	x	x	x	x
x	x	/	3	x	x	x	x	x	x
(x)	-	/	(x)	-	(x)	(x)	-	-	-
x	-	/	12	x	x	x	x	26.8.	x
22.8.	23.8.	/	22.8.	=	=	=	=	23.8.	23.8.

August

	Sacramentare greg.	gel.	Brev. lect. 10. Jh.	Consuetudines Ant.C	Farfa	Bern.	Udal.	Lectionare Anf. 11. Jh.	Ende 11. Jh.	12. Jh.	MARC Martyrologium 1093		I 1064/95	CLUN II Kalender Ende 11. Jh.	III 1265/75
22.	Timothei	-	-	-	-	} 21.8.	-	-	-	-	Timothei	x	} 23.8.	} =	} -
	-	-	-	-	.		-	-	-	-	Symphoriani	x			
	-	-	-	-	oct. Mariae	A	A	x	12	12	oct. Mariae	x	A	x	C
23.	-	-	-	-	-	-	-	-	-	-	-	} 22.8.	Timothei Symphoriani	x x	} 4
	-	-	-	-	-	-	-	-	-	-	-	20.8.	=	=	Philiberti 8
	-	-	-	-	-	-	-	-	-	-	-	-	-	-	-
24.	-	-	Bartholomaei	-	C	C	A	12	12	12	Bartholomaei	x	C	x	12
	-	-	-	-	-	-	-	-	-	-	-	-	25.8.	-	=
25.	-	-	-	-	-	Genesii et 3	x	-	-	-	Genesii	x	} 3	x	} 26.8.
	-	-	-	-	-	Genesii	-	-	-	-	Genesii	x		X	
	-	-	-	-	-	-	-	-	-	-	-	-	-	x	x
														-	N:Ludovici
26.	-	-	-	-	-	-	-	-	-	-	-	} 25.8.	=	=	N:Genesii et Genesii 3
	-	-	-	-	-	-	-	-	-	-	-	20.8.	=	=	23.8.
	-	-	-	-	-	-	-	-	-	-	-				
27.	-	-	-	-	-	-	-	-	-	-	Caesarii	x	} 12	x	4
	-	-	-	-	Augustini 28.8.	a	28.8.	12	12	12	-	28.8.		x	8
	-	-	-	-	28.8.	=	=	=	=	=	=	=		=	=
28.	Hermetis	x	-	-	x	} A	} A	-	-	-	Hermetis	y	} C	x	} A
	-	-	Juliani	-	C			12	12	12	Juliani	x		x	
	-	Augustini	-	-	27.8.	=		=	=	=	Augustini	x		27.8.	

August

PSMA I Mart. 1087/95	PSMA II Kal. 14. Jh.	BEAU Mart. Ende 12. Jh.	MOIS I Mart. um 1073/78	MOIS II Kal. um 1075	LEMA I Mart. nach 1063	LEMA II Mart. Ende 12. Jh.	LEMA III Kal. 1095/1120	CHAR Kal. Ende 12. Jh.	READ Kal. 13. Jh.
x x -	} = 12	/ / /	} 3 -	x x x	x x x	x x N	- - x	} = C	} = C
} = = - -	} 3 - Gemniae 12 -	/ / / /	} = = - -	} = = - -	} = = - -	} = = - -	x x x - -	} 12 26.8. - -	} 3 20.8. - -
x =	C =	/ /	12 =	x. =	x Genesii	x =	x =	A =	C =
x x x N	} 3	x x N N:12	x 3 - -	x - - -	24.8. x Aredii -	x x x -	x x x -	x x x -	} 3 - -
} = 20.8.	} = -	} = -	} = =	25.8. - =	24.8. 25.8. =	} 25.8. =	} = 23.8.	} = Philiberti 12	} = 20.8.
x = =	x = =	x = =	x = =	- = =	x = =	x = =	x = Hermetis et Juliani	- = -	3 = -
x x x	} 12	} 12	x 12 x	x x x	x x x	x x x	} 27.8. x	} 12	- - a

August

	Sacramentare greg.	gel.	Brev. lect. 10. Jh.	Ant.C	Consuetudines Farfa	Bern.	Udal.	Lectionare Anf. 11. Jh.	Ende 11. Jh.	12. Jh.	MARC Martyrologium um 1093		I 1064/95	CLUN II Kalender Ende 11. Jh.	III 1265/75
29.	Sabi- nae	-	-	-	x	x	-	-	-	-	Sabinae	x	x	x	x
	-	decol- latio Johan- nis	x	-	C	A	A	12	12	12	decolla- tio Jo- hannis	x	C	12	A
30.	Feli- cis et Adauc- ti	-	-	-	-	3	-	-	-	-	Felicis et Adaucti	x	3	x	3
	-	-	-	-	-	-	-	-	-	-	-	-	-	Siacrii	-
31.	-	-	-	-	-	-	-	-	-	-	-	-	-	-	-

August

PSMA I Mart. 1087/95	PSMA II Kal. 14. Jh.	BEAU Mart. Ende 12. Jh.	MOIS I Mart. um 1073/78	MOIS II Kal. um 1075	LEMA I Mart. nach 1063	LEMA II Mart. Ende 12. Jh.	LEMA III Kal. 1095/1120	CHAR Kal. Ende 12. Jh.	READ Kal. 13. Jh.
x	x	x	x	x	x	x	x	-	-
x	A	12	12	x	x	x	x	C	A
x	x	x	3	x	x	x	x	x	3
N	12	N	-	-	-	-	-	-	-
-	-	-	-	-	-	-	-	-	-

September

	Sacramentare greg.	gel.	Brev. lect. 10. Jh.	Ant.C	Farfa	Bern.	Udal.	Anf. 11. Jh.	Ende 11. Jh.	12. Jh.	MARC Martyrologium um 1093		I 1064/95	CLUN II Kalender Ende 11. Jh.	III 1265/75
1.	-	-	-	-	-	Aegidii a	x	-	-	12	AEGIDII	12	12	12	A
	-	-	-	-	-	-	-	-	-	-	Exceptio LAZARI	x	-	-	-
	-	Prisci	-	-	-	-	-	-	-	-	-	x	-	-	-
	-	-	-	-	-	-	-	-	-	-	-	(x)	-	-	2.9.
2.	-	-	-	-	-	Justi 3	-	-	-	-	Justi	x	3	x	4
	-	-	-	-	-	-	-	-	-	-	Antonini	x	-	-	-
	-	-	-	-	-	-	-	-	-	-	-	1.9.	-	-	N:Lupi 8
3.	-	-	-	-	-	-	-	-	-	-	-	-	-	-	-
	-	-	-	-	-	-	-	-	-	-	N:Ordinatio GREGORII	N	-	-	-
4.	-	-	-	-	Marcelli	A	A	12	12	12	Marcelli mart.	x	C	12	A
5.	-	-	-	-	Exceptio Marcelli pp.	A	A	-	N:12	-	-	-	C	-	A
6.	-	-	-	-	-	-	-	-	-	-	MAGNI	x	-	-	-
7.	-	-	-	-	-	Evurtii 3	-	-	-	-	EVURTII	x	3	x	3
	-	-	-	-	-	-	-	-	-	-	-	8.9.	-	-	=
8.	Nativitas Mariae	x	12	C	C	C	C	12	12	-	Nativitas Mariae	x	C	12	12
	-	Adriani	-	-	x	x	-	-	-	-	Adriani	x	-	x	x
9.	-	Gorgonii	-	-	-	3	-	-	-	-	Dorothei et Gorgonii	x	12	x	x
10.	-	-	-	-	-	-	-	-	-	-	-	-	-	-	-
	-	-	-	-	-	-	-	-	-	-	-	-	-	-	-
11.	Proti et Hyacinthi	-	-	-	-	3	-	3	-	-	Proti et Hyacinthi	x	3	x	x

September

PSMA I Mart. 1087/95	PSMA II Kal. 14. Jh.	BEAU Mart. Ende 12. Jh.	MOIS I Mart. um 1073/78	MOIS II Kal. um 1075	LEMA I Mart. nach 1063	LEMA II Mart. Ende 12. Jh.	LEMA III Kal. 1095/1120	CHAR Kal. Ende 12. Jh.	READ Kal. 13. Jh.
x	12	12	12	-	x	x	x	A	A
-	-	-	-	-	-	-	-	-	-
x	-	-	3	x	x	x	x	-	-
(x)	-	(x)	(x)	x	(x)	(x)	(x)	Lupi	-
x	} 12	3	x	-	x	x	x	x	3
x		x	12	x	x	x	x	-	-
=		=	=	-	=	=	=	=	-
N:Godegrandi	12	-	-	-	-	-	-	-	-
-	-	-	-	-	-	-	-	-	-
x	12	12	12	x	x	x	x	12	3
x	-	-	-	-	-	-	-	-	-
-	-	-	-	-	-	-	-	-	-
x	12	/	3	x	x	x	x	3	3
=	Adriani	/	=	=	=	=	=	=	10.9.
x	N	/	12	x	x	x	x	C	C
x	7.9.	/	x	x	x	x	x	-	10.9.
x	x	/	3	x	x	x	x	x	x
-	-	-	Salvii 12	x	-	-	-	-	-
-	-	-	-	-	-	-	-	-	Adriani
x	x	/	3	x	x	x	x	x	x

September

	Sacramentare greg.	gel.	Brev. lect. 10. Jh.	Ant.C	Farfa	Bern.	Udal.	Anf. 11. Jh.	Ende 11. Jh.	12. Jh.	MARC Martyrologium 1093	I 1064/95	CLUN II Kalender Ende 11. Jh.	III 1265/75
				Consuetudines				Lectionare						
12.	-	-	-	-	-	-	-	-	-	-	-	-	-	-
13.	-	-	-	-	-	-	-	-	-	-	-	-	-	-
14.	Cornelii et Cypriani	x	} 12	-	-	x	-	8	8	8	Cornelii et Cypriani	x	} C	} 12	8
	Exaltatio crucis	x		c	C	C	C	4	4	4	Exaltatio crucis	x			4
15.	Nicomedis	-	-	-	-	a	-	3	-	-	Nicomedis	x	} 12	x	} 16.9.
	-	-	-	-	-	-	-	-	-	-	Valeriani	x		x	
	-	-	-	-	-	-	-	-	-	-	-	-	-	-	oct.Mariae A
16.	Euphemiae	-	-	-	-	3	-	3	-	-	Euphemiae	} x	} 3	x	} 12
	Luciae et Geminiani	-	-	-	-	-	-	-	-	-	Luciae et Geminiani			×	
	-	-	-	-	-	-	-	-	-	-	-	-	-	-	Nichomedis et Valeriani
17.	-	-	-	-	-	-	-	-	-	-	-	(x)	Lamberti 12	-	-
18.	-	-	-	-	-	-	-	-	-	-	-	-	-	-	-
19.	-	-	-	-	-	-	-	-	-	-	-	-	-	-	-
20.	-	Vigilia Matthaei	-	-	x	x	-	-	-	-	Vigilia Matthaei	x	x	-	x
	-	-	-	-	-	-	-	-	-	-	-	(x)	-	-	-
21.	-	Matthaei ap.	12	C	C	C	C	12	12	12	Matthaei	x	C	12	12
22.	-	-	Mauritii 12	A	C	A	A	12	12	12	Mauritii	x	C	12	A
	-	-	-	-	-	-	-	-	-	-	EMMERAMI	x	-	-	-
	-	-	-	-	-	-	-	-	-	-	-	-	-	-	23.9.

September

PSMA I Mart. 1087/95	PSMA II Kal. 14. Jh.	BEAU Mart. Ende 12. Jh.	MOIS I Mart. um 1073/78	MOIS II Kal. um 1075	LEMA I Mart. nach 1063	LEMA II Mart. Ende 12. Jh.	LEMA III Kal. 1095/1120	CHAR Kal. Ende 12. Jh.	READ Kal. 13. Jh.
-	-	-	-	-	-	-	-	-	-
-	-	-	-	-	-	-	-	-	-
x	x	/	x	x	x	x	x	x	-
x	x	/	12	x	x	x	x	C	C
x	} =	/	} 12	x	x	x	x	} =	-
x	}	/	}	-	-	x	x	}	-
-	A	/	-	-	-	-	-	C	A
x	x	/	} 3	x	x	x	x	x	} 3
x	x	/	}	-	-	x	-	x	}
15.9.	x	/	=	=	=	=	=	x	-
(x)	-	(x)	(x)	-	(x)	(x)	-	-	N
-	-	-	-	-	-	-	-	-	-
-	-	-	-	-	-	-	-	-	-
x	x	N	-		x	x	x	x	x
(x)	-	(x)	(x)	-	(x)	(x)	Faustae	-	-
x	C	12	12	x	x	x	x	C	C
x	A	12	12	x	x	x	x	A	A
x	-	x	x	-	-	x	-	-	-
Florentii	-	x	x	-	-	x	-	-	-

September

	Sacramentare greg.	gel.	Brev. lect. 10. Jh.	Ant.C	Farfa	Bern.	Udal.	Anf. 11. Jh.	Ende 11. Jh.	12. Jh.	MARC Martyrologium um 1093		CLUN I 1064/95	CLUN II Kalender Ende 11. Jh.	CLUN III 1265/75
23.	-	-	-	-	-	-	-	-	-	-	-	-	-	-	Florentii 12
	-	-	-	.	-	-	-	-	-	-	-	(x)	-	-	-
24.	-	-	-	-	-	-	-	-	-	-	Conceptio Johannis	x	x	-	-
	-	-	-	-	Ando- chii, Tyrsi et Feli- cis 3	-	-	-	-	-	Andochii Tyrsi et Felicis	x	3	x	3
25.	-	-	-	-	-	-	-	-	-	-	-	-	N:Firmini 12	-	-
26.	-	-	-	-	-	-	-	-	-	-	-	-	-	-	-
27.	Cosmae et Da- miani	-	-	-	3	-	-	12	-	-	Cosmae et Damiani	x	3	x	12
28.	-	-	-	-	-	-	-	-	-	-	VENZLAI	x	-	-	-
	-	-	-	-	-	Exuperii 3	-	-	-	-	-	-	3	x	x
29.	Dedi- catio Michae- lis	x	12	c	C	C	C	12	12	12	Dedica- tio Mi- chaelis	x	C	12	12
30.	-	-	-	-	-	} Victo- ris et Ursi	-	-	-	-	Victoris et Ursi	x	} 12	} 12	4
	-	Hiero- nymi	12	-	12	} a	-	12	12	12	Hierony- mi	x			8
	-	-	-	-	-	-	-	-	-	-	-	-	-	-	-

September

PSMA I Mart. 1087/95	PSMA II Kal. 14. Jh.	BEAU Mart. Ende 12. Jh.	MOIS I Mart. um 1073/78	MOIS II Kal. um 1075	LEMA I Mart. nach 1063	LEMA II Mart. Ende 12. Jh.	LEMA III Kal. 1095/1120	CHAR Kal. Ende 12. Jh.	READ Kal. 13. Jh.
22.9.	-	=	=	-	-	=	-	-	-
(x)	-	(x)	(x)	-	(x)	(x)	N:Teclae	-	-
x	-	x	3	-	x	x	-	-	-
x	3	3	x	-	x	x	x	x	3
(x)	x	(x)	(x)	-	(x)	(x)	-	-	-
-	-	-	-	-	-	-	-	-	-
x	x	3	3	x	x	x	x	12	12
-	-	-	-	-	-	-	-	-	-
x	x	3	3	-	-	x	-	x	3
x	x	12	12	x	x	/	x	C	C
x	x	4	x	-	-	/	-	x	-
x	x	8	12	x	x	/	x	12	a
-	-	-	Ansberti 3	x	-	/	-	-	-

Oktober

	Sacramentare greg.	gel.	Brev. lect. 10. Jh.	Ant.C	Farfa	Bern.	Udal.	Lect. Anf. 11. Jh.	Lect. Ende 11. Jh.	Lect. 12. Jh.	MARC Martyrologium 1093		I 1064/95	CLUN II Kalender Ende 11. Jh.	III 1265/75
1.	- / - / -		- / - / -	- / - / -	Germani / Remigii }3 / -	- / - / -		- / - / -	- / - / -	- / - / -	Germani / Remigii / -	x / x / -	}3	x / x / -	}12
2.	-		-	-	Leode-garii	-		12	12	12	Leodogarii	x	12	12	12
3.	-		-	-	-	-	L	-	-	-	-		-	-	-
4.	-		-	-	-	-		-	-	-	-		-	-	-
5.	-		-	-	-	-		-	-	-	-	(x)	-	-	N:Apollinaris 12
6.	- / -		- / -	- / -	Fidis a / -	- / -		- / -	- / -	12 / -	Fidis / -	x / -	- / -	12 / -	12 / -
7.	Marci pp. / - / -	- / - / Marcelli et Apulei	- / - / -	- / - / -	Marci / Sergii et Bacchi }3 / -	- / - / -		3 / - / -	- / - / -	- / - / -	Marci / Sergii et Bacchi / -	x / x / (x)	3 / - / -	x / - / -	4 / 8 / -
8.	-		-	-	-	-		-	-	-	-		-	-	-
9.	-	-	Dionysii et sociorum	-	c	A	A	12	12	12	Dionysii Rustici et Eleutherii	x	C	x	12
10.	-		-	-	-	-		-	-	-	-		-	-	-
11.	-		-	-	-	-		-	-	-	-		-	-	-
12.	-	-	-	-	-	-		-	-	-	-		-	-	-

Oktober

PSMA I Mart. 1087/95	PSMA II Kal. 14. Jh.	BEAU Mart. Ende 12. Jh.	MOIS I Mart. um 1073/78	MOIS II Kal. um 1075	LEMA I Mart. nach 1063	LEMA II Mart. Ende 12. Jh.	LEMA III Kal. 1095/1120	CHAR Kal. Ende 12. Jh.	READ Kal. 13. Jh.
x x Amandi et Vedasti	4 8 -	4 8 -	}3 -	- - -	- x -	/ / /	x x -	}12	}3 -
x	A	12	12	x	x	/	x	12	12
-	-	-	-	-	-	-	-	-	-
-	-	-	-	-	-	-	-	-	-
(x)	-	(x)	(x)	-	(x)	/	-	-	-
x -	12 -	x -	12 -	x -	x Pardulfi	/ /	x x	C -	12 -
x x (x)	3 x -	3 x (x)	3 x (x)	x - x	x - -	/ / /	x - -	}3	}3
-	-	-	-	-	-	-	-	-	-
x	C	12	12	x	x	x	x	C	A
- -	- -	- -	- -	- -	transl.Mar- tialis	x -	x -	- -	- exceptio rel.Tho-mae C
-	-	-	-	-	-	-	-	-	-
-	-	-	-	-	-	-	-	-	-

Oktober

	Sacramentare greg.	gel.	Brev. lect. 10. Jh.	Ant.C	Consuetudines Farfa	Bern.	Udal.	Lectionare Anf. 11. Jh.	Ende 11. Jh.	12. Jh.	MARC Martyrologium 1093	I 1064/95	CLUN II Kalender Ende 11. Jh.	III 1265/75
13.	-	-	-	-	Geraldi a 12	-	-	/	12	12	GERALDI	x	12	-	12
	-	-	-	-	-	-	-	/	-	-	-	-	-	-	-
	-	-	.	-	-	-	-	/	-	-	-	-	-	-	-
14.	Calixti pp.	-	-	-	-	3	-	/	-	-	Calixti	x	3	x	3
15.	-	-	-	-	-	-	-	/	-	-	-	-	-	-	-
	-	-	-	-	-	-	-	/	-	-	-	-	-	-	-
16.	-	-	-	-	-	-	-	/	-	-	GALLI	x	-	-	-
	-	-	-	-	-	Juniani 3	-	/	-	-	N:JUNIA-NI	x	3	x	x
	-	-	-	-	-	-	-	/	-	-	-	-	-	-	-
	-	-	-	-	-	oct.	-	/	-	oct. Dionysii 12	-	-	-	-	12
17.	-	-	-	-	-	-	-	/	-	-	-	(x)	-	-	N:Florentii 12
	-	-	-	-	-	-	-	/	-	-	-	-	-	-	-
	-	-	-	-	-	-	-	/	-	-	-	-	-	-	-
18.	-	Lucae ev.	12	-	a	a	A	/	12	12	Lucae ev.	x	C	x	A
	-	-	-	-	-	-	-	/	-	-	-	-	-	-	Justi
19.	-	-	-	-	Aquilini C	A	A	/	-	-	AQUILI-NI	x	C	x	A
	-	-	-	-	-	-	-	/	-	-	-	-	-	-	-
20.	-	-	-	-	-	-	-	/	-	-	-	(x)	-	-	-

Oktober

PSMA I Mart. 1087/95	PSMA II Kal. 14. Jh.	BEAU Mart. Ende 12. Jh.	MOIS I Mart. um 1073/78	MOIS II Kal. um 1075	LEMA I Mart. nach 1063	LEMA II Mart. Ende 12. Jh.	LEMA III Kal. 1095/1120	CHAR Kal. Ende 12. Jh.	READ Kal. 13. Jh.
x	12	N:12	12	x	x	x	x	12	x
-	-	N:dedic. eccl. Leonorii	-	-	-	-	-	-	-
-	-	-	-	-	dedic.eccl. Salvatoris	-	-	-	-
x	A	3	3	x	x	x	x	3	x
-	-	-	-	-	Austricli-niani	x	x	-	-
-	-	-	-	-	-	-	-	N:Leonardi	-
x	-	-	-	-	-	x	-	-	-
x	-	N	-	-	x	x	x	3	x
-	-	-	-	-	Silvani	/	x	-	-
-	A	N	-	-	-	/	-	-	-
(x)	-	(x)	(x)	-	-	/	-	-	-
-	-	-	-	-	-	-	-	-	oct.reli-quiarum C
x	C	12	12	x	x	/	x	C	A
x	x	x	x	-	-	/	-	-	-
x	12	N:12	N:12	x	x	/	x	12	12
-	-	-	-	-	-	-	-	-	Fridis-widae
(x)	-	(x)	Caprasii 12	-	x	/	x	-	-

Oktober

	Sacramentare greg.	gel.	Brev. lect. 10. Jh.	Ant.C	Consuetudines Farfa	Bern.	Udal.	Lectionare Anf. 11. Jh.	Ende 11. Jh.	12. Jh.	MARC Martyrologium um 1093	I 1064/95	CLUN II Kalender Ende 11. Jh.	III 1265/75
21.	-	-	-	-	-	-	-	/	-	N	UNDECIM MILIA VIRGINUM	x	-	-	12
	-	-	-	-	-	-	-	-	-	-	-	(x)	-	-	-
	-	-	-	-	-	-	-	-	-	-	-	-	-	-	-
22.	-	-	-	-	-	-	-	-	-	-	-	-	-	-	-
23.	-	-	-	-	-	-	-	-	-	-	SEVERINI	x	-	-	-
	-	-	-	-	-	-	-	-	-	-	Theodori- ti	x	-	x	4
	-	-	-	-	-	Leotadii a	-	/	-	-	LEOTADII	x	12	x	8
24.	-	-	-	-	-	-	-	/	-	-	-	-	-	-	-
25.	-	-	-	-	-	Crispi- ni et Crispi- niani 3	-	/	-	x	Crispini et Crispia- ni	x	3	x	x
	-	-	-	-	-	-	-	/	-	-	-	(x)	-	-	dedic. eccl. Clunia- cens- 12
	-	-	-	-	-	-	-	/	-	-	-	-	-	-	
26.	-	-	-	-	-	-	-	/	-	-	-	-	-	-	-
27.	-	Vigilia Simonis et Judae	-	-	x	x	-	/	-	-	Vigilia Simonis et Judae	x	x	-	x
28.	-	Simonis et Judae	x	-	C	A	A	/	12	12	Simonis et Judae	x	C	x	A
	-	-	-	-	-	-	-	/	-	-	Cyrillae	x	-	-	29.10.
29.	-	-	-	-	-	Theude- rii 3	-	/	-	-	THEUDE- RII	x	3	x	4
	-	-	-	-	-	-	-	/	-	-	-	28.10	-	-	Cyrillae 8
	-	-	-	-	-	-	-	-	/	-	-	-	-	-	-

Oktober

PSMA I Mart. 1087/95	PSMA II Kal. 14. Jh.	BEAU Mart. Ende 12. Jh.	MOIS I Mart. um 1073/78	MOIS II Kal. um 1075	LEMA I Mart. nach 1063	LEMA II Mart. Ende 12. Jh.	LEMA III Kal. 1095/1120	CHAR Kal. Ende 12. Jh.	READ Kal. 13. Jh.
N	12	N:12	-	-	-	/	-	N:C	-
(x)	-	(x)	Hilarionis 12	-	(x)	/	-	-	-
Severini	-	-	-	-	-	/	N	-	-
-	-	-	-	-	-	-	-	-	-
x	-	4	-	-	-	/	-	} 12	} 3
x	4	4	x	-	x	/	x		
x	8	N:12	N:12	x	x	/	x		
N:Maglorii	12	12	-	-	-	-	-	-	-
x	12	12	3	x	x	/	x	A	12
(x)	-	(x)	Frontonis 12	-	x	/	x	-	-
-	-	-	-	-	-	-	-	-	-
-	-	-	-	-	-	-	-	-	-
x	x	-	-	-	x	x	x	x	x
x	C	12	12	x	x	x	x	A	C
x	-	8	x	-	x	x	-	-	-
x	4	N:4	-	-	x	x	x	x	3
=	8	=	=	-	=	=	-	-	-
-	-	-	-	-	-	-	-	N:Annae	-

Oktober

	Sacramentare greg.	gel.	Brev. lect. 10. Jh.	Ant.C	Consuetudines Farfa	Bern.	Udal.	Lectionare Anf. 11. Jh.	Ende 11. Jh.	12. Jh.	MARC Martyrologium um 1093	CLUN I 1064/95	II Kalender Ende 11. Jh.	III 1265/75
30.	-	-	-	-	-	-	-	/	-	-	-	-	-	-	-
31.	-	-	-	-	Vig. omnium sanc- torum	-	-	/	-	-	WOLFGANI	x	-	-	-
	-	-	-	-	x	-	/	-	-	-	-	-	3	-	x
	-	-	-	-	-	3.11.	=	/	=	=	Quintini	x	4.11.	3.11.	=

Oktober

PSMA I Mart. 1087/95	PSMA II Kal. 14. Jh.	BEAU Mart. Ende 12. Jh.	MOIS I Mart. um 1073/78	MOIS II Kal. um 1075	LEMA I Mart. nach 1063	LEMA II Mart. Ende 12. Jh.	LEMA III Kal. 1095/1120	CHAR Kal. Ende 12. Jh.	READ Kal. 13. Jh.
-	-	-	-	-	-	-	-	-	-
x	x	x	x	-	-	x	x	x	x
x	=	x	3	x	x	x	x	=	=

November

	Sacramentare greg.	gel.	Brev. lect. 10. Jh.	Ant.C	Farfa	Bern.	Udal.	Anf. 11. Jh.	Ende 11. Jh.	12. Jh.	MARC Martyrologium um 1093		CLUN I 1064/95	CLUN II Kalender Ende 11. Jh.	CLUN III 1265/75
1.	–	–	Omnium Sanctorum	x	C	C	C	/	12	12	Omnium Sanctorum	x	C	x	12
	–	–	–	–	2.11.	=	=	/	=	=	LAUTENI	x	2.11.	=	=
	–	–	–	–	–	–	–	/	–	–	–	8.11.	–	–	7.11.
	Caesarii	–	–	–	–	–	–	/	–	–	–	(x)	–	–	–
2.	–	–	–	–	–	Eusta-chii	} 12	/	–	–	Eustachii et soc.	x	} 12	x	4
	–	–	–	–	–	Lauten-ani 12		/	12	12	–	1.11.		x	8
	–	–	–	–	–	–	–	/	–	–	–	8.11.	–	–	7.11.
3.	–	–	–	–	–	Valen-tini et Hylarii	–	/	–	–	VALENTI-NI et HYLARII	x	3	x	x
	–	–	–	–	–	Quinti-ni C	A	/	12	12	–	31.10	4.11.	x	12
4.	–	–	–	–	–	–	–	/	–	–	FLORI	N	–	–	12
	–	–	–	–	–	–	–	/	–	–	–	31.10	Quinti-ni C	3.11.	=
	–	–	–	–	–	–	–	/	–	–	–	8.11.	–	–	7.11.
5.	–	–	–	–	–	–	–	/	–	–	–	4.11.	–	–	=
	–	–	–	–	–	–	–	/	–	–	–	–	–	–	–
6.	–	–	–	–	–	–	–	/	–	–	–	–	–	–	–
	–	–	–	–	–	–	–	/	–	–	–	–	–	–	–
	–	–	–	–	–	–	–	/	–	–	–	–	–	–	–
	–	–	–	–	–	–	–	/	–	–	–	8.11.	=	=	7.11.

November

PSMA I Mart. 1087/95	PSMA II Kal. 14. Jh.	BEAU Mart. Ende 12. Jh.	MOIS I Mart. um 1073/78	MOIS II Kal. um 1075	LEMA I Mart. nach 1063	LEMA II Mart. Ende 12. Jh.	LEMA III Kal. 1095/1120	CHAR Kal. Ende 12. Jh.	READ Kal. 13. Jh.
x	C	12	12	x	x	/	x	C	C
x	-	-	-	-	x	/	=	=	=
Austremo-nii	4.11.	N	8.11.	-	x	/	2.11.	8.11.	-
N:Flori	5.11.	N	-	-	-	/	-	4.11.	-
(x)	-	(x)	(x)	x	(x)	/	-	-	-
x	}12	12	x	-	x	/.	x	x	}3
=		-	-	-	=	/	x	x	
1.11.	4.11.	1.11.	8.11.	-	1.11.	/	Austremonii	8.11.	-
x	x	-	-	-	x	/	x	}12	}C
31.10.	4.11.	N:12	31.10.	=	=	/	=		
1.11.	5.11.	N	-	-	-	-	-	12	-
31.10.	x	3.11.	31.10.	=	=	=	=	3.11.	=
1.11.	Austremo-nii 12	=	8.11.	-	1.11.	/	2.11.	8.11.	
1.11.	Flori 12	4.11.	-	-	-	-	-	=	-
-	-	-	-	-	Gonsaldi	x	x	-	-
Leonardi	-	x	N	-	12	x	x	-	12
-	dedic. eccl. S.Mariae 12	-	-	-	-	-	-	-	-
-	-	-	N:dedic. eccl. S.Petri	-	-	-	-	-	-
8.11.	N:4 Coronatorum	=	=	=	-	=	=	=	=

November

Groups — Consuetudines: Ant.C, Farfa, Bern., Udal. · Lectionare: Anf. 11. Jh., Ende 11. Jh., 12. Jh. · CLUN: I 1064/95, II Kalender Ende 11. Jh., III 1265/75

	Sacramentare greg.	gel.	Brev. lect. 10. Jh.	Ant.C	Farfa	Bern.	Udal.	Anf. 11. Jh.	Ende 11. Jh.	12. Jh.	MARC Martyrologium um 1093	I 1064/95	II Kalender Ende 11. Jh.	III 1265/75
7.	-	-	-	-	-	-	-	/	-	-	-	8.11	-	- Austremonii 8
	-	-	-	-	-	-	-	/	-	-	-	8.11	=	= 4 Coronat. 4
8.	Quattuor Coronatorum	x	-	-	-	3	-	/	-	-	Quattuor Coronatorum	x	3	x 7.11.
	-	-	-	-	-	-	-	/	-	-	N:AUSTREMONII	N	-	- 7.11.
	-	-	-	-	-	-	-	/	-	-	-	-	-	- oct.omnium Sanctorum A
9.	Theodori	-	-	-	-	3	-	/	-	-	Theodori	x	3	x 3
10.	-	-	-	-	Mennae 3	3	-	/	-	-	-	11.11	3	x 3
	-	-	-	Vigilia Martini	x	x	-	/	-	-	-	-	-	-
11.	Martini	-	x	C	C	C	C	/	12	12	Martini	x	C	x 12
	Mennae	-	-	-	10.11.	=	=	/	-	-	Mennae	x	10.11.	= =
	-	-	-	-	-	-	-	/	-	-	-	-	-	-
12.	-	-	-	-	-	-	-	/	-	-	JOHANNIS ALEXANDRINI epi.	x	-	-
	-	-	-	-	-	-	-	/	-	-	YMERII	x	-	-
13.	-	-	Brictii	-	12	a	a	/	12	12	Brictii	x	A	x A
14.	-	-	-	-	-	-	-	/	-	-	-	-	-	-
15.	-	-	-	-	-	-	-	/	-	-	-	-	-	-

November

PSMA I Mart. 1087/95	PSMA II Kal. 14. Jh.	BEAU Mart. Ende 12. Jh.	MOIS I Mart. um 1073/78	MOIS II Kal. um 1075	LEMA I Mart. nach 1063	LEMA II Mart. Ende 12. Jh.	LEMA III Kal. 1095/1120	CHAR Kal. Ende 12. Jh.	READ Kal. 13. Jh.
1.11.	4.11.	1.11.	8.11.	-	1.11.	-	2.11.	8.11.	-
=	6.11.	8.11.	=	=	-	=	=	=	=
x	N:6.11.	8	3	x	-	x	x	4	3
1.11.	4.11.	1.11.	N:12	-	=	-	2.11.	8	-
-	a	-	-	-	-	-	-	-	-
x	3	3	3	x	x	x	x	3	3
=	=	=	=	=	=	=	x	3	3
-	-	-	-	-	-	-	-	-	-
x	} c	12	12	x	x	x	x	C	C
x		x	x	x	x	x	=	=	=
-	-	-	-	-	-	Johannis	-	-	-
-	-	-	-	-	-	11.11.	-	-	-
-	-	-	-	-	-	-	-	-	-
-	-	-	-	-	transl.Mar-cialis et dedic.eccl. Marcialis	x	x	-	-
x	20.11.	12	12	-	x	x	x	x	a
-	-	-	-	-	-	-	-	-	-
-	-	-	N:Desiderii 12	-	-	-	-	-	-
-	-	-	-	-	Cessatoris	x	x	-	-

November

	Sacramentare greg.	gel.	Brev. lect. 10. Jh.	Consuetudines Ant.C	Farfa	Bern.	Udal.	Lectionare Anf. 11. Jh.	Ende 11. Jh.	12. Jh.	MARC Martyrologium um 1093		I 1064/95	CLUN II Kalender Ende 11. Jh.	III 1265/75
16.	-	-	-	-	-	Eucharii 3	-	/	-	-	Eucherii	x	3	x	3
	-	-	-	-	-	-	-	/	-	-	OTHMARI	x	-	-	-
17.	-	-	-	-	-	Aniani } 3	-	/	-	-	Aniani	x	} 3	x	} 3
	-	-	-	-	-	Grego-	-	/	-	-	GREGORII	x		x	
	-	-	-	-	-	rii	-	/	-	-	-	-	18.11.	=	=
18.	-	-	-	-	19.11.	=	=	/	=	=	ODONIS	x	19.11.	=	=
	-	-	oct. Martini	x	a	a	a	/	12	12	-	-	A	x	A
	-	-	-	-	-	-	-	/	-	-	-	-	-	-	-
19.	-	-	-	-	Odonis 12	A	A	/	12	12	-	18.11	C	12	12
20.	-	-	13.11.	-	-	=	=	/	=	=	-	13.11	=	=	=
	-	-	-	-	-	-	-	/	-	-	-	-	-	-	-
21.	-	-	-	-	-	Columbani 3	-	/	-	-	Columbani	x	3	x	3
	-	Vigilia Ceciliae	-	-	-	-	-	/	-	-	-	-	-	-	-
22.	Caeciliae	x	x	-	x	a	-	/	12	12	Caeciliae	x	12	x	12
23.	Clementis	x	x	-	a	a	a	/	12	12	Clementis	x	A	x	12
	Felicitatis	x	-	-	-	x	-	/	-	-	Felicitatis	x	x	x	x
24.	Chrysogoni	-	-	-	-	3	-	/	-	-	Chrysogoni	x	3	x	12
25.	-	-	-	-	-	Petri 3	-	/	-	-	Petri	x	3	x	4
	-	-	-	-	-	-	-	/	-	-	-	-	-	-	Catherinae 8

November

PSMA I Mart. 1087/95	PSMA II Kal. 14. Jh.	BEAU Mart. Ende 12. Jh.	MOIS I Mart. um 1073/78	MOIS II Kal. um 1075	LEMA I Mart. nach 1063	LEMA II Mart. Ende 12. Jh	LEMA III Kal. 1095/1120	CHAR Kal. Ende 12. Jh.	READ Kal. 13. Jh.
x	x	x	3	-	x	x	x	3	3
x	-	-	-		-	x	-	-	-
x	x	x	x	-	x	x	x	} 12	} 3
x	x	x	N:3	-	x	x	x		
-	=	=	-		-	-	oct.Martini	=	=
x	=	x	=	-	x	x	=	-	=
=	12	N:12	-	-	-	-	17.11.	12	a
-	-	-	-		dedic.eccl. S.Salvatoris et elevatio Marcialis	-	x	-	-
=	C	=	N:12	-	=	=	x	-	A
=	Brictii a	=	=	-	=	=	=	=	=
-	-	-	-		-	-	-	-	Edmundi C
x	3	12	3	-	x	x	x	3	3
-	-	-	-		-	-	-	-	-
x	12	12	12	x	x	x	x	12	12
x	A	12	12	x	x	x	x	} 12	} a
x	x	x	x	x	x	x	x		
x	3	3	3	-	x	x	x	3	3
x	x	3	3	-	x	x	x	x	-
N	x	N	-	-	-	x	N	N	C

November

	Sacramentare greg.	gel.	Brev. lect. 10. Jh.	Ant.C	Farfa	Bern.	Udal.	Anf. 11. Jh.	Ende 11. Jh.	12. Jh.	MARC Martyrologium um 1093	CLUN I 1064/95	CLUN II Kalender Ende 11. Jh.	CLUN III 1265/75
26.	-	-	-	-	-	-	-	/	-	-	-	-	-	-
	-	-	-	-	-	-	-	/	-	-	(x)	-	-	N:Lini pp.
27.	-	-	-	-	-	Vitalis et Agricolae 3	-	/	-	-	Vitalis et Agricolae ⅹ	3	x	3
	-	-	-	-	-	-	-	/	-	-	-	-	-	-
28.	29.11.	-	-	-	=	=	-	/	-	-	29.11	=	=	=
9.	Vigilia Andreae	x	-	-	x	x	-	/	-	-	Vigiliae Andreae x	x	x	x
	Saturnini	x	-	-	x	3	-	/	-	-	Andreae Saturnini x	3	x	3
	-	Chrysanti Mauri et Dariae	-	.	-	1.12.	-	/	-	-	1.12.	=	=	=
0.	Andreae ap.	x	x	C	C	C	C	/	12	12	Andreae x	C	12	12

November

PSMA I Mart. 1087/95	PSMA II Kal. 14. Jh.	BEAU Mart. Ende 12. Jh.	MOIS I Mart. um 1073/78	MOIS II Kal. um 1075	LEMA I Mart. nach 1063	LEMA II Mart. Ende 12. Jh.	LEMA III Kal. 1095/1120	CHAR Kal. Ende 12. Jh.	READ Kal. 13. Jh.
- (x)	- -	- (x)	N:Maurini 3 - (x)	- -	- Justi -	- N (x)	- x -	- -	- -
x	x	3	3	-	x	x	x	3	3
-	-	-	-	-	transl. Austrecli- niani	-	-	-	-
=	=	=	=	=	=	=	Saturnini	=	=
x x =	x x =	x 3 =	x 12 =	- x =	x x Chrysanti et Dariae	x x =	x 28.11. =	x N:3 =	- 3 /
x	C	12	12	x	x	x	x	C	C

Dezember

	Sacramentare greg.	gel.	Brev. lect. 10. Jh.	Consuetudines Ant.C	Farfa	Bern.	Udal.	Lectionare Anf. 11. Jh.	Ende 11. Jh.	12. Jh.	MARC Martyrologium um 1093		CLUN I 1064/95	II Kalender Ende 11. Jh.	III 1265/75
1.	-	29.11.	-	-	-	Chrysanti et Dariae 3	-	/	-	-	Chrysanti et Dariae	x	3	x	4
	-	-	-	-	-	-	-	/	-	-	Eligii	x	-	-	8
2.	-	-	-	-	-	-	-	/	-	-	-	-	-	-	-
3.	-	-	-	-	-	-	-	/	-	-	-	-	-	-	-
4.	-	-	-	-	-	-	-	/	-	-	-	-	-	-	-
5.	-	-	-	-	-	-	-	/	-	-	-	-	-	-	-
6.	-	-	-	-	-	Nicolai	a	/	12	12	Nicolai	x	12	12	12
7.	-	oct.Andreae	-	-	a	a	a	/	12	12	-	-	A	12	A
8.	-	-	-	-	-	-	-	/	-	N:12	N:CONCEPTIO MARIAE	N	-	-	N:12
9.	-	-	-	-	-	Syri 3	-	/	-	-	-	-	3	12	3
	-	-	-	-	-	-	-	/	-	-	-	-	-	-	-
10.	-	-	-	-	Eulaliae	-	-	/	-	-	Eulaliae	x	3	x	4
	-	-	-	-	Valeriae } 3	-	-	/	-	-	-	-	-	-	8
	-	-	-	-	-	-	-	/	-	-	-	(x)	-	-	-
11.	-	Damasi pp.	-	-	-	-	-	/	-	-	Damasi	x	-	x	-
12.	-	-	-	-	-	-	-	/	-	-	-	-	-	-	-
13.	Luciae	-	-	-	a	a	a	/	12	12	Luciae	x	A	x	A
	-	-	-	-	-	-	-	/	-	-	-	-	-	-	-
	-	-	19.6.	-	-	=	-	=	-	=	-	=	=	-	=

Dezember

PSMA I Mart. 1087/95	PSMA II Kal. 14. Jh.	BEAU Mart. Ende 12. Jh.	MOIS I Mart. um 1073/78	MOIS II Kal. um 1075	LEMA I Mart. nach 1063	LEMA II Mart. Ende 12. Jh.	LEMA III Kal. 1095/1120	CHAR Kal. Ende 12. Jh.	READ Kal. 13. Jh.
x	4	3	3	x	29.11.	x	x	3	/
x	8	x	x	-	x	x	x	-	/
-	-	-	-	-	-	-	-	-	/
-	-	-	-	-	-	-	-	-	/
tumulatio Benedicti	-	x	3	x	x	x	x	-	/
-	-	-	-	-	-	-	-	-	/
x	12	12	12	x	x	x	x	C	/
-	N	N:12	N:12	-	x	-	x	12	/
N	12	-	-	-	-	N:9.12.	N	C	/
x	3	3	-	-	-	-	-	x	/
-	-	-	-	-	-	N:Conceptio Mariae	-	-	/
x	} 3	3	x	-	x	x	N	} 12	/
x		x	x	-	x	x	x		/
-	-	-	Juliae 3	-	-	x	-	-	/
x	-	x	3	x	x	x	x	-	/
-	-	-	-	-	-	-	-	-	/
x	12	12	12	x	x	x	x	12	/
exceptio Martini	-	-	-	-	-	x	-	-	/
=	=	=	N:Gervasii et Protasii	=	=	=	=	=	=

Dezember

	Sacramentare greg.	gel.	Brev. lect. 10. Jh.	Ant.C	Farfa	Bern.	Udal.	Anf. 11. Jh.	Ende 11. Jh.	12. Jh.	MARC Martyrologium um 1093		I 1064/95	II Kalender Ende 11. Jh.	III 1265/75
14.	-	-	-	-	-	-	-	/	-	-	-		-	-	-
15.	-	-	-	-	-	-	-	/	-	-	-		-		-
16.	-	-	-	-	-	-	-	/	-	-	-		-	dedic.mo-nasterii	-
	-	-	-	-	-	-	-	/	-	-	-		-	S.Diony-sii	-
17.	-	-	-	-	-	-	-	/	-	-	-		-	-	-
18.	-	-	-	-	-	-	-	/	-	-	-		-	-	-
19.	-	-	-	-	-	-	-	/	-	-	-		-	-	-
20.	-	-	-	-	-	-	-	/	-	-	-		-	-	-
21.	-	Thomae ap.	x	-	c	A	A	/	12	12	Thomae	x	C	x	A
22.	-	-	-	-	-	-	-	/	-	-	-		-	-	-
23.	-	-	-	-	-	-	-	/	-	-	-		-	-	-
24.	Vigilia Domini	x	x	x	a	a	x	/	/	12	Vigilia Nat. Dni.	x	x	x	x
25.	Nativitas Domini	x	x	C	C	C	C	/	12	12	Nativitas Domini	x	C	x	12
	-	-	-	-	-	-	-	/	-	-	Anastasiae	x	x	x	x
26.	Stephani	x	x	C	c	C	C	/	/	/	Stephani	x	C	x	C
27.	Johannis ev.	x	x	C	c	C	C	/	/	/	Johannis ev.	x	C	x	C

Dezember

PSMA I Mart. 1087/95	PSMA II Kal. 14. Jh.	BEAU Mart. Ende 12. Jh.	MOIS I Mart. um 1073/78	MOIS II Kal. um 1075	LEMA I Mart. nach 1063	LEMA II Mart. Ende 12. Jh.	LEMA III Kal. 1095/1120	CHAR Kal. Ende 12. Jh.	READ Kal. 13. Jh.
Nicasii	A	12	/	x	(x)	(x)	-	-	/
-	-	-	/	-	-	-	-	-	/
-	-	-	/	-	-	-		-	/
-	-	-	/	-	-	-	N:Psalmodii	-	/
-	-	-	/	-	-	-	-	-	/
-	-	-	/	-	-	-	-	-	/
-	-	-	/	-	-	-	-	-	/
-	-	-	/	-	-	-	-	-	/
x	C	12	/	x	x	x	x	12	/
-	-	-	/	-	-	-	-	-	/
-	-	-	/	-	-	-	-	-	/
x	x	x	x	-	x	x	x	x	/
x	C	12	12	/	x	x	x	C	/
x	N	x	x	x	x	x	x	-	/
x	C	12	12	x	x	x	x	C	/
x	C	12	12	x	x	x	x	C	/

Dezember

	Sacramentare greg.	gel.	Brev. lect. 10. Jh.	Ant.C	Consuetudines Farfa	Bern.	Udal.	Lectionare Anf. 11. Jh.	Ende 11. Jh.	12. Jh.	MARC Martyrologium um 1093		CLUN I 1064/95	II Kalender Ende 11. Jh.	III 1265/75
28.	Innocen- tum	x	x	C	c	C	C	/	/	/	Innocen- tum	x	C	x	C
29.	-	-	-	-	-	-	-	/	/	N:12	N:THOMAE	N	-	-	12
30.	-	-	-	-	-	-	-	/	/	-	-	-	-	-	-
31.	Silve- stri pp.	x	x	-	a	a	a	/	/	12	Silve- stri	x	A	12	A
	-	-	-	-	-	-	-	/	/	-	-	(x)	-	Columbae	-
	-	-	-	-	-	-	-	/	/	-	-	-	-	-	-

Dezember

PSMA I Mart. 1087/95	PSMA II Kal. 14. Jh.	BEAU Mart. Ende 12. Jh.	MOIS I Mart. um 1073/78	MOIS II Kal. um 1075	LEMA I Mart. nach 1063	LEMA II Mart. Ende 12. Jh.	LEMA III Kal. 1095/1120	CHAR Kal. Ende 12. Jh.	READ Kal. 13. Jh.
x	C	12	12	x	x	x	x	C	/
N	C	-	-	-	-	x	-	C	/
-	-	-	-	-	-	-	-	-	/
x	12	12	12	x	x	x	x	12	/
(x)	-	(x)	(x)	-	(x)	(x)	-	-	/
-	-	-	-	-	-	dedic.eccl. Salvatoris	-	-	/

IV. Ergebnisse aus der vergleichenden Betrachtung
der Synopse

Das stetige Anwachsen des cluniacensischen Sanctorale und das
vermehrte Auftreten cluniacensischer Eigenfeste im 11. Jahrhundert hatten sich schon bei der Untersuchung der liturgischen
Rubriken und der Zusätze zum Ado-Martyrologium als Teilergebnis
herauskristallisiert. Dieses Ergebnis wird durch die Synopse
bestätigt.

Im Vergleich zwischen den römischen Sacramentaren und den cluniacensischen Consuetudines ist im Laufe des 10. Jahrhunderts
ein Zuwachs an 20 neuen Heiligenfesten zutage getreten. In der
ersten Hälfte des 11. Jahrhunderts, unter dem Abbatiat Odilos,
wird der cluniacensische Festkalender um 21 neue Feste erwei-
tert. Den entscheidenden Zuwachs an Heiligenfesten bringt die
zweite Hälfte des 11. Jahrhunderts mit insgesamt 49 Festen,
wovon jedoch 35 Feste nur mit 3 Lektionen gefeiert werden.

Da die Consuetudines Farfenses nur in vereinzelten Fällen 3-
Lektionen-Feste aufführen, die erwähnten 35 Feste erstmals im
Ordo des Bernard genannt werden, Udalrich wiederum überhaupt
keine Angaben über 3-Lektionen-Feste macht, ist nicht mit Sicherheit zu sagen, ob es sich hier um völlig neue Feste handelt oder ob die älteren Consuetudines ihnen nur weniger Bedeutung beimaßen und sie deshalb nicht erwähnten. Vorausgesetzt jedoch, daß diese Feste neu in das Sanctorale von Cluny
aufgenommen wurden, kommt hier der Versuch zum Ausdruck, die
übermäßige Beanspruchung des Konventes durch die liturgische
Feier von immer mehr neuen Heiligenfesten in Grenzen zu halten.

In den beiden Jahrhunderten nach der Gründung Clunys ist das
cluniacensische Sanctorale gegenüber dem der gregorianischen
und gelasianischen Sacramentare um 90 Eigenfeste bereichert
worden.

Auffällig ist, daß das cluniacensische Sanctorale die Heiligen des gregorianischen Sacramentars bis auf ein Fest (Maria
ad martyres 13.5.) integriert hat, wogegen 16 Feste des gelasianischen Sacramentars nicht übernommen wurden.

Das läßt sich daraus erklären, daß man sich in Cluny bewußt
war, seit der Zeit Abt Bernos als Abt von Balma in der Nach-
folge der Klosterreform Benedikts von Aniane[132] zu stehen. So
wie man seine Reformgedanken im klösterlichen Leben weiterent-
wickelte, so hat man sicher auch in der Liturgie auf einen Sa-
cramentartext des von Benedikt erweiterten Hadrianums[133] zurückgegriffen und ihm den Vorzug gegenüber dem in Frankreich
weitverbreiteten Gelasianum gegeben.

**Von daher gesehen steht also das cluniacensische Sanctorale
direkt in der Tradition des gregorianischen Sacramentars[134].**

Betrachtet man die cluniacensischen Eigenfeste für sich, so ist
neben dem schon festgestellten zahlenmäßigen Anstieg im 11.
Jahrhundert ein umgekehrter Trend zur Nivellierung und Reduzierung des äußeren Aufwandes festzustellen.

Vergleicht man die Angaben der Consuetudines Farfenses mit den
Angaben Bernards, so deutet sich hier eine Abnahme der Feste
in cappis (C), an denen die Mönche während des Hochamtes mit
dem Chormantel bekleidet waren, bereits an; noch stärker erscheint diese Reduzierung der Feste in cappis und ihre Rückstufung zu Festen in albis (A) im Vergleich des Kalenders von
1075 (Kal. Clun. I) mit dem Ordo des Bernard. Analog dazu wurden bereits bestehende Feste in albis zurückgestuft, so daß nur
noch diejenigen Mönche die Albe trugen, die das Invitatorium
zu singen hatten (a).

---

132) Vita sancti Odonis abbatis cluniacensis a Johanne monacho
cluniacensi BC Sp. 23 f.
133) DESHUSSES, Le sacramentaire grégorien, S. 66 f. und ders.
Le "supplément au sacramentaire grégorien, Alcuin ou saint
Benoît d'Aniane, in: Archiv für Liturgiewissenschaft 9,1,
1965, S. 70 f.
134) Vgl. SCHMITZ, La liturgie de Cluny, S. 92.

Ganz verschwunden ist im Ordo des Bernard und in den Consuetudines des Udalrich die in den Consuetudines Farfenses häufig festzustellende Unterscheidung von Festen, an denen alle
Mönche, auch die Laienmönche, den Chormantel trugen, und Festen,
an denen nur die Kleriker, nicht aber die Laienmönche, und diejenigen, die das Invitatorium zu singen hatten, in die cappa ge-
kleidet waren (c)[135]. Hier ist eindeutig eine Vereinfachung der
Festgestaltung vorgenommen worden, die zugleich der Vereinheitlichung des Gesamteindruckes diente. Daß damit auch eine Auf-
wertung der Laienmönche unter dem Abbatiat Hugos einherging
und die bevorzugte Stellung der Klerikermönche aufgehoben wurde,
ist nicht auszuschließen[136].

In der Zeit, in der das Martyrologium von Marcigny niedergeschrieben wurde, wurden von 94 12-Lektionen-Festen - die be-
weglichen Feste und Sonntage nicht eingeschlossen - 28 Feste
in cappis, 27 in albis gefeiert; an 39 Festtagen trugen nur
diejenigen Mönche die Albe, die das Invitatorium sangen, und
an 78 Festtagen wurde die Anzahl der Lektionen auf 3 begrenzt.
18 Feste wurde mit Vigil und Oktav gefeiert.

Rechnet man all diese Feste zusammen, so ergibt sich daraus,
daß der Tagesablauf der Mönche von Cluny nahezu an jedem zweiten Tag durch besondere liturgische Festlichkeit geprägt war.

Dieser Festkalender galt nicht nur in Cluny, sondern wie der
Blick auf die Synopse zeigt, auch in den cluniacensischen Prioraten; diese hatten jedoch zusätzlich noch die Möglichkeit, die
lokalen Eigenfeste ihrer Umwelt in den Festkalender aufzunehmen.
Hier ist es vor allem S.Martial-de-Limoges, das durch seine große
Zahl von Eigenfesten auffällt. Abgesehen von den Patrozinien
der von Cluny reformierten Klöster wurden die sonstigen Eigenfeste dieser Klöster nur in Einzelfällen von Cluny und den übrigen Cluniacenserklöstern in den Festkalender übernommen.

---

135) Wolfgang TESKE, Laien, Laienmönche und Laienbrüder in der
     Abtei Cluny. Ein Beitrag zum "Konversen Problem", Teil I,
     in: Frühmittelalterliche Studien 10, 1976, S. 296.
136) Ebd.: S. 296 f.

Sinn und Ziel der synoptischen Zusammenstellung liturgischer
Quellen aus Cluny und den cluniacensischen Reformzentren war es
gewesen, einmal den Entwicklungsprozeß des cluniacensischen
Sanctorale sichtbar zu machen, zum anderen sollte das Sanctorale von Cluny zur Zeit des Abtes Hugo rekonstruiert werden.

Folgender Festkalender ergibt sich somit aus dem Martyrologium
von Marcigny und den ihm zeitlich am nächsten stehenden liturgischen Quellen aus Cluny[137]:

Januar

1.1.	gr.	Circumcisio domini	XII L.	C
2.1.		ODILONIS abb.	XII L.	C
		(oct. Stephani)	III L.	
3.1.		(oct. Johannis)	IV L.	a
		(Marini)	VIII L.	
4.1.		(oct. Innocentium)	III L.	
5.1.	gel.	(Vigilia Epiphaniae)		
6.1.	gr.	Epiphania	XII L.	C
12.1.		Hilarii epi.	XII L.	A/a
13.1.	gel.	(oct. Epiphaniae)	XII L.	A/a
14.1.	gr.	Felicis	III L.	
15.1.		Mauri abb.	XII L.	C/A
16.1.	gr.	Marcelli pp.	XII L.	C
17.1.		Speusippi, Elasippi, Melasippi	III L.	
18.1.	gr.	Priscae	III L.	
20.1.	gr.	Fabiani et Sebastiani	XII L.	a
21.1.	gr.	Agnetis	XII L.	A/a
22.1.	gr.	Vincentii	XII L.	C/A
25.1.	gel.	Conversio Pauli	XII L.	C/A
26.1.		Policarpi epi.	III L.	
27.1.		Johannis Chrysostomi	III L.	
28.1.	gr.	Agnetis secundo	IV L.	a
		Johannis presb.	VIII L.	

---

137) Hier wurden die gleichen Sigeln verwendet wie in der Synopse;
in den Fällen, wo sich zwischen den liturgischen Rubriken von
Kal.clun.I und Cons.Bern. eine Veränderung im Festrang andeu-
tet, wurde als erstes der ältere, dann der jüngere Festrang angegeben. In Majuskeln wurden die Eigenfeste von Cluny und die
durch das Marienpatrozinium von Marcigny bedingten Marienfeste
hervorgehoben.

Februar

1.2.		Ignatii epi.	III L.	
2.2.	gr.	Purificatio Mariae	XII L.	C
3.2.		Blasii epi.	XII L.	
5.2.	gr.	Agathae	XII L.	a
10.2.		Scholasticae	XII L.	a
14.2.	gr.	Valentini	III L.	
		(dedicatio ecclesiae Cluniacensis)	XII L.	C
22.2.	gel.	Cathedra Petri	XII L.	C
24.2.		Mathiae ap.	XII L.	A/a

März

12.3.	gr.	Gregorii pp.	XII L.	A/a
21.3.		Benedicti abb.	XII L.	A/a
25.3.	gr.	Adnuntiatio MARIAE	XII L.	A/a

April

4.4.		Ambrosii epi.	XII L.	a
14.4.	gr.	Tiburtii, Valeriani et Maximi	III L.	
23.4.	gr.	Georgii;	III L.	
		Felicis, Fortunati et Achillei		
25.4.		Marci ev.	XII L.	A
28.4.	gr.	Vitalis	III L.	
29.4.		N : HUGONIS abb.		

Mai

1.5.	gr.	Philippi et Jacobi	XII L.	C/A
2.5.		Athanasii epi.	III L.	
3.5.	gel.	Inventio S.Crucis	IV L.	C
	gr.	Alexandri, Eventii et Theodoli	VIII L.	
6.5.	gr.	Johannis ante portam latinam	III L.	
9.5.		Gregorii epi.	III L.	

10.5.	gr.	Gordiani et Epimachi	III L.	
11.5.		MAIOLI abb.	XII L.	C
12.5.	gel.	Nerei et Achillei;	} III L.	
	gr.	Pancratii		
14.5.		Victoris et Coronae	III L.	
19.5.		Potentianae	III L.	
24.5.		Donatiani et Rogatiani	III L.	
25.5.	gr.	Urbani pp.	III L.	

Juni

1.6.	gr.	Nichomedis;	} III L.	
		Reveriani		
2.6.	gr.	Marcellini et Petri	XII L.	a
8.6.		Medardi epi.	III L.	
9.6.	gel.	Primi et Feliciani	III L.	
11.6.		Barnabae ap.	XII L.	a
12.6.	gel.	Nazarii et Celsi;	} III L.	
	gel.	Basilidis, Cyrini et Naboris		
14.6.		Basilii epi.	III L.	
16.6.		Cyrici et Julittae	III L.	
18.6.	gr.	Marci et Marcelliani	III L.	
19.6.	gr.	[Gervasii et Protasii]	III L.	
20.6.		[Florentiae]	XII L.	a
22.6.		[Consortiae]	XII L.	A/a
23.6.	gr.	[**Vigilia Johannis**]		
24.6.	gr.	[Johannis Bapt.]	XII L.	C
26.6.	gr.	[Johannis et Pauli]	III L.	
27.6.		[Irenaei et sociorum]	III L.	
28.6.	gr.	[Vigilia Petri et Pauli]	} III L.	
	gr.	[Leonis pp.]		
29.6.	gr.	[PETRI et PAULI]	XII L.	C
30.6.	gr.	Commemoratio Pauli	XII L.	C

Juli

1.7.		(oct. Johannis)	XII L.	A/a
2.7.	gr.	Processi et Martiniani	III L.	
4.7.		Ordinatio Martini epi.	XII L.	A/a
6.7.	gr.	oct. Petri et Pauli	XII L.	C
7.7.		Marcialis	XII L.	C/A
10.7.	gr.	septem fratrum	III L.	
11.7.	gel.	translatio Benedicti	XII L.	C
18.7.		(oct. Benedicti)	XII L.	A/a
20.7.		(exceptio reliquiarum Gregorii)	XII L.	C/A
21.7.		Praxedis, Victoris et Alexandri	III L.	
22.7.		Mariae Magdalenae	III L.	
23.7.		Apollinaris epi.	XII L.	a
25.7.	gel.	Jacobi ap.	XII L.	C/A
28.7.		Nazarii et Celsi; Pantaleonis	III L.	
29.7.	gr.	Felicis pp.	III L.	
	gr.	Simplicii, Faustini et Beatricis		
30.7.	gr.	Abdon et Sennen	III L.	
31.7.		Germani	XII L.	C/A

August

1.8.	gr.	Petri ad vincula	XII L.	C
2.8.	gr.	Stephani pp.	III L.	
3.8.		Inventio Stephani	XII L.	A
6.8.	gr.	Sixti, Felicissimi et Agapiti N : Transfiguratio domini	III L.	
8.8.	gr.	Cyriaci, Largi et Smaragdi	III L.	
10.8.	gr.	Laurentii	XII L.	C
11.8.		Taurini;	XII L.	C/A
	gr.	Tiburtii		
13.8.	gr.	Hippolyti	III L.	

14.8.	Vigilia assumptionis MARIAE		
	Eusebii	III L.	
15.8.	Assumptio MARIAE	XII L.	C
17.8. gel.	(oct. Laurentii)	III L.	
18.8. gr.	Agapiti	III L.	
20.8.	Philiberti abb.	XII L.	a
21.8.	Timothaei et Symphoriani	III L.	
22.8.	oct. Mariae	XII L.	A
24.8.	Bartholomaei ap.	XII L.	C/A
25.8.	Genesii et Genesii	III L.	
27.8.	Caesarii		
gel.	Augustini epi.	XII L.	a
28.8. gr.	Hermetis et Juliani	XII L.	C/A
29.8. gel.	decollatio Johannis Bapt.	XII L.	C/A
gr.	Sabinae		
30.8. gr.	Felicis et Adaucti	III L.	

September

1.9.	Aegidii abb.	XII L.	a
2.9.	Justi epi.	III L.	
4.9.	Marcelli	XII L.	C/A
5.9.	(exceptio Marcelli pp.)	XII L.	C/A
7.9.	Evurtii epi.	III L.	
8.9. gr.	Nativitas B. MARIAE	XII L.	C
	Adriani		
9.9. gel.	Dorothei et Gorgonii	XII L/III L.	
11.9. gr.	Proti et Hyacinthi	III L.	
14.9. gr.	Cornelii et Cypriani	VIII L.	C
gr.	exaltatio S.Crucis	IV L.	
15.9. gr.	Nicomedis;	XII L.	a
	Valeriani		
16.9. gr.	Euphemiae;	III L.	
	Luciae et Geminiani		
20.9. gel.	Vigilia Matthaei ev.		

21.9. gel.	Matthaei ev.	XII L.	C
22.9.	Mauritii et sociorum	XII L.	C/A
24.9.	Andochii, Tyrsi et Felicis	III L.	
27.9. gr.	Cosmae et Damiani	III L.	
28.9.	(Exuperii)	III L.	
29.9. gr.	dedicatio Michaelis	XII L.	C
30.9.	Victoris et Ursi;		
gel.	Hieronymi	} XII L.	a

Oktober

1.10.	Germani et Remigii	III L.	
2.10.	Leodegarii epi.	XII L.	a
6.10.	Fidis	XII L.	a
7.10. gr.	Marci pp.;		
	Sergii et Bacchi	} III L.	
9.10.	Dionysii, Rustici et Eleutherii	XII L.	C/A
13.10.	Geraldi	XII L.	a
14.10. gr.	Calixti pp.	III L.	
16.10.	Juniani	III L.	
18.10. gel.	Lucae ev.	XII L.	C/A
19.10.	Aquilini epi.	XII L.	C/A
23.10.	Leotadii epi.	XII L.	a
25.10.	Crispini et Crispiniani	III L.	
27.10. gel.	Vigilia Simonis et Judae		
28.10. gel.	Simonis et Judae	XII L.	C/A
29.10.	Theuderii	III L.	
31.10.	(Vigilia omnium sanctorum)	III L.	

November

1.11.	Omnium sanctorum	XII L.	C
2.11.	Eustachii et sociorum;		
	Lauteni	} XII L.	a
3.11.	Valentini et Hylarii	III L.	

4.11.	Quintini	XII L.	C/A
	N : Flori epi.		
8.11. gr.	Quattuor coronatorum	III L.	
	N : Austremonii epi.		
9.11. gr.	Theodori	III L.	
10.11. gr.	Mennae	III L.	
	(Vigilia Martini)		
11.11. gr.	Martini epi.	XII L.	C
13.11.	Brictii	XII L.	A/a
16.11.	Eucherii	III L.	
17.11.	Aniani et Gregorii epi.	III L.	
18.11.	(oct. Martini)	XII L.	A
19.11.	ODONIS abb.	XII L.	C/A
21.11.	Columbani	III L.	
22.11. gr.	Caeciliae	XII L.	a
23.11. gr.	Clementis pp.;	} XII L.	A
gr.	Felicitatis		
24.11. gr.	Chrysogoni	III L.	
25.11.	Petri epi.	III L.	
27.11.	Vitalis et Agricolae	III L.	
29.11. gr.	Vigilia Andreae ap.		
gr.	Saturnini	} III L.	
30.11. gr.	Andreae ap.	XII L.	C

Dezember

1.12. gel.	Chrysanti et Dariae	III L.	
6.12.	Nicolai epi.	XII L.	a
7.12.	(oct. Andreae)	XII L.	A/a
8.12.	N : Conceptio Mariae		
9.12.	Syri epi.	III L.	
10.12.	Eulaliae et Valeriae	III L.	
13.12. gr.	Luciae	XII L.	A/a
21.12. gel.	Thomae ap.	XII L.	C/A
24.12. gr.	Vigilia nat. domini	XII L.	a

25.12.	gr.	Nativitas domini	XII L.	C
26.12.	gr.	Stephani	XII L.	C
27.12.	gr.	Johannis ev.	XII L.	C
28.12.	gr.	Innocentum	XII L.	C
29.12.		N : Thomae **epi.**		
31.12.	gr.	Silvestri pp.	XII L.	A/a

ZUSAMMENFASSUNG

Die vorliegende Arbeit beschäftigte sich mit zwei nur indirekt miteinander zusammenhängenden Themenkreisen. Zunächst ging es um die Edition eines Ado-Martyrologiums in der Kurzfassung, bei der die bisherigen Ergebnisse der Martyrologforschung zu integrieren waren. Es zeigte sich, daß trotz erheblicher Kürzung des Textes der ursprüngliche Heiligenbestand des Ado-Martyrologiums nahezu rein erhalten blieb, sobald die Besonderheiten der Handschriften der 1. Familie kenntlich gemacht waren.

Eine größere Anzahl von Zusätzen zum Ado-Text ließ die Frage nach der "Individualität" des Martyrologiums aufkommen; daraus ergab sich die Aufgabe, in einem zweiten Arbeitsgang diese "Individualität" zu definieren. Die Untersuchung dieser Zusätze brachte einen auffallend cluniacensischen Bezug der eingetragenen Heiligenfeste zutage und lenkte den Blick von da auf die cluniacensische Martyrologtradition und das sich daraus entwickelnde Sanctorale.

Bei dem Vergleich verschiedener cluniacensischer Martyrologien stellte sich heraus, daß die der Handschrift eigene und als cluniacensisch definierte "Individualität" unabhängig davon ist, ob es sich um Martyrologien des Ado, Usuard oder Pseudo-Florus handelt, und daß sie in allen cluniacensischen Martyrologien in nahezu konstanter Form auftritt. Daraus läßt sich schließen, daß alle in den cluniacensischen Klöstern verwendeten Martyrologien durch den Festkalender von Cluny geprägt waren oder wie im Fall des Martyrologiums von Moissac nachträglich geprägt wurden.

Sind aus dem 11. Jahrhundert noch eine Reihe von verschiedenen Martyrologtypen überliefert, so sind die späteren Martyrologien sämtlich Usuard-Martyrologien. Das entspricht der allgemeinen

Bevorzugung des Usuard-Martyrologiums seit dem 12. Jahrhundert, deutet zugleich aber auch auf eine Vereinheitlichung der cluniacensischen liturgischen Praxis und der dazu benötigten liturgischen Handschriften. Diese Vereinheitlichung ließ jedoch einen begrenzten Raum für die Pflege lokaler Heiligenkulte, wie es aus der Anzahl von Eigenfesten in den Martyrologien der einzelnen Cluniacenserklöster zu entnehmen ist.

Da das Martyrologium von Marcigny auf eine Vorlage aus Cluny zurückging, das Kloster Marcigny wiederum mit den Mönchen von Cluny eine geistliche Gemeinschaft bildete, konnte die Handschrift zur Rekonstruktion des Sanctorale von Cluny am Ende des 11. Jahrhunderts herangezogen werden. Der Vergleich mit den cluniacensischen Consuetudines und Kalendern zeigte den Entwicklungsweg zu diesem Sanctorale, dessen zunehmend cluniacensische Züge gegen 1075 ihren Höhepunkt erreichen, der zugleich einem Höhepunkt in der Intensität der liturgischen Feier entspricht.

Die Rückstufung zahlreicher Feste "in cappis" zu Festen "in albis", die im Ordo des Bernard zum Ausdruck kommt, sowie die immer seltener werdende Aufnahme von neuen Heiligenfesten in das cluniacensische Sanctorale im 12. Jahrhundert deuten darauf hin, daß die cluniacensische Heiligenverehrung die Grenzen des Möglichen erreicht hatte. Im 12. Jahrhundert erfährt das Sanctorale kaum noch Veränderungen, und diese sind mit Ausnahme von zwei Festen (Hugo am 29.4., Transfiguratio domini am 6.8.) so wenig typisch, daß man daraus schließen muß, daß der Wille zu einer eigenständigen, sich von der Praxis anderer Benediktinerklöster absetzenden Heiligenverehrung aufgegeben worden ist. Daß im 12. Jahrhundert kaum noch neue Feste im cluniacensischen Sanctorale erscheinen, mag neben den genannten Gründen auch in der nachlassenden Reformtätigkeit Clunys seine Ursache haben. Denn die Aufnahme neuer Heiligenfeste in den Festkalender von Cluny war in den meisten Fällen durch die Reform fremder Klöster und ihre Eingliederung in die "Ecclesia cluniacensis" veranlaßt worden.

In der vorliegenden Untersuchung ist gezeigt worden, daß das
Sanctorale von Cluny und der von ihm abhängigen Klöster und
Priorate eigenwillige und vom übrigen benediktinischen Mönchtum zu unterscheidende Züge trug. Inwieweit dieser Wille zur
Individualität auch in der Schöpfung eigens für die Feier be-
stimmter Heiligenfeste benötigter liturgischer Texte zum Ausdruck kam, müßte noch durch die Untersuchung der jeweils zu
diesen Festen in den cluniacensischen Sacramentaren, Lectionaren und Brevieren überlieferten Texte nachgewiesen werden.

Auch konnten die sich mehrfach andeutenden Verbindungen Clunys
zu Klöstern im Reich, in England, Spanien und Italien hier
nicht weiter verfolgt werden - sicher ist, daß sie nicht nur
in vertraglichen Abmachungen ihren Niederschlag fanden, sondern auch in der täglichen liturgischen Praxis nachwirkten.

In der Zusammenschau von Martyrologien, Necrologien, Verbrüderungsverträgen und liturgischen Texten wird das breite Spek-
trum cluniacensischer Memorialleistungen sichtbar, lassen sich
Intensivierung und Nachlassen cluniacensischer Heiligenverehrung feststellen. War das cluniacensische Sanctorale auch weitgehend am gregorianischen Sacramentar orientiert gewesen, so
ist doch die Ausweitung der Heiligenverehrung, die Intensität
der liturgischen Feier und die geistige Verknüpfung von Heiligenverehrung, Totengedächtnis und Gebeten für die Lebenden als
eigene Leistung Clunys anzusehen.

EXKURS I

Die Fresken von Berzé-la-Ville als Abbild der cluniacensischen
Heiligenverehrung

Ein einzigartiges Zeugnis für die Bedeutung, die die Cluniacenser dem Heiligenkult beimaßen, ist uns in den Fresken der
kleinen Kapelle von Berzé-la-Ville erhalten geblieben. Die
Wandmalereien der Apsis sind sowohl ein Beispiel für das hohe
künstlerische Niveau sakraler Kunst zu Beginn des 12. Jahrhunderts in Cluny als auch sichtbarer Ausdruck des cluniacensischen Sanctorale.

Da die Fresken von Berzé-la-Ville etwa zur gleichen Zeit entstanden sind wie der Bau von Cluny III und vermutlich auch
die gleichen Künstler wie in Cluny zur Ausschmückung der Kapelle herangezogen wurden, können sie uns am ehesten einen
Eindruck von den verlorengegangenen Wandmalereien von Cluny[1]
vermitteln.

Abt Hugo von Cluny hatte zweifellos das unweit Clunys gelegene
Berzé-la-Ville als Sommerresidenz und Ort ausersehen, an den
er sich zuweilen vor dem geschäftigen Treiben in Cluny zurück-
ziehen konnte[2]. Grundbesitz Clunys in Berzé-la-Ville läßt sich
schon um die Mitte des 11. Jahrhunderts in den Urkunden von
Cluny nachweisen[3]. In den folgenden Jahrzehnten wurde der Besitz Clunys um weitere Schenkungen vermehrt[4].

---

1) Joan EVANS, Cluniac art of the romanesque period, Cambridge
   1950, S. 27; Janine WETTSTEIN, La fresque romane. Italie-
   France-Espagne, études comparatives, Genf 1971, S. 76 f.
2) Michel JANTZEN et Colette DI MATTEO, La chapelle aux Moines
   de Berzé-la-Ville, in: Les Monuments historiques de la
   France, N.S. 114, 1981, S. 81,84.
3) BERNARD-BRUEL IV Nr. 2956.
4) BERNARD-BRUEL IV Nr. 3018, 3267, 3268, 3270, 3324, 3380,
   3573, 3654; V Nr. 3666,3667, 3674, 3686, 3742, 3744, 3824,
   3829, 3873, 4069.

Einen Teil dieses Besitzes muß Hugo den Nonnen von Marcigny
übertragen haben[5], denn bei einem Gütertausch zwischen Cluny
und Marcigny im Jahre 1100[6] erhält Cluny Berzé-la-Ville und
angrenzende Güter zurück und tritt dafür die Dependenz Iguerande an Marcigny ab. Die Gründe für diesen Tausch mögen wohl
in ökonomischen Gesichtspunkten zu suchen sein; Iguerande, das
in der Nähe Marcignys lag, konnte von dort aus besser verwal-
tet werden als das im Mâconnais gelegene Berzé-la-Ville[7].

Um die gleiche Zeit etwa hat Abt Hugo den Auftrag zur Ausschmückung der Kapelle gegeben, deren Bau gegen Ende des 11.
Jahrhunderts fertiggestellt worden war[8]. In den Jahren 1103
bis 1108 ist Abt Hugos Anwesenheit in Berzé-la-Ville allein
achtmal urkundlich nachgewiesen[9].

Hildebert von Le Mans schreibt in der Vita des Abtes Hugo[10],
daß dieser dort einmal von einem Unwetter überrascht wurde und
beinahe in den Flammen umgekommen wäre. Auch die Vita des Clu-
niacensermönches Gilo[11] berichtet von diesem Ereignis und erwähnt ausdrücklich, daß Hugo von den Flammen i n c u b i -
c u l o c o n i u n c t o b a s i l i c e überrascht wurde.

---

5) Jean RICHARD , Le cartulaire de Marcigny-sur-Loire. Essai de
   reconstitution d'un manuscrit disparu, Dijon 1957, S. XX
   (Analecta Burgundica).
6) BERNARD-BRUEL IV Nr. 3742.
7) Über die Besitzverhältnisse in Berzé-la-Ville und seinen Bezug zur lokalen Umwelt vgl. Maria HILLEBRANDT, Das Cluniacenserpriorat Berzé-la-Ville, phil. Diss. Münster, in Vorbereitung.
8) Jean VIREY, Les églises romanes de l'ancien diocèse de Mâcon,
   Cluny et sa région, Mâcon 1934, S. 1.
9) BERNARD-BRUEL V Nr. 3821, 3827, 3840, 3862, 3864, 3867, 3873;
   RICHARD, Cartulaire Nr. 109; vgl. H. DIENER, Das Itinerar des
   Abtes Hugo von Cluny, in: Neue Forschungen über Cluny und die
   Cluniacenser, S. 371-373; 304.
10)BC Sp. 417.
11)Hg. von Albert L'HUILLIER, Vie de Saint-Hugues abbé de Cluny
   1024-1109, Solesmes-Paris 1888, S. 574-618; neuerdings ediert
   von H.E.J. COWDREY, Two studies in cluniac history 1049-1126,
   in: Studi Gregoriani 11, 1978, S. 45-109 cap. 38, S. 80 f.

- 268 -

Seguinus, camerarius des Abtes und zugleich Prior von Marcigny[12],
und der Mönch Fulcherius, der Berzé bewirtschaftete[13], hatten
für die Wiederherstellung der Obödienz gesorgt, so daß Abt
Hugo in seinem Testament[14] die dort lebenden Mönche verpflich-
ten konnte, für die Feier seines Anniversariums Speise und
Trank für den ganzen Konvent von Cluny bereitzustellen. Dieser
Pflicht kamen die Mönche auch in späterer Zeit nach, wie es
einer Urkunde aus der Zeit des Abtes Petrus Venerabilis zu entnehmen ist[15].

Achtmal innerhalb von fünf Jahren kam Abt Hugo mit großem Gefolge von Mönchen, Prioren und Bischöfen nach Berzé, um die
Schenkungen bedeutender Adliger entgegenzunehmen[16]; wie oft er
aus weniger spektakulären Anlässen dort weilte, um sich von seinen Amtsgeschäften zu erholen, weiß man nicht. Es ist unwahrscheinlich, daß er Berzé als Treffpunkt ausgewählt hätte, wenn
dieses noch im Bau und ohne einen besonderen Anziehungspunkt
gewesen wäre.

Noch unwahrscheinlicher ist es anzunehmen, die Fresken von Berzé
seien erst von seinen Nachfolgern Pontius und Petrus Venerabilis
in Auftrag gegeben worden, nachdem die Arbeiten an Cluny III beendet gewesen waren. Von keinem der Nachfolger ist auch nur ein
einziger Besuch in Berzé bezeugt; die Wirren um den Sturz des
Abtes Pontius wie auch die wirtschaftlichen Schwierigkeiten, in
die Cluny in der Folgezeit geriet, hätten wohl kaum die Ausgaben
für eine solch prachtvolle Ausschmückung einer kleinen Kapelle
zugelassen[17].

---

12) François CUCHERAT, Cluny au onzième siècle. Son influence re-
ligieuse, intellectuelle et politique, Autun 1885, S. 263.
13) BERNARD-BRUEL V Nr. 3824.
14) BC Sp. 496; COWDREY, Two studies in cluniac history, S. 172ff.
15) BERNARD-BRUEL V Nr. 4143.
16) Vgl. die Zusammenstellung der in Hugos Begleitung nachgewie-
senen Personen bei DIENER, Das Itinerar, S. 144 f.
17) Hubert SCHRADE, Die romanische Malerei, Köln 1963, S. 43 datierte die Fresken in die Zeit Petrus' Venerabilis; André GRA-
BAR, Die romanische Malerei, Genf 1958, S. 108 ging von einem
noch späteren Zeitansatz aus.

Trotz des Schweigens aller literarischen Quellen über die Entstehungszeit der Fresken von Berzé-la-Ville muß aufgrund historischer Kriterien ihre Entstehung während des ersten Jahr-
zehnts des 12. Jahrhunderts angenommen werden.

Seit der Wiederentdeckung und Freilegung der Fresken durch den
Abbé Jolivet im Jahre 1887[18] hat sich vornehmlich die Kunstge-
schichte mit den Fresken beschäftigt, und hier war es vor allem
der italienisch-byzantinisch beeinflußte Stil der Fresken, der
zu den verschiedensten Hypothesen über das Zustandekommen dieses Einflusses geführt hat[19].

Es ist unmöglich, zu entscheiden, ob der byzantinisierende Stil
der Fresken über die Mittlerrolle von Monte Cassino[20], Rom[21]
oder die Beziehungen Clunys zu den ottonisch-salischen Herr-
scherhäusern[22] und die nachweisliche Tätigkeit deutscher Künstler in Cluny[23] angeregt wurde.

---

18) Léonce LEX, Peintures murales de la chapelle du Château des
    Moines de Cluny à Berzé-la-Ville, in: Bulletin archéologique
    du Comité des travaux historiques et scientifiques 1893,
    Nachdruck Mâcon 1961, S. 4.
19) Zusammenfassend zuletzt Janine WETTSTEIN, Les fresques de
    Berzé-la-Ville, in: La fresque romane, S. 75-96 mit aus-
    führlicher Bibliographie S. 119.
20) Der Besuch Abt Hugos im Jahre 1083 in der durch Abt Deside-
    rius mit Hilfe byzantinischer Künstler neuerrichteten Abtei
    Monte Cassino nimmt hier sicher eine Schlüsselfunktion ein,
    vgl. Chronicon Casinense Lib. III auctore Petro cap. 51,
    Migne PL 173 Sp. 790.
21) Dort hätte u.a. die Kirche Sancta Pudentiana als Vorbild
    dienen können, vgl. WETTSTEIN, La fresque romane, S. 84.
22) Seit der Heirat Ottos II. mit der griechischen Prinzessin Theo-
    phanu hatte die byzantinische Kunst dort an Einfluß gewonnen,
    vgl. W. MESSERER, Zu byzantinischen Fragen in der ottonischen
    Kunst, in: Byzantinische Zeitschrift 52, 1959, S. 32-60.
23) So der Mönche Andreas und Albert aus Trier(BC Sp. 1645); letz-
    terer ist auch als Schreiber der in Berzé ausgestellten Urkun-
    den BERNARD-BRUEL V 3862 und 3873 genannt; Alger und Hezelo
    aus Lüttich (BC Sp. 794), letzterer war maßgeblich am Bau von
    Cluny III beteiligt.

Die Wahrscheinlichkeit spricht sogar für das Zusammenwirken
all dieser Faktoren; wesentlich ist jedoch das Ergebnis der
jüngsten Untersuchungen, daß Stil und Technik der Fresken in
direktem Zusammenhang stehen mit der gleichzeitigen Illumina-
tion cluniacensischer Handschriften, hier besonders dem Lectionar Paris BN nouv.acq.lat. 2246[24].

Die Untersuchungen Schapiros zu der gleichfalls um 1100 entstandenen Handschrift Parma, **Biblioteca** Palatina ms. 1650[25]
haben gezeigt, daß alle Stilkomponenten gleichzeitig in ein
und derselben Handschrift auftreten können. Die Tatsache, daß
Schapiro gerade hier auftretende ottonisch-salische Stilele-
mente in die Nähe der Regensburger Buchmalerei rückt[26], verwundert nicht, wenn man bedenkt, daß auch im Martyrologium von
Marcigny zahlreiche Heilige aus dem Regensburger Raum und aus
Süddeutschland vertreten sind[27].

Vom ikonographischen Standpunkt betrachtet stehen die Heili-
gendarstellungen in der Apsis der Kapelle von Berzé-la-Ville
jedoch ganz in cluniacensischer Tradition. Ein Rückblick auf
das Martyrologium und die in der Synopse aufgeführten Handschriften zeigt, daß die hier dargestellten Heiligen dem Sanctorale von Cluny um die Wende vom 11. zum 12. Jahrhundert entsprechen.

---

24) Auf diesen Zusammenhang hatte erstmals Meyer SCHAPIRO, he
   Parma Ildefonsus, a romanesque illuminated manuscript from
   Cluny and related works, St. Louis 1964, S. 35, 42-48 (Mo-
   nographs on archeology and fine arts 11) hingewiesen.
   Zum ikonographischen Programm dieser Handschrift s. Gérard
   CAMES, Recherches sur l'enluminure romane de Cluny. Le lec-
   tionnaire Paris B.N. nouv. acq. lat. 2246, in: Cahiers de
   Civilisation Médiévale 7, 1964, S. 145-159.
25) SCHAPIRO, Parma Ildefonsus S. 5.
26) SCHAPIRO, Parma Ildefonsus S. 20-25.
27) Vgl. den folgenden Exkurs über die deutschen Heiligen im
   Martyrologium.

Der thronende Christus, umgeben von den zwölf Aposteln, von
denen Petrus und Paulus als die Patrone von Cluny besonders
hervorgehoben sind, bildet den Mittelpunkt der Apsis-Szene,
der sich alle übrigen Darstellungen unterordnen. Flankiert
wird die Szene von den heiligen Diakonen Vincentius und Laurentius, deren Fest in den liturgischen Handschriften mit 12
Lektionen ausgewiesen ist, und zwei heiligen Bischöfen, über
deren Identität die Vermutungen auseinandergehen.

L. Lex[28] sah in ihnen die Heiligen Augustinus und Basilius einerseits oder die Heiligen Martin und Germanus andererseits.
Da sie nicht namentlich gekennzeichnet sind, wird es bei Vermutungen bleiben müssen; doch die liturgischen Quellen sprechen eher dafür, in den beiden Bischöfen die Heiligen Martin
und Germanus zu sehen, die beide seit frühester Zeit in Cluny
besonders verehrt wurden.

Am Rande der zentralen Apsis-Szene ist jeweils noch ein heiliger Abt dargestellt, auch sie gaben zu verschiedenen Vermutungen Anlaß.   E. Magnien[29] wollte in ihnen den Gründer von Cluny, Berno, und den Gründer der Kapelle, Hugo dargestellt sehen.
Dagegen spricht die Tatsache, daß Berno nicht als Heiliger verehrt wurde und Hugo sich zu seinen Lebzeiten nicht als Heiliger
hätte darstellen lassen können[30]. Wenn man vom cluniacensischen
Sanctorale ausgeht, müßte man sich für die Äbte Maiolus und
Odilo entscheiden, deren Feste in höherem Maße gefeiert wurden
als das des Abtes Odo.

---

28) LEX, Peintures murales, S. 6.
29) Emile MAGNIEN, Les peintures murales clunisiennes de Berzé-
    la-Ville, Extrait du Bulletin de Centre international d'Études
    romanes, Fasc. II, III 1958, Mâcon 1966, S. 3.
30) Möglich wäre allenfalls die Darstellung mit viereckigem Nim-
    bus gewesen, wie sie in dem Bild des Abtes Desiderius von
    Monte Cassino auf den Fresken von Sant Angelo in Formis er-
    scheint, das zu Lebzeiten des Abtes angefertigt wurde, vgl.
    WETTSTEIN, La fresque romane, S. 65.

Die Apsis-Szene wird getragen von fünf Arkaden, die auf einer
Sockelzone ruhen.

In den beiden äußeren blinden Arkaden sind zwei Marterszenen
dargestellt, in der südlichen das Martyrium des heiligen Laurentius, in der nördlichen das des heiligen Blasius. Beide Heiligenfeste sind in den liturgischen Quellen mit 12 Lektionen
ausgezeichnet; Blasius war zudem der Patron der Kapelle[31].
In den übrigen Arkadenzwickeln sind sechs heilige Jungfrauen
dargestellt, fünf von ihnen halten Lampen, den weisen Jungfrauen vergleichbar, drei von ihnen sind namentlich gekennzeichnet als Agatha, Florentia und Consortia; auch diese Heiligen wurden in Cluny besonders verehrt[32].

In der Sockelzone sind neun Heilige abgebildet, deren Namen
sich noch entziffern lassen. Es sind Heilige, deren Verehrung
sich bereits in den frühesten liturgischen Quellen nachweisen
läßt: Abdon und Sennen (30.7.)[33], Dorotheus und Gorgonius (9.9.)[34],
Sebastian (20.1.)[35], Sergius (7.10.)[33], nochmals Sebastian[36],
Dionysius (9.10.)[35], Quintinus (31.10.)[37].

Auf den ersten Blick könnte die Anzahl der hier dargestellten
römischen und orientalischen Heiligen zu dem Schluß verleiten,
Cluny habe sich in seinem ikonographischen Programm an römischen Vorbildern orientiert[38], doch die Abbildungen der Heiligen Consortia und Florentia, deren Verehrung auf Cluny und die
cluniacensischen Klöster begrenzt war, und der französischen
Heiligen Dionysius und Quintinus, ergänzt duch die Darstellungen

---

31) Fernand MERCIER, Berzé-la-Ville, in: Congrès archéologique
    de France, XCVIII[e] session à Lyon et Mâcon 1935, Paris 1936,
    S. 498.
32) Bemerkenswert ist der Hinweis M. Schapiros (The Parma Ilde-
    fonsus, S. 45 Anm. 181), daß am Fest der heiligen Consortia das
    Gleichnis von den klugen und törichten Jungfrauen (Mathh. 25,1)
    gelesen wurde; vgl. Paris BN nouv.acq.lat. 2261 fol. 26[V] und
    Cons. Farfa I,81 (ALBERS, Consuetudines Monasticae Bd. 1, S. 81)
33) Vgl. Lectionar Paris BN nouv. acq.lat. 2390.
34) Kalender Paris BN lat. 12 601.
35) Brev. lect. Paris BN lat. 13 371.
36) Die Identität dieses Heiligen konnte nicht geklärt werden.
37) Lectionar Paris BN nouv.acq.lat. 2246.
38) Vgl. WETTSTEIN, La fresque romane, S. 79.

der heiligen Bischöfe Martin und Germanus und der Äbte Maiolus und Odilo, geben Zeugnis von einem eigenständigen Sanctorale in Cluny, das nicht nur in den liturgischen Handschriften
seinen Niederschlag fand, sondern auch die künstlerische Aus-
gestaltung der Sakralräume beeinflußte. Die Fresken von Berzé-
la-Ville bestätigen auf einzigartige Weise den Befund der liturgischen Handschriften von Cluny.

EXKURS II

Regensburger und süddeutsche Heilige im Martyrologium von
Marcigny - cluniacensische Heilige in süddeutschen Martyrologien

Bei der Untersuchung der Zusätze zum Ado-Text des Martyrologiums
von Marcigny ließ die auffällige Mehrheit süddeutscher Heiliger,
und hier besonders die der in Regensburg verehrten Heiligen, die
Frage nach der Herkunft oder Ursache für diese Einträge aufkommen. Als eine mögliche Ursache wurde das Wirken des heiligen Ulrich von Zell angenommen, der Anfang der 60er-Jahre zusammen mit
seinem Freund Gerald, dem späteren Kardinalbischof von Ostia,
aus Regensburg nach Cluny gekommen war.

Bald nach seiner Priesterweihe war Ulrich dort als Kaplan und
Sekretär Abt Hugos tätig[1]; einige Jahre später schickte ihn Hugo
als Prior nach Marcigny[2]; hier übernahm er die geistliche Lei-
tung des Klosters als Nachfolger des Mönches Rencho[3], bis ihn
ein Augenleiden zur Rückkehr nach Cluny zwang. E. Hauviller
nimmt diese Tätigkeit Ulrichs in den Jahren zwischen 1065 und
1070 an[4].

Es ist nicht auszuschließen, daß Ulrich in einem Martyrologium
zu privaten[5] Memorialzwecken auch die Festtage der in seiner
Heimatdiözese verehrten Heiligen notiert hatte und diese Handschrift in Marcigny zurückließ. Aus dieser Handschrift konnte
dann später Elsendis die Einträge in ihr Martyrologium übernehmen.

---

1) HAUVILLER, Ulrich von Cluny, S. 44.
2) Vita posterior S.Udalrici prioris Cellensis cap. 20 (MGH SS.
   XII, S. 258).
3) MABILLON, Annales O.S.B. Bd. 4, S. 612.
4) HAUVILLER, Ulrich von Cluny, S. 49.
5) Es ist unwahrscheinlich, daß diese Heiligenfeste über die Verlesung des Martyrologiums hinaus in Cluny liturgisch gefeiert
   wurden, sonst hätte sie Ulrich sicher in seinen Consuetudines
   ebenfalls vermerkt.

Dieses wäre jedoch nur eine sehr einseitige Begründung für die
Einträge süddeutscher Heiliger im Martyrologium von Marcigny
und ließe die Möglichkeit außer acht, daß durchaus wechselsei-
tige Beziehungen zwischen Cluny und Regensburg bestanden haben
können.

Wenn solche Beziehungen tatsächlich bestanden haben, dann
müßten umgekehrt auch Spuren von cluniacensischen Heiligen in
süddeutschen und Regensburger Quellen zu finden sein.

Da die Untersuchung sämtlicher liturgischer Quellen aus Süddeutschland an dieser Stelle zu weit führen würde, sollen hier
nur drei Quellen exemplarisch für alle übrigen zur Erhellung
dieser Fragestellung herangezogen werden.

Es handelt sich dabei um drei Martyrolog-Necrologien aus St.
Emmeram, Niederaltaich und Weltenburg, Klöster, die seit der
Zeit des heiligen Wolfgang und des Abtes Ramwold, der aus Trier
nach St.Emmeram berufen wurde, in engsten Kontakt mit der gor-
zisch-trierischen Reform von St.Maximin in Trier geraten waren.

Schon die Bezeichnung Martyrolog-Necrolog soll auf eine auffällige Gemeinsamkeit in der Anlage aller drei Handschriften auf-
merksam machen. Jeweils ein Doppelblatt wurde durch Arkaden in
sechs Kolumnen aufgeteilt, die beiden äußersten waren für com-
putistische und historische Notizen reserviert, die 2. und 5.
Kolumne für das Martyrologium, die 3. und 4. für das Necrologium. Diese auffällige Kombination von Martyrologium und Necrologium deutet auf eine gemeinsame Vorlage, die vermutlich in
St.Emmeram selbst zu suchen ist.

a) Schloß Harburg, Fürstlich Oettingen-Wallersteinsche Bibliothek und Kunstsammlung Cod. I, 2, 2°, 8

Die Handschrift[6] stammt aus St. Emmeram in Regensburg.

---

6) Beschreibung und auszugsweise Wiedergabe der Martyrologeinträge durch Alfons M. ZIMMERMANN, Das älteste Martyrologium
   von St.Emmeram in Regensburg, in: Studien und Mitteilungen
   zur Geschichte des Benediktinerordens 63, 1951, S.140-154.
   Durch den Verkauf der Fürstlich Oettingen-Wallersteinschen
   Bibliothek am 13.2.1980 gelangte die Handschrift in den Besitz der Universitätsbibliothek Augsburg.

Wie beim Martyrologium von Marcigny liegt auch hier ein Ado-
Martyrologium in der gekürzten Fassung der 1. Familie vor,
doch ist der Text der einzelnen Elogen im allgemeinen etwas
ausführlicher als der des Martyrologiums von Marcigny.

Für die Entstehung der Handschrift ergibt sich aus dem Eintrag
des Simeon von Trier von anlegender Hand ein terminus post quem,
aus den Nachträgen des Bischofs Wolfgang am 31.10. und der
Translatio Bischof Erhards am 8.10. ein terminus ante quem:
Simeon wurde bereits kurz nach seinem Tod im Jahr 1035 kanonisiert[7], die beiden Bischöfe wurden am 7. bzw. 8. Oktober 1052
durch Papst Leo IX. im Beisein Kaiser Heinrichs III. erhoben
und in die Wolfgangskrypta transferiert[8]. Die Entstehung der
Handschrift fällt somit in die Jahre zwischen 1035 und 1052,
was auch durch die computistischen Notizen, die im Jahre 1036
beginnen, nahegelegt wird[9].

b)   Jena, Universitätsbibliothek Ms. Bos. q. 1

Diese Handschrift[10] aus Niederaltaich enthält ebenfalls ein Ado-
Martyrologium. Die computistischen Notizen beginnen mit dem
Jahr 1179, doch legen die zahlreichen Nachträge z.B. wie die
der Bischöfe Erhard am 8.1. und Wolfgang am 31.10. die Benutzung einer Vorlage aus der ersten Hälfte des 11. Jahrhunderts
nahe.

c)   München, Bayerisches Hauptstaatsarchiv Klosterliteralien
     Weltenburg Nr. 8

Auch diese Handschrift enthält ein Ado-Martyrologium mit zahl-

---

7) JL 4112, 4113.

8) Annales et notae S.Emmerammi Ratisbonenses et Weltenburgenses, MGH SS XVII, S. 572.

9) Vgl. Bernhard BISCHOFF, Literarisches und künstlerisches
   Leben in St.Emmeram, in: ders., Mittelalterliche Studien,
   Bd. 2, Stuttgart 1967, S. 93.

10) Die Handschrift wurde beschrieben und auszugsweise ediert
    in: MGH Necrologia, Bd. 4, hg. von M. FASTLINGER, Berlin
    1920, S. 27-72.

reichen Ergänzungen aus dem Martyrologium-Hieronymianum[11]. Die
computistischen Notizen beginnen im Jahr 1045; aufgrund der
Nachträge datiert Paringer die Entstehung der Handschrift in
die Zeit um 1050[12]. Damit stände diese Handschrift der aus
St.Emmeram zeitlich am nächsten.

Nachdem nun der innere und äußere Zusammenhang dieser drei
Handschriften feststeht, soll die nähere Untersuchung der dort
eingetragenen Heiligen die Frage beantworten helfen, ob die
deutschen Heiligeneinträge, die im Martyrologium von Marcigny
aufgefallen waren, tatsächlich auf Regensburger Einflüsse zurückzuführen sind und ob sich umgekehrt cluniacensische Einflüsse in den Regensburger Quellen nachweisen lassen.

Die deutschen und die cluniacensischen Heiligen werden in zwei
Gruppen aufgeführt, ihr Vorkommen in den jeweiligen Handschriften wird durch die Sigeln E = St.Emmeram, N = Niederaltaich,
W = Weltenburg gekennzeichnet. Lektionsangaben, die die tatsächliche liturgische Feier dieser Martyrologeinträge belegen
können, wurden einem Kalender des 14. Jahrhunderts aus St.Em-
meram in der Handschrift München Clm.lat. 14 868 entnommen,
die bloße Erwähnung eines Heiligen ohne Lektionsangaben wurde mit x wiedergegeben, Nachträge wurden in Klammern gesetzt.

---

11) Eine ausführliche Beschreibung dieser Handschrift gab
    Benedikt PARINGER, Das alte Weltenburger Martyrologium.
    Ein Beitrag zur Frühgeschichte des Klosters Weltenburg,
    in: Studien und Mitteilungen zur Geschichte des Benedik-
    tinerordens 52, 1934, S. 146-165, hier bes. S. 156 f.
12) PARINGER, Das alte Weltenburger Martyrologium, S. 161.

I. a) Regensburger Heilige

    22.9.   Emmeram   E , N , W , XII L.

    28.9.   Wenzel von Prag[13]   E , N , W ,   x

    31.10.   (Wolfgang)   (E), (N),(W), XII L.

b) Sonstige in Süddeutschland verehrte Heilige

    3.2.   Blasius   E , N , **W**   XII L.

    1.5.   Walburg   E , N , W ,   x

    13.5.   Gangolf   E , N , W , III L.

    1.6.   Simeon von Trier   E , N , W ,   -

    4.7.   Ulrich von Augsburg   E , (N), W , XII L.

    5.8.   (Oswald)   (E), N ,**(W)** XII L.

    6.9.   Magnus[14]   E , N , W , XII L.

    16.10. Gallus   E , (N), W , XII L.

    21.10. 11 000 Jungfrauen   E , N , W , XII L.

    23.10. Severin von Köln   E , N , W ,   x

    16.11. Otmar   E , N , W , XII L.

---

13) Der Eintrag des heiligen Wenzel in Regensburger Quellen er-
klärt sich aus der Tatsache, daß Böhmen ursprünglich zur Diözese Regensburg gehört hatte und von dort aus missioniert
worden war, vgl. Regensburg und Böhmen, Festschrift zur Tausendjahrfeier des Regierungsantritts Bischof Wolfgangsvon Regensburg und der Errichtung des Bistums Prag, hg. von Georg
SCHWAIGER und Josef STABER, Regensburg 1972, S. 7 ff. (Bei-
träge zur Geschichte des Bistums Regensburg 6).

14) Sollte Ulrich tatsächlich die Kunde von den Regensburger Heiligen nach Marcigny gebracht haben, ist hier noch seine spe-
zielle Verehrung für diesen Heiligen anzumerken. Ursprünglich hatte er in Regensburg ein Kloster zu Ehren des heiligen
Magnus gründen wollen, doch wurde ihm das von Bischof Gebhard
III. von Regensburg (1036-1060) verwehrt; vgl. Vita prior S.
Udalrici Cellensis, cap. 6, MGH SS. XII, S. 253. Möglicherweise war dies der Hauptgrund für seinen Fortgang von Regensburg.

II. Cluniacensische Heilige

1.1.	(Odilo)[15]	(E),	(N)[16],	(W),		x	
15.1.	Maurus	E ,	N ,	W ,	XII L.		
11.5.	Maiolus[17]	- ,	- ,	W ,	x		
12.6.	Nazarius und Celsus	28.7.,	N ,	W ,	x		
20.6.	Florentia	- ,	N ,	- ,	-		
22.6.	Consortia	- ,	N ,	- ,	-		
13.8.	Radegundis	E ,	N ,	W ,	-		
20.8.	(Philibert)	- ,	(N) ,	- ,	-		
1.9.	(Aegidius)	(E),	(N) ,	(W),	XII L.		
13.10.	Geraldus	- ,	N ,	- ,	-		
19.10.	Aquilinus	- ,	N ,	- ,	-		
29.10.	Theuderius	- ,	N ,	- ,	-		
2.11.	(Commermoratio omnium defunctorum)	- ,	(N) ,	- ,	x		
2.11.	(Eustachius)	- ,	(N) ,	(W),	III L.		
8.12.	(Conceptio Mariae)	- ,	(N) ,	- ,	XII L.		
29.12.	(Thomas von Canterbury)	- ,	(N) ,	(W),	XII L.		

---

15) Der Eintrag des Abtes Odilo von Cluny war in allen drei Handschriften bereits in der Necrologanlage enthalten und wurde nach dessen Kanonisation im Jahre 1063 in das Martyrologium übertragen. Diese Beispiele unterstreichen abermals die zwingende Notwendigkeit, Martyrologium und Necrologium nicht isoliert zu betrachten.

16) Im Martyrologium von Niederaltaich erhielt Odilo eine besonders ausführliche Eloge: "Item sancti Odilonis abbatis, qui quinquaginta quinque annos praefuit ecclesiae cluniacensi, viri virtutibus praeclari, cuius nutibus aqua in vinum versa est. qui floruit tempore sancti Heinrici imperatoris". Daß in einem nichtcluniacensischen Kloster der Begriff ecclesia Cluniacensis im richtigen, d.h. in Cluny gebräuchlichen Sinne verwendet wird, deutet auf sehr enge Kontakte zu Cluny.

17) Der Eintrag des Maiolus in das Martyrologium von St.Emmeram wurde mehrfach in der Forschung als vorhanden angenommen, doch beruht das wohl auf einer falschen Interpretation des bei Zimmermann, Das älteste Necrologium von St.Emmeram, S. 151 wiedergegebenen Eintrags aus dem Martyrologium des bei Regensburg gelegenen Klosters Prül.

Aus dieser Zusammenstellung geht klar hervor, daß für alle im
Martyrologium von Marcigny auffälligen deutschen Heiligen die
Mittlerrolle entweder bei Ulrich selbst oder in einer von ihm
mitgebrachten oder zumindest mit Regensburger Heiligennotizen
versehenen cluniacensischen Handschrift zu suchen ist, obwohl
nicht ganz ausgeschlossen werden kann, daß die Trierer und
Kölner Heiligen auch aufgrund anderer Ursachen in das Martyrologium von Marcigny gelangten[18]. Hier müßten weitere Untersuchungen liturgischer Handschriften erfolgen, müßte vor allem auch dem Abschluß von Verbrüderungsverträgen zwischen einzelnen Klöstern nachgegangen werden.

Die Einträge der cluniacensischen Äbte in St.Emmeram und Weltenburg und das massierte Auftreten cluniacensischer Heiliger
in der Niederaltaicher Handschrift deuten darauf hin, daß die
Kontakte zwischen Cluny und den bayerischen Klöstern sich ab
der Mitte des 11. Jahrhunderts zu entwickeln begannen; möglicherweise hat Abt Hugo auf seiner Reise nach Deutschland, die
er im Jahr 1048 noch als Prior unternahm[19], und deren einzelne
Stationen es noch zu erforschen gilt, die Grundlagen dazu ge-
legt. Ganz sicher werden aber die guten Beziehungen zwischen
Cluny und dem sächsischen Herrscherhaus seit der Zeit Odilos
und Heinrichs II., besonders aber die Beziehungen zwischen
Hugo und dem Salier Heinrich III., zu diesen Kontakten beige-
tragen haben.

Der exemplarische Vergleich dieser Quellen macht zugleich
deutlich, daß Clunys Einfluß nicht vor den Reichsgrenzen halt-
machte, ja daß er sogar bis in die Zentren der gorzisch-trieri-
schen Reform vorstieß, und das nicht erst durch die Mittlerrolle
Hirsaus, sondern bereits zu einem wesentlich früheren Zeitpunkt.

---

18) Hier ist an die Tätigkeit der Mönche Andreas und Albert aus
Trier als Schreiber in Cluny zu erinnern (BC Sp. 1645), Albert ist mehrfach als Schreiber in den Urkunden von Cluny
nachgewiesen (BERNARD-BRUEL V Nr. 3862,3869,3872,3873,3874).

19) Vita sanctissimi patris Hugonis ab Hildeberto Cenomanensis,
BC Sp. 416 und Gilo, Vita sancti Hugonis abbatis cap. IV,
hg. von H.E.J. COWDREY, Two Studies in Cluniac History 1049-
1126, in: Studi Gregoriani 11, 1978, S. 51 f.

REGISTER DER HEILIGEN UND PERSONEN

In das Register wurden nur die Namen der Heiligen aufgenommen,
die in der Synopse wiederkehren. Die Namen der Heiligen stehen im
Genitiv mit Angabe des Datums ihres Festtages, zusätzliche Seiten-
angaben verweisen auf den Text. Zur Unterscheidung von den Heiligen stehen die Personen im Nominativ.

Folgende Abkürzungen wurden verwendet:

abb.	abbas	m.	martyr
aep.	archiepiscopus	mon.	monachus / -a
ap.	apostolus	pb.	presbyter
cf.	confessor	pp.	papa
ep.	episcopus	et soc.	et socii eius
ev.	evangelista	v.	virginis

Abdon et Sennen m. 30.7.;
S. 258.272

Adonis ep. Viennen. 16.12.;
S. 18.31.115

Adriani m. 7.9./8.9.; S. 259

Aegidii abb. 1.9.; S. 26.128.
146.259.279

Afrae v. 5.8./7.8.

Agano ep. Augustodunen. S.146

Agathae v. 5.2.;S. 26.256.272

Agapiti m. 18.8.; S. 259

Agnetis v. 21.1./ 28.1.;
S. 26.255

Albani m. 22.6.

Albertus mon. S. 269.280

Alexander III. pp. S. 136

Alexandri, Eventii et Theodoli m.
3.5.; S. 26.256

Alexii cf. 16.7./17.7.

Algerus mon. S. 269

Alpiniani pb. 27.4.

Amandi mon. 25.6.

Amandi et Vedasti ep. 1.10.

Amarini m. 25.1.; S. 122.139

Amatoris ep. Autisiodoren. 30.4.;
S. 171

Ambrosii ep. Mediolanen. 4.4.;
S. 126.256

Anastasiae v. 25.12.

Andochii, Tyrsi et Felicis m.
24.9.; S. 260

Andreae ap. 30.11.; S. 261

Andreas mon. S. 269.280

Androchii m. 6.8.

Aniani ep. Aurelianen. 17.11.;
S. 261

Annae matris Mariae 26.7.

Annae v. 29.10.

Ansberti abb. 30.9.

Ansberti aep. Rothomagen. 9.2.

Ansgerus abb. S. 172

Antonii abb. 18.1.

Antonini m. 2.9.

Apollinaris ep. Ravennaten.
23.7.; S. 258

Apollinaris ep. Bituricen. 5.10.

Apolloniae v. 11.2.

Aquilini ep. Ebroicen. 19.10.;
S. 131.147.260

Aredii abb. 25.8.

Arnulfi ep. Meten. 16.7./18.7./
19.7.

Athanasii ep. Alexandrini 2.5.;
S. 26.256

Augustini ep. 28.8.; S. 259.271

Augustini ep. Cantuarien. 26.5.

Austregisili aep. Bituricen.
20.5.

Austremonii ep. Claromonten.
1.11./4.11./7.11./8.11.;
S. 134.147.152.261

Austricliniani pb. 15.10.;
translatio 27.11.

Avitus ep. Claromonten. S. 134

Aymardus abb. clun. S. 143

Babolini abb. 10.7.

Balthildis reginae 30.1.

Barnabae ap. 11.6./12.6.; S.257

Bartholomaei ap. 24.8.; S. 259

Basilidis, Cyrini et Naboris m.
12.6.; S. 257

Basilii ep. 14.6.; S.256.271

Benedicti abb. Casinen. 21.3.;
S. 25.28.121.123.256; translatio 11.7.; S. 258; tumula-
tio 4.12.

Benedictus abb. Anianen. S.213.
253

Bernard de Sedirac aep. Tolo-
sanus S. 132

Bernardus abb. Clarevallen.
S. 136

Berno abb. clun. S. 133.143.145.
213.253.271

Blasii ep. Sebasten. 3.2./15.2.;
S. 29.117.122.145.152.256.272.
278

Botulfi abb. 17.6.

Brictii ep. Turonen. 13.11.;
S. 261

Caeciliae v. 22.11.; S. 261

Caesarii ep. Arelaten. 27.8.;
S. 259

Calixti I. pp. 14.10.; S. 260

Calixtus II. pp. S. 123.127.144

Caprasii m. 20.10.

Cassiani ep. Benevent. 12.8.

Catharinae v. 25.11.

Celsi cf. 6.8.

Cessatoris ep. Lemovicen. 15.11.

Christinae v. 24.7.

Christophori m. 25.7.

Chrysogoni m. 24.11.; S. 261

Clari ep. 1.6.

Clementis I. pp. 23.11.; S. 261;
exceptio capitis 27.7.

Columbae v. 31.12.

Columbani abb. Bobbien. 21.11.;
S. 131.261

Consortiae v. 22.6.; S. 148.257.
272.279; translatio 13.3.

Cornelii et Cypriani m. 14.9.;
S. 259

Coronae v. 24.4.

Cosmae et Damiani m. 27.9.;
S. 260

Crispini et Crispiniani m.
25.10.; S. 260

Crucis exaltatio 14.9.; S. 259
inventio 3.5.; S. 23.25.
256

Cucufatis m. 25.7.

Cuthberti ep. Lindisfarnen. 20.3.

Cyriaci, Largi et Smaragdi m.
8.8.; S. 258

Cypriani m. 13.7.

Cyrici et Julittae m. 16.6.;
S. 257

Cyrillae v. 28.10./29.10.

Damasi pp. 11.12.

Dedicatio ecclesiae
Caritatis 9.3./10.3.(1107)

Cluniacensis 14.2.(981);S.256

" 25.10.(1095.1131)

Dionysii 16.12.(1078);S.166

Leonorii 13.10.; S.168

Lemovicensis, S.Salvatoris
13.10./18.11./31.12.;
Martialis 12.11.;
Michaelis 16.4.;
Petri 1.5./2.5.

Moissacensis, S.Petri 6.11.
Readingensis, 19.1.
S.Martini in Campis, S.Mar-
tini 11.6.;
Mariae 6.11.

Defunctorum commemoratio 2.11.

Desiderius abb. Casinen. S.269.
271

Desiderii ep. 17.6.

Desiderii ep. Cadurcen. 15.11.

Dionysii Areopagitae ep. 3.10.;
S.117
Dionysii, Rustici et Eleutherii
m. 9.10.; S.117.165.260.272;
inventio corporis 21.4./22.4.

Domini circumcisio 1.1.; S.23ff.
255; epiphania 6.1.; S.23.25.
255; transfiguratio 6.8.;
S. 127.149.169f.258

Donatiani et Rogatiani m. 24.5.;
S. 257

Dorothei et Gorgonii m. 9.9.;
S. 259.272

Dunstani aep. Cantuarien. 19.5.

Edmundi regis 20.11.

Eduardi regis 5.1./7.1.

Eduardi regis 18.3.

Eligii ep. Noviomagen. 1.12.;
translatio 25.6.

Elsendis monacha S. 10.13f.16.
21.117.119.141.145

Emmerami ep. Ratisbonen. 22.9.;
S. 130.139.278

Eparchi abb. 1.7.

Erhardi ep. Ratisbonen. 8.1.;
S. 276

Etheldredae v. 23.6.

Eucherii ep. Lugdunen. 16.11.;
S. 261

Eugenius IV. pp. S. 16

Eulaliae v. 10.12.; S. 261

Euphemiae v. 16.9.; S. 259

Eusebii ep. Vercellen. 1.8.

Eusebii pb. 14.8.; S. 259

Eustachii et soc. 2.11.; S.118f.
133.150.260.279

Eutropii ep. Santonen. 30.4.

Evurtii ep. Aurelianen. 7.9.;
S. 130.146.259

Exuperii ep. Tolosani 28.9.;
S. 260

Fabiani et Sebastiani m. 20.1.;
S. 255

Felicis pb. 14.1.; S. 26.255

Felicis m. 2.8.

Felicis II. pp. 29.7.; S. 258

Felicis et Adaucti m. 30.8.;
S. 259

Felicis, Fortunati et Achillei m. 23.4.; S. 256

Felicitatis m. 23.11.; S. 261

Fidis v. 6.10.; S. 260

Firmini ep. Ambianen. 25.9.;
S. 165

Florentiae v. 20.6.; S. 148.
257.272.279

Florentii abb. 22.9./23.9.

Florentii ep. Treveren. 17.10.

Flori ep. Loteven. 4.11./5.11.;
S. 11.134.147.152.261

Fridiswidae v. 19.10.

Frontonis ep. Petracoricen.
25.10.; inventio 30.4.

Fructuosi, Augurii et Eulogii m.
21.1.

Fulcherius mon. S. 268

Galli abb.20.2./16.10.; S.117.
131.139.278

Gangolphi cf. 13.5.; S. 125.
139.278

Gaubaldus ep. Ratisbonen. S.130

Gaudentii ep. Novarien. 22.1.;
S. 121.126.140; translatio
3.8.

Gaufredus ep. Autisiodoren.
S. 160.170

Gebhardus ep. s. Victor II.

Gebhardus III. ep. Ratisbon.
S. 278

Gemniae v. 23.8.

Genesii et Genesii m. 25.8.;
S. 259

Genofevae v. 3.1.

Genulphi ep. Bituricen. 17.1.;
translatio 20.6.

Georgii m. 23.4.; S. 256

Geraldi cf. Aureliacen. 13.10.;
S. 131.146.260

Gerhardus ep. Augustodunen.
S. 129

Germani ep. Autisiodoren. 31.7./
1.10.; S. 117.258.260.271.273

Germani ep. Parisien. 28.5.

Gervasii m. 6.7.

Gervasii et Protasii m. 19.6./
13.12.; S. 257

Gilo mon. S. 267.280

Godegrandi ep. Sagien. 3.9.

Gonsaldi cf. 5.11.

Gordiani et Epimachi m. 10.5.;
S. 257

Gregorii I. pp. 12.3.; S. 26.
256; exceptio reliquiarum
20.7.; S. 258; ordinatio 3.9.;
S. 129.140

Gregorii ep. Nazianzeni 9.5.

Gregorii ep. Turonen. 17.11.;
S. 135.144f.261

Guillelmus ep. Auscen. S.132.147

Guillelmus abb. S.Benigni Divion.
S. 127

Guillermus Hugonis S. 16

Heinricus II. imperatór S. 280

Heinricus III. imperator S. 276.
280

Hermetis m. 28.8.; S. 259

Hezelo mon. S. 269

Hieronymi pb. 30.9.; S. 260

Hilarii ep. Pictavien. 12.1./
13.1./14.1.; S. 26.28.255

Hilarionis abb. 21.10.

Hildebertus Cenomanensis S. 267.
280

Hippolyti et soc. 13.8.; S. 258

Honesti m. 16.1.

Honorati ep. Arelaten. 16.1.;
S. 165

Honorati ep. Ambianen. 16.5.

Hugonis I. abb. clun. 29.4.;
S. 21.122f.128.134.144.148.
171.254.256.266ff.269.271.
274.280; translatio 13.5.

Hugo V. abb. clun. S. 172

Hugo aep. Rothomagen. S. 172

Hugo I. Herzog von Burgund S.
129

Jacobi ap. 25.7.; S. 258

Ignatii ep. Antiocheni 1.2.;
S. 26.255

Innocentius II. pp. S. 124.126.
132

Innocentum m. 28.12.; S. 262

Johannes XV. pp. S. 125

Johannis bapt. 24.6.; S. 257;
decollatio 29.8.; S. 259;
conceptio 24.9.

Johannis ev. 27.12.; S. 262;
ante portam latinam 6.5.; S.
256

Johannis et Pauli m. 26.6.; S.
257

Johannis Chrysostomi ep. Con-
stantinopolit. 27.1.; S. 26.
255

Johannis patriarchae Alexandrini 12.11.; S. 134.139f.

Johannis pb. 28.1.; S. 26.255

Irenaei ep. Lugdunen. 27.6.;
S. 257

Juliae v. 10.12.

Juliani ep. Cenomanen. 27.1.

Juliani m. 28.8.; S. 259

Juniani m. 13.8.

Juniani cf. 16.10.; S. 131.147.
260

Justi ep. Lugdunen. 2.9.; S.259

Justi cf. 26.11.

Justi m. 18.10.

Justiniani cf. 16.7.

Juviniani m. 5.5.; S. 171

Laurentii m. 10.8.; S. 258.271f.

Lauteni abb. 1.11./2.11.; S. 133.
144. 260

Lazari ep. 17.12.; S. 129.140f.
145; exceptio reliquiarum 1.9.

Leo IX.pp. S. 133.276

Leodegarii ep. Augustodunen.
2.10.; S. 260

Leonardi abb. 6.11.

Leonardi cf. 15.10.

Leonis II. pp. 28.6.

Leonorii ep. 1.7./8.7.; S.168

Leotadii ep. Auscen. 23.10.;
S. 132.147.260

Liberatio S.Sepulchri 15.7.

Lini pp. 26.11.

Lucae ev. 18.10.; S. 260

Luciae v. 13.12.; S. 261

Luciae et Geminiani m. 16.9.;
S. 259

Luciani pb. 8.1.

Ludovici regis 25.8.

Ludovicus VII. rex S. 16

Lupi ep. Lemovicen. 22.5.

Lupi ep. Senonen. 1.9.

Macharii abb. 15.1.

Maglorii ep. Dolen. 24.10.

Magni cf. 6.9.; S. 129.140.278

Maioli abb. clun. 11.5.; S.23ff.
28.121.124.127.143f.257.271.
273.279

Marcelli pp. 16.1.; S. 25.255;
exceptio Marcelli 5.9.; S.259

Marcelli m. 4.9.; S. 259

Marcellini et Petri m. 2.6.;
S. 257

Marci ev. 25.4.; S. 256

Marci pp. 7.10.; S. 260

Marci et Marcelliani m. 18.6.;
S.257

Margaretae v. 13.7./19.7./20.7.;
S. 126.150.152

Mariae adnuntiatio 25.3.; S.23.
26.256
assumptio 15.8.; S. 117.259
conceptio 8.12.; S. 136.151.
261.279
nativitas 8.9.; S. 259
purificatio 2.2.; S. 23f.256

Mariae ad martyres 13.5.; S.253

Mariae Magdalenae 22.7.; S. 258

Mariae Salomae, inventio 25.5.

Marini m. 1.1./3.1./4.1.; S.255

Martialis ep. Lemovicen. 16.6./
30.6./3.7./7.7.; S. 258;
commemoratio 4.3.; translatio
10.10.; 12.11.; elevatio 18.11.

Martini m. 9.8.

Martini ep. Turonen. 11.11.;
S. 261.271.273; exceptio reliquiarum 18.4.; 13.12; ordinatio seu translatio 4.7.;
S. 258

Mathiae ap. 24.2.; S. 26.256

Matthaei ev. 21.9.; S. 260

Mauri abb. 15.1.; S. 26.28.121.
149.255.279

Maurini m. 26.11.

Mauritii et soc. 22.9.; S.260

Medardi ep. Noviomen. 8.6.;
S. 165.257

Mennae m. 10.11./11.11.; S.261

Michaelis archangeli(dedicatio)
29.9.; S. 260

Milburgae v. 23.2.; S. 160.171

Modwennae v. 5.7.

Montani m. 11.5.

Nazarii et Celsi m. 12.6./28.7.;
S. 126.150.257f.279

Nerei, Achillei et Pancratii m.
12.5.; S. 257

Nicasii ep. Remen. 14.12.

Nicolai ep. Myren. 6.12.; S. 11.
124.139.261; translatio 9.5.;
S. 119

Nicomedis m. 15.9.; S. 259; dedicatio ecclesiae 1.6.; S. 257

Odilonis abb. clun. 1.1./2.1.;
S. 23.26.121.130.133.143f.
169.255.271.273.279f.; revelatio 12.4.; exceptio capitis 19.4.

Odonis abb. clun. 18.11./19.11.;
S. 118.121.123.126.131.134.
136.144f.162.261.271

Oportunae v. 22.4.

Orientis ep. Auscen. 2.5.

Oswaldi regis 5.8.; S. 126.139.
278

Otmari abb. 16.11.; S. 135.139.
278

Otto II. imperator S. 124.269

Pantaleonis m. 28.7.; S. 258

Pardulfi abb. 6.10.

Paschalis II. pp. S. 170

Pauli ap. Conversio 25.1.; S.
25.255; Commemoratio 30.6.;
S. 257

Petri m. 28.4./29.4.

Petri ep. Alexandrini 25.11.;
S. 261

Petri ei Pauli ap. 29.6.; S.
257.271

Petri Cathedra 22.2.; S. 23.
25.256; ad vincula 1.8.; S.
258

Petroci cf. 4.6.

Petronii ep. Dien. 10.1.

Petrus Damiani S. 121

Petrus Venerabilis abb. clun.
S. 127.149.152.268

Philiberti abb. 20.8./23.8./
26.8.; S. 128.145.259.279

Philippi et Jacobi ap. 1.5.;
S. 23.26.256

Policarpi ep. Smyrnen. 26.1.;
S. 26.255

Pontii ep. 11.5.; S. 118.124.
139

Pontius abb. clun. S. 268

Potentianae v. 19.5.; S. 257

Praejecti ep. Claromonten.
25.1.; S. 122

Praxedis v. 21.7.; S. 258

Primi et Feliciani m. 9.6.;
S. 257

Priscae v. 18.1.; S.26.255

Processi et Martiniani m. 2.7.;
S. 258

Proti et Hyacinthi m. 11.9.;
S. 259

Psalmodii m. 16.12.

Quattuor Coronatorum 6.11./
8.11.; S. 261

Quintini m. 31.10./3.11./4.11.;
S. 165.261.272

Quiriaci ep. Jerosolymitani 4.5.

Radegundis reginae 13.8.; S.128.
150.152.279

Raimundus Pontius, Hzg. von
Aquitanien S, 118

Ramwoldus abb. S.Emmerami S.275

Remigii ep. Remen. 13.1./15.1.;
S.260; translatio 1.10.

Rencho mon. S. 274

Reveriani ep. Augustodunen. 1.6.;
S. 119.125.145.257

Richard I., Hzg. der Normandie
S. 127

Richardi regis 7.2.

Roberti abb. 24.4.

Rodulphus Glaber S. 124

Romani abb. 21.5.

Sabinae v. 29.8.; S. 259

Salvii ep. Albigen. 10.9.

Sanctorum omnium festivitas
1.11.; S. 260

Saturnini, Chrysanti et Dariae
m. 28.11./29.11./1.12; S.261

Savini cf. 11.7.

Scholasticae v. 10.2.; S. 26.
28.123.150.256

Sebastiani m. 20.1.; S. 26.
255.272

Seguinus mon. S. 268

Septem fratrum 10.7.; S. 258

Sergii et Bacchi m. 7.10.;
S. 260.272

Sergii et Quirini, exceptio
reliquiarum 7.6.

Severini ep. Colonen. 23.10.;
S.132.139.278

Siacrii ep. Augustodunen. 30.8.

Sichardus abb. Farfensis S.133

Silvani m. 16.10.

Silvestri pp. 31.12.; S. 262

Simon Camerarius abb. S. 173

Simeonis cf. 1.6.; S. 119.125.
140.276.278

Simonis et Judae ap. 28.10.;
S. 260

Simplicii pp. 2.3./3.3.

Simplicii, Faustini et Beatricis m. 29.7.; S. 258

Simplicius abb. Casinen. S.16

Sixti, Felicissimi et Agapiti m.
6.8.; S. 258

Speusippi, Elasippi et Melasippi m. 17.1.; S.26.255

Stephani I. pp. 2.8.; S.258

Stephani protom. 26.12.; S.262;
inventio reliquiarum 3.8.; S.
258

Stephan Langton aep. Cantuarien.
S. 136

Subo ep. Viennen. S. 149

Sulpicii ep. Bituricen. 17.1.

Svithuni ep. Wintonien. 2.7.

Taurini ep. Ebroicen. 11.8.;
S. 127.131.146.258

Teclae v. 23.9.

Theobaldus abb. Casinen. S.121

Theodardi ep. Narbonen. 1.5.

Theodorae v., translatio 20.5.

Theodori m. 9.11.; S. 261

Theodorici pb. 23.9.

Theophanu imperatrix S.124.269

Theuderii abb. 29.10.; S.148f.
260.279

Thomae ap. 21.12.; S. 261

Thomae aep. Cantuarien. 29.12.;
S. 136.151.172.262.279;
translatio 7.7.
exceptio reliquiarum 10.10.

Tiburtii m. 11.8.; S. 258

Tiburtii, Valeriani et Maximi m.
14.4.; S. 256

Tillonis mon. 7.1.; translatio
19.4.

Timothaei et Symphoriani m.
21.8./22.8./23.8.; S. 259

Udalrici ep. Augustani 4.7.;
S. 125.139.278; translatio
6.4.1187

Udalrici prioris Cellen. 10.7.;
S. 141.274.278.280

Ulphini ep. Dien. 20.3.

Undecim milium virginum 21.10.;
S. 132.150.152.278

Urbani I. pp. 25.5.; S. 257

Urbanus II. pp. S.11.124.128.
134

Ursulae v. 21.10.; S. 132

Valentini pb. 14.2.; S.26.256

Valentini et Hilarii m. 3.11.;
S. 119.133.151.260

Valeriae v. 10.12.

Valeriani m. 15.9.; S. 128.259

Valerici m. 10.1.

Vedasti et Amandi ep. 6.2./26.
10.; S. 165

Venzeslai regis 28.9.; S. 130.
140.278

Victor II. pp. S. 123

Victoris et Alexandri m. 21.7.;
S. 258

Victoris et Coronae m. 14.5.;
S. 256

Victoris et Ursi m. 30.9.; S.
260

Vincentii m. 14.1./22.1.; S.26.
255.271

Vitalis m. 27.4./28.4.; S. 256

Vitalis et Agricolae m. 27.11.;
S. 261

Walpurgis v. 25.2.; translatio
1.5.; S. 123.139.278

Warmundus ep. Viennen. S.115.149

Wilhelmus s. Guillelmus

Wolfgangi ep. Ratisbonen. 31.10.;
S. 130.133.140.275f.278;
elevatio 7.10.

Ymerii (Himerii) cf. 12.11.;
S. 135.140

LITERATURVERZEICHNIS

A. Ungedruckte Quellen

AUGSBURG, Universitätsbibliothek, ehemals Schloß HARBURG,
Fürstlich Oettingen-Wallersteinsche Bibliothek und Kunstsammlung: Cod. I, 2, 2°, 8

DIJON, Bibliothèque municipale: ms. 634

JENA, Universitätsbibliothek: ms. Bos. q. 1

LONDON, British Library: fonds Harleian ms. 2893
                                    fonds Harleian ms. 2895
                                    Cotton. Add. ms. 29 436

LE MANS, Bibliothèque municipale: ms. 23

MÜNCHEN, Bayerisches Hauptstaatsarchiv: Klosterliteralien
                                            Weltenburg Nr. 8

MÜNCHEN, Bayerische Staatsbibliothek: Clm. lat. 14 868

OXFORD, Bodleian Library: ms. d'Orville 45

PARIS, Bibliothèque de l'Arsenal: ms. 162
                                                ms. 228

PARIS, Bibliothèque Nationale: ms. lat.   822
                                        ms. lat.   5243
                                        ms. lat.   5245
                                        ms. lat.   5257
                                        ms. lat.   5548
                                        ms. lat.   10 938
                                        ms. lat.   12 601
                                        ms. lat.   13 371
                                        ms. lat.   17 742
                                        ms. lat.   18 362
                             ms. nouv. acq. lat.   348
                             ms. nouv. acq. lat.   2246
                             ms. nouv. acq. lat.   2390
                          Collection Baluze ms.   257

B. Quelleneditionen

Consuetudines

Cons.Ant.C. = Consuetudines cluniacenses antiqiores C, in:
Bruno ALBERS, Consuetudines monasticae Bd. 2, Monte
Cassino 1905, S. 31-61

Cons. Bern. = Ordo Cluniacensis per Bernardum saeculi XI.
scriptorem, in: Marquard HERRGOTT, Vetus disciplina
monastica, Paris 1726, S. 133-364

Cons. Farfa = Consuetudines Farfenses, in: Bruno ALBERS,
Consuetudines monasticae Bd. 1, Stuttgart-Wien 1900;
künftig: Liber tramitis aevi Odilonis abbatis, ed.
Petrus DINTER (Corpus Consuetudinum Monasticarum Bd. 10,
Siegburg 1980)

Cons. Udal. = Udalrici Consuetudines cluniacenses, in:
Luc D'ACHÉRY, Spicilegium sive collectio veterum aliquot
scriptorum Bd. 1, Paris 1723, S. 639-703; Nachdruck:
Migne PL 149, Sp. 635-778

Statuta Petri Venerabilis abbatis cluniacensis IX (1146/7),
ed. Giles CONSTABLE (Corpus Consuetudinum Monasticarum Bd. 6, Siegburg 1975, S. 19-106)

Martyrologia

Commentarius perpetuus in Martyrologium Hieronymianum, ed.
Henri QUENTIN, in: Acta Sanctorum Novembris II,2, Brüssel
1931

Martyrologium Adonis archiepiscopi Viennensis, ab Heriberto
ROSWEYDO S.J. theologo iam pridem ad Ms. exemplaria recensitum, nunc ope codicum Bibliothecae Vaticanae recognitum et adnotationibus illustratum opera et studio Dominici GEORGII, Rom 1745; Nachdruck: Migne PL 123, Sp. 201-
420

Martyrologium Pharphense ex apographo Cardinalis Fortunati
TAMBURINI O.S.B. codicis saeculi XI, ed. Ildefons SCHUSTER,
in: Revue Bénédictine 26, 1909, S. 433-463; 27, 1910, S.
363-385

Beati Rabani Mauri Fuldensis abbatis et Moguntini archiepiscopi
martyrologium, Migne PL 110, Sp. 1121-1188;
künftig: Rabani Mauri Martyrologium, ed. John Mc CULLOH,
Corpus Christianorum: Continuatio mediaevalis 44, Turnholti 1979, S. 1-161

Martyrologium Romanum ad novam kalendarii rationem et ecclesi-
asticae historiae veritatem restitutum, ed. Caesar BARO-
nius, Rom 1586.

MR = Martyrologium Romanum ad formam editionis typicae scholiis
historicis instructum, ed. Hippolyt DELEHAYE, in: Propylaeum ad Acta Sanctorum Decembris, Brüssel 1940

Vetus Romanum Martyrologium hactenus a Cardinale Baronio desideratum et Adonis Viennensis Archiepiscopi Martyrologium
ad Mss. exemplaria recensitum, ed. Heribert ROSWEYDE, Antwerpen 1613; Nachdruck: Migne PL 123, Sp. 143-178

Martyrologium Wandalberti Prumiensis, ed. Ernst DÜMMLER, in:
MGH Poetae latini aevi Carolini, Bd. 2, Berlin 1884,
S. 578-603

Joseph DEPOIN, Manuscrits funèbres de Saint-Léonor-de-Beaumont.
Obituaire et martyrologe, in: Mémoire de la Société histo-
rique et archéologique de l'arrondissement de Pontoise et
du Vexin 35, 1918, S. 1-60

Jacques DUBOIS, Le martyrologe d'Usuard. Texte et commentaire,
Brüssel 1965 (Subsidia Hagiographica 40)

Jacques DUBOIS et Geneviève RENAUD, Édition pratique des martyrologes de Bede, de l'anonyme Lyonnais et de Florus,
Paris 1976 (Bibliographies, Colloques, Travaux préparatoires de C.N.R.S.)

Sonstige Quelleneditionen

Acta SS. O.S.B. = Acta Sanctorum ordinis S.Benedicti in saeculorum classes distributa, ed. Johannes MABILLON, 9 Bde., Paris 1668-1701

Act. SS. = Acta Sanctorum quotquot toto orbe coluntur, ed. Johannes BOLLANDUS, Antwerpen 1643-1762, Brüssel 1765ff.

Annales et notae S.Emmerammi Ratisbonenses et Weltenburgenses, ed. Philippus JAFFÉ, in: MGH SS XVII, S. 571-576

Annales Ordinis Sancti Benedicti, saec. IV, ed. Johannes MABILLON, Paris 1707

Benedicti Regula, ed. Rudolf HANSLIK, Wien ^{2}1977 (Corpus scriptorum ecclesiasticorum latinorum 75)

BC = Bibliotheca Cluniacensis, ed. Martinus MARRIER et Andreas QUERCETANUS, Paris 1614; Nachdruck: Mâcon 1915

BERNARD-BRUEL = Recueil des Chartes de l'Abbaye de Cluny, ed. Auguste BERNARD et Alexandre BRUEL, 6 Bde., Paris 1876-1903 (Collection de documents inédits sur l'histoire de France, sér. I, histoire politique)

Cartulaire du Prieuré de Saint-Flour, ed. Marcellin BOUDET, Monaco 1910 (Collection de documents historiques publiés per ordre de S.A.S. le Prince Albert Ier)

Chronica magistri Rogeri de Hovedene, ed. William STUBBS, London 1871 (Rerum Britannicarum medii aevi scriptores Bd. 4)

Chronicon Casinense continuatio libri III, IV auctore Petro diacono, Migne PL 173 Sp. 763-978

Jean DESHUSSES, Le sacramentaire grégorien, ses principales formes d'après les plus anciens mauscrits, Freiburg/Schweiz 1971 (Spicilegium Friburgense 16)

Gilo, Vita sancti Hugonis abbatis, ed. H.E.J. COWDREY, Two studies in cluniac history 1049-1126, in: Studi Gregoriani 11, 1978, S. 41-109

Lucas HOLSTENIUS, Codex regularum monasticarum et canonicarum,
    Bd. 1, Augsburg 1759

Liber Sacramentorum Romanae Aecclesiae ordinis anni circuli
    (Cod.Vat.Reg.lat. 316 / Paris Bibl. Nat. lat. 7193, 41/56)
    (Sacramentarium Gelasianum), ed. Leo Cunibert MOHLBERG,
    Rom 1960 (Rerum ecclesiasticarum documenta, ser. maior,
    Fontes IV)

Memoriale Qualiter (saec. VIII. fin. et saec. X.), ed. Claude
    MORGAND (Corpus Consuetudinum Monasticarum, Bd. 1, Sieg-
    burg 1963, S. 177-282)

Monasticon Anglicanum, ed. Roger DODSWORTH and William DUGDALE,
    2 Bde., London 1655-1661

MGH = Monumenta Germaniae Historica, Necrologia Bd. 4, ed.
    Maximilian FASTLINGER, Berlin 1920

Recueil des Historiens des Gaules et de la France, ed. M.J.J.
    BRIAL, Bd.14, Paris 1877

Jean RICHARD, Le cartulaire de Marcigny-sur-Loire (1045-1144).
    Essai de reconstitution d'un manuscrit disparu, Dijon 1957
    (Analecta Burgundica)

Gustav SCHNÜRER, Das Necrologium des Cluniacenser-Priorates
    Münchenwiler (Villars-les-Moines), Freiburg/Schweiz 1909
    (Collectanea Friburgensia NF 10)

Synodi secundae Aquisgranensis decreta authentica, ed. Josef
    SEMMLER (Corpus Consuetudinum Monasticarum, Bd. 1, Sieg-
    burg 1963, S. 473-481)

Vita posterior S.Udalrici prioris Cellensis, ed. Roger WILMANS,
    MGH SS XII, S. 253-267

Vita prior S.Udalrici Cellensis, ed. Roger WILMANS, MGH SS XII,
    S. 251-253

C. Sekundärliteratur

Hans ACHELIS, Die Martyrologien, ihre Geschichte und ihr Wert
(Abhandlungen der kgl. Gesellschaft der Wissenschaften zu
Göttingen, philol.-hist. Kl. NF 3,3, 1900)

René AIGRAIN, L'hagiographie, ses sources, ses méthodes, son
histoire, Paris 1953

Louis d'ALAUZIER, Un martyrologe et un obituaire de Moissac,
in: Bulletin de la Société archéologique de Tarn-et-Garonne, 1959, S. 8-14

Bruno ALBERS, Untersuchungen zu den ältesten Mönchsgewohnheiten,
München 1905 (Veröffentlichungen aus dem kirchenhistorischen Seminar München, II. Reihe, Nr. 8)

Atlas zur Kirchengeschichte, hg. von Hubert JEDIN, K.S. LATOU-
RETTE, J. MARTIN, Freiburg/Basel/Wien 1970

Johanne AUTENRIETH, Der Codex Sangallensis 915. Ein Beitrag
zur Erforschung der Kapiteloffiziumsbücher, in: Landes-
geschichte und Geistesgeschichte. Festschrift für Otto
Herding zum 65. Geburtstag. Hg. von Kaspar ELM, Eberhard
GÖNNER und Eugen HILLENBRAND, Stuttgart 1977, S. 42-55
(Veröffentlichungen der Kommission für geschichtliche
Landeskunde in Baden-Württemberg, Reihe B, 92)

Frank BARLOW, The Canonisation and the Early Lives of Hugh I,
Abbot of Cluny, in: Analecta Bollandiana 98, 1980, S. 297-
334

Médard BARTH, Handbuch der elsässischen Kirchen im Mittelalter,
Straßburg 1960-1963 (Société d'histoire de l'église d'Alsace, études générales N.S. 4)

Armand BÉNET, Le trésor de l'abbaye de Cluny, Inventaire de
1382, in: Revue de l'Art chrétien 1888, S. 195-205

BHL = Bibliotheca Hagiographica latina antiquae et mediae ae-
tatis, ed. Socii Bollandiani, 2 Bde., Brüssel 1898-1901,
Nachdruck: Brüssel 1949; Supplement-Bd. 1911 (Subsidia
Hagiographica 6.12)

Bibl. SS. = Bibliotheca Sanctorum, ed. Institutum Giovanni
XXIII nella Pontificia Universita Lateranense, 13 Bde.,
Rom 1961-1970

Bernhard BISCHOFF, Literarisches und künstlerisches Leben in
St.Emmeram, in: ders., Mittelalterliche Studien, Bd. 2,
Stuttgart 1967, S. 77-115

Charles Julian BISHKO, Liturgical intercession at Cluny for
the King-Emperors of Leon, in: Studia monastica 3, 1961,
S. 53-76

Edmund BISHOP, Liturgica historica, Oxford 1918, Nachdruck:
1962

Cyriakus Heinrich BRAKEL, Die vom Reformpapsttum geförderten
Heiligenkulte, in: Studi Gregoriani 9, 1972, S. 239-311

Gérard CAMES, Recherches sur l'enluminure romane de Cluny. Le
lectionnaire Paris B.N. nouv. acq. lat. 2246, in: Cahiers
de Civilisation médiévale 7, 1964, S. 145-159
✳ s.u.
Joseph M.B. CLAUSS, Die Heiligen des Elsass in ihrem Leben,
ihrer Verehrung und ihrer Darstellung in der Kunst,
Düsseldorf 1935 (Forschungen zur Volkskunde, hg. von
Georg SCHREIBER, Heft 18/19)

Maurice COENS, Un document inédit sur le culte de S.Symeon,
moine d'Orient et reclus à Trèves, in: Analecta Bollandiana 68, 1950, S. 181-196

Claude COURTÉPÉE, Voyages en Bourgogne 1776-1777, Autun 1895

H.E.J. COWDREY, Two Studies in Cluniac History 1049-1126, in:
Studi Gregoriani 11, 1978, S. 5-298

François CUCHERAT, Cluny au onzième siècle. Son influence re-
ligieuse, intellectuelle et politique, Autun ^{4}1885

Le culte et les reliques de Saint Benoît et de Sainte Scholastique (Studia monastica 21, 1979)

Yves DELAPORTE, L'office Fécampois de Saint Taurin, in: L'abbaye bénédictine de Fécamp, ouvrage scientifique du XIIIe
centenaire 658-1958, Fécamp 1959, Bd. 2, S. 171-189

Hippolyth DELEHAYE, Le témoignage des martyrologes, in: Analecta Bollandiana 26, 1907, S. 78-99

Léopold DELISLE, Inventaire des manuscrits de la Bibliothèque Nationale, Fonds de Cluni, Paris 1884

Jean DESHUSSES, Le "supplément au sacramentaire grégorien, Alcuin ou saint Benoît d'Aniane", in: Archiv für Liturgiewissenschaft 9,1, 1965, S. 48-71

Hermann DIENER, Das Itinerar des Abtes Hugo von Cluny, in: Neue Forschungen über Cluny und die Cluniacenser, hg. von Gerd TELLENBACH, Freiburg 1959, S. 353-426

Hermann DIENER, Das Verhältnis Clunys zu den Bischöfen vor allem in der Zeit seines Abtes Hugo (1049-1109), in: Neue Forschungen über Cluny und die Cluniacenser, hg. von Gerd TELLENBACH, Freiburg 1959, S. 219-352

Peter DINTER, Zur Sprache der Cluniazenser Consuetudines des 11. Jahrhunderts, in: Consuetudines monasticae. Eine Festgabe für Kassius Hallinger aus Anlaß seines 70. Geburtstages, hg. von Joachim ANGERER und Josef LENZENWEGER, Rom 1982, S. 175-183 (Studia Anselmiana 85)

Jacques DUBOIS, Les martyrologes du moyen âge latin, Turnholti 1978 (Typologie des sources du moyen âge occidental, Fasc. 26)

Jean DUFOUR, La bibliothèque et le scriptorium de Moissac, Genf/ Paris 1972 (V, Hautes études médiévales et modernes 15)

Johannes DUFT, Sankt Otmar in Kult und Kunst, St.Gallen 1966

Bonaventura EGGER, Geschichte der Cluniazenser-Klöster in der Westschweiz bis zum Auftreten der Cisterzienser, Freiburg/ Schweiz 1907 (Freiburger Historische Studien 3)

Raymond ÉTAIX, Le lectionnaire de l'office à Cluny, in: Recherches augustiniennes 11, 1976, S. 91-159

Joan EVANS, Cluniac art of the romanesque period, Cambridge 1950

Max FÖRSTER, Die Legende vom Trinubium der hl. Anna, in: Probleme der englischen Sprache und Kultur. Festschrift Johannes Hoops, Heidelberg 1925, S. 105-130 (Germanische Bibliothek, 2. Abteilung Bd. 20)

Robert FOLZ, Saint Oswald, roi de Northumbrie, in: Analecta Bollandiana 98, 1980, S. 49-74

Raymonde FOREVILLE, La diffusion du culte de Thomas Becket dans la France de l'Ouest avant la fin du XIIe siècle, in: Cahiers de Civilisation médiévale 19, 1976, S. 347-369

Baudouin de GAIFFIER, De l'usage et de la lecture du martyrologe. Témoignages antérieurs au XIe siècle, in: Analecta Bollandiana 79, 1961, S. 40-59
** s.u.

Monique-Cécile GARAND, Le missel clunisien de Nogent-le-Rotrou, in: Hommages à André Boutémy, éd. Guy CAMBIER, Brüssel 1976, S. 129-151 (Collection Latomus 145)

Jules GAVA, Saint Amarin d'Alsace; vie, oeuvre et personnalité, culte liturgique, dévotion populaire, iconographie, homonymes, Colmar 1950

Wilhelm GIESEBRECHT, Geschichte der deutschen Kaiserzeit, Bd. 4, Leipzig 1877

Raoul GLABER, les cinq livres de ses histoires (900-1044), éd. Maurice PROU, Paris 1886 (Collection de textes pour servir à l'étude et à l'enseignement de l'histoire 1)

André GRABAR, Die romanische Malerei, Genf 1958

Réginald GRÉGOIRE, Homéliaires liturgiques médiévaux, Spoleto 1980 (Biblioteca degli "Studi medievali" 12)

Kassius HALLINGER, Klunys Bräuche zur Zeit Hugos des Großen (1049-1109), in: Zeitschrift der Savigny-Stiftung für Rechtsgeschichte 76, Kanonistische Abteilung 45, 1959, S. 99-140

Ernst HAUVILLER, Ulrich von Cluny. Ein biographischer Beitrag zur Geschichte der Cluniacenser im 11. Jahrhundert, Münster 1896 (Kirchengeschichtliche Studien 3,3)

John HENNIG, Kalender und Martyrologium als Literaturformen,
in: Archiv für Liturgiewissenschaft 7, 1961, S. 1-44

John HENNIG, Zur Stellung der Päpste in der martyrologischen
Tradition, in: Archivum Historiae Pontificiae 12, 1974,
S. 7-32

René-Jean HESBERT, Les témoins manuscrits de Saint Odilon, in:
A Cluny, Congrès scientifique. Fêtes et cérémonies liturgiques en l'honneur des saints Abbés Odon et Odilon 9-11
juillet 1949, Dijon 1950, S. 51-12Q

Maria HILLEBRANDT, Das Cluniacenserpriorat Berzé-la-Ville, phil.
Diss. Münster, in Vorbereitung

Stephan HILPISCH, Chorgebet und Frömmigkeit im Spätmittelalter,
in: Heilige Überlieferung, eine Festgabe ...[für] Ildefons
Herwegen, hg. von Odo CASEL, Münster 1938, S. 263-284

Hermann HOLZBAUER, Mittelalterliche Heiligenverehrung - Heilige
Walpurgis, Kevelaer 1972 (Eichstätter Studien NF 5)

Jacques HOURLIER, Le Bréviaire de Saint-Taurin. Un livre liturgique clunisien à l'usage de l'Échelle-Saint-Aurin (Paris
BN lat. 12 601), in: Études grégoriennes 3, 1959, S. 163-
173

Jacques HOURLIER, L'entrée de Moissac dans l'ordre de Cluny,
in: Moissac et l'Occident au XIe siècle. Actes du colloque international de Moissac 3-5 Mai 1963, Toulouse 1964,
S. 25-33

Jacques HOURLIER, Saint Odilon abbé de Cluny, Louvain 1964
(Bibliothèque de la Revue d'Histoire Ecclésiastique 40)

Jacques HOURLIER, Saint Odilon Bâtisseur, in: Revue Mabillon
51, 1961, S. 303-324

Nicolas HUYGHEBAERT, Simplicius "propagateur" de la régle bénédictine. Légende ou tradition? in: Revue d'Histoire
Ecclésiastique 73, 1978, S. 45-54

Hermann JAKOBS, Die Anfänge der Blasiusverehrung in Deutschland, in: St.Blasien, Festschrift aus Anlaß des 200 jäh-
rigen Bestehens der Kloster- und Pfarrkirche, hg. von
Heinrich HEIDEGGER und Hugo OTT, München 1983, S. 27-32

Hermann JAKOBS, Die Hirsauer. Ihre Ausbreitung und Rechts-
stellung im Zeitalter des Investiturstreites, Köln/Graz
1961 (Kölner Historische Abhandlungen, hg. von Theodor
SCHIEFFER, Bd. 4)

Michel JANTZEN et Colette DI MATTEO, La chapelle aux Moines
de Berzé-la-Ville, in: Les Monuments historiques de la
France, N.S. 114, 1981, S. 81-96

David KNOWLES, The Heads of religious houses, England and
Wales 940-1216, Cambridge 1972

Ph. LAUER, Les manuscrits de Saint-Arnoul de Crépy, in: Bibliothèque de l'École des Chartes 63, 1902, S. 481-516

Henri LECLERCQ, Artikel Martyrologe, in: Dictionnaire d'archéo-
logie chrétienne et de liturgie, éd. Fernand CABROL et
Henri LECLERCQ, Bd. X,2, Sp. 2523-2619

Jean LECLERCQ, Les méditations d'un moine de Moissac au XIe
siècle, in: Revue d'ascétique et de mystique 1964, S. 197-
210

Jean LECLERCQ, Pierre le Vénérable. Figures monastiques,
S.Wandrille 1946

Jean-Loup LEMAÎTRE, Le livre de chapître, in: Karl SCHMID und
Joachim WOLLASCH, Memoria. Der geschichtliche Zeugniswert
des liturgischen Gedenkens im Mittelalter (Münstersche
Mittelalter-Schriften 48) im Druck

Jean-Loup LEMAÎTRE, Répertoire des documents nécrologiques
français, 2 Bde., Paris 1980 (Recueil des Historiens de
la France, Obituaires 7)

Victor LEROQUAIS, Le Bréviaire-Missel du prieuré clunisien de
Lewes, Paris 1935

Victor LEROQUAIS, Les sacramentaires et les missels manuscrits des Bibliothèques publiques de France, 3 Bde., Paris 1924

Léonce LEX, Peintures murales de la chapelle du Château des Moines de Cluny à Berzé-la-Ville, in: Bulletin archéologique du Comité des travaux historiques et scientifiques 1893, Nachdruck: Mâcon 1961, S. 1-10

LCI = Lexikon der christlichen Ikonographie, begründet von Engelbert KIRSCHBAUM, hg. von Wolfgang BRAUNFELS, Bd. 5-8 Ikonographie der Heiligen, Rom/Freiburg/Basel/Wien 1973-1976

Albert L'HUILLIER, Vie de Saint Hugues abbé de Cluny 1024-1109, Solesmes/Paris 1888

Falconer MADAN, A summary Catalogue of Western Manuscripts in the Bodleian Library at Oxford, Bd. 4, Oxford 1897

Hans-Erich MAGER, Studien über das Verhältnis der Cluniacenser zum Eigenkirchenwesen, in: Neue Forschungen über Cluny und die Cluniacenser, hg. von Gerd TELLENBACH, Freiburg 1959, S. 167-217

Emile MAGNIEN, Les peintures murales clunisiennes de Berzé-la-Ville, Extrait du Bulletin du Centre international d'études romanes, Fasc. II,III, Mâcon 1966

Illuminated Manuscripts exhibited in the Grenville Library London, by the Trustees of the British Museum, London 1967

H. MARTIN, Catalogue des manuscrits de la Bibliothèque de l'Arsenal, Bd. 1, Paris 1885

Colette DI MATTEO, Les peintures murales, in: Les Monuments historiques de la France, N.S. 114, 1981, S. 84-96

Joachim MEHNE, Cluniacenserbischöfe, in: Frühmittelalterliche Studien 11, 1977, S. 241-287

Joachim MEHNE, Eine Totenliste aus Saint-Martin-des-Champs, in: Frühmittelalterliche Studien 10, 1976, S. 212-247

Fernand MERCIER, Berzé-la-Ville. La chapelle du Château des
"Moines", in: Congrès archéologique de France, XCVIII
session à Lyon et Mâcon 1935, Paris 1936, S. 485-502

Fernand MERCIER, Les primitifs français. La peinture clunysienne en Bourgogne à l'époque romane. Son histoire et
sa technique, Paris 1931

Wilhelm MESSERER, Zu byzantinischen Fragen in der ottonischen
Kunst, in: Byzantinische Zeitschrift 52, 1959, S. 32-60

Auguste MOLINIER, Les obituaires français au moyen âge, Paris
1890

Axel MÜSSIGBROD, Die Abtei Moissac (1050-1150). Zu einem Zentrum cluniacensischen Mönchtums in Südwestfrankreich,
phil. Diss. Münster, in Vorbereitung

Emmanuel MUNDING, Die Kalendarien von St.Gallen aus 21 Handschriften, neuntes bis elftes Jahrhundert, 2 Bde., Beuron
1948-1951 (Texte und Arbeiten hg. durch die Erzabtei Beuron, I.Abteilung, Heft 36/37)

Friedrich Wilhelm OEDIGER, Das älteste Totenbuch des Stiftes
Xanten, Kevelaer 1958 (Veröffentlichungen des Xantener
Dombauvereins 5)

Hugo OTT, Probleme um Ulrich von Cluny. Zugleich ein Beitrag
zur Gründungsgeschichte von St.Ulrich im Schwarzwald, in:
Festschrift für Professor Dr.Dr. Wolfgang Müller zum 65.
Geburtstag, Alemannisches Jahrbuch 1970, S. 9-29

Benedikt PARINGER, Das alte Weltenburger Martyrologium. Ein
Beitrag zur Frühgeschichte des Klosters Weltenburg, in:
Studien und Mitteilungen zur Geschichte des Benediktiner-
Ordens 52, 1934, S. 146-165

PL = Jacques-Paul MIGNE (Hrsg.), Patrologia cursus completus
series latina. Bd. 1-221, Paris 1841-1890, Supplement-
Bde. 1-5, Paris 1958-1974

J.-C. POULIN, L'idéal de sainteté dans l'Aquitaine carolin-
gienne d'après les sources hagiographiques <750-950>,
Quebec 1975

René POUPARDIN, Monuments de l'histoire des abbayes de S.Phi-
    libert, Paris 1905

Henri QUENTIN, Les martyrologes historiques du moyen âge,
    Paris 1908, Nachdruck: Aalen 1969

Regensburg und Böhmen, Festschrift zur Tausendjahrfeier des
    Regierungsantritts Bischof Wolfgangs von Regensburg und
    der Errichtung des Bistums Prag, hg. von Georg SCHWAIGER
    und Josef STABER, Regensburg 1972 (Beiträge zur Geschich-
    te des Bistums Regensburg 6)

JL = Regesta Pontificum Romanorum ab condita ecclesia ad annum
    post Christum natum MCXCVIII, ed. Philippus JAFFÉ, 2.Aufl.
    bearbeitet von G. WATTENBACH, S. LOEWENFELD, K. KALTEN-
    BRUNNER, P. EWALD, 2 Bde., Leipzig 1885-1888

E. RENOIR, <Lettre du> Christ tombée du ciel, in: Dictionnaire
    d'archéologie chrétienne et de liturgie, éd. Fernand CA-
    BROL et Henri LECLERCQ, Bd. III,1, Paris 1948, Sp. 1534-
    1546

Répertoire des documents nécrologiques français. Publié sous
    la direction de Pierre MAROT par Jean-Loup LEMAÎTRE,
    2 Bde., Paris 1980 (Recueil des Historiens dela France,
    Obituaires 7)

Henri ROCHAIS, Analyse critique de martyrologes manuscrits
    latins, Paris 1972 (Documentation Cistercienne 7,1)

Henri ROCHAIS, L'exemplar du Martyrologe Cistercien (Dijon
    114 (82)), Paris 1972 (Documentation Cistercienne 7,2)

Henri ROCHAIS, Le martyrologe de Saint-Ouen au XIIIe siècle
    (Paris BN lat. 15 025), in: Recherches Augustiniennes 11,
    1976, S. 215-284

Ernst SACKUR, Die Cluniacenser in ihrer kirchlichen und allge-
    meingeschichtlichen Wirksamkeit bis zur Mitte des elften
    Jahrhunderts, 2 Bde., Halle 1892-1894, Nachdruck: Darm-
    stadt 1965

Pierre SALMON, Les manuscrits liturgiques latins de la Bibliothèque Vaticane, Bd. 4, Rom 1971 (Studi e testi 267)

Meyer SCHAPIRO, The Parma Ildefonsus, a romanesque illuminated manuscript from Cluny and related works, [St.Louis] 1964 (Monographs on archaeology and fine arts 11)

Karl SCHMID und Joachim WOLLASCH, Memoria. Der geschichtliche Zeugniswert des liturgischen Gedenkens im Mittelalter (Münstersche Mittelalter-Schriften 48) im Druck

Philibert SCHMITZ, Histoire de l'ordre de Saint Bénoit, 7 Bde., Maredsous 1942-1956

Philibert SCHMITZ, La liturgie de Cluny, in: Spiritualità cluniacense, Convegni del centro di studi sulla spiritualità medievale II, 12-15 ottobre 1958, Todi 1960, S. 83-99

Hubert SCHRADE, Die romanische Malerei, Köln 1963

Georg SCHWAIGER, Der heilige Bischof Wolfgang von Regensburg (972-994), in: Regensburg und Böhmen, Festschrift... s.o. S. 39-60

Scriptoria medii aevi Helvetica. Denkmäler schweizerischer Schreibkunst des Mittelalters, Bd. XI, Die Schreibschulen der Diözese Lausanne, hg. von Albert BRUCKNER, Genf 1967

Josef STABER, Die Missionierung Böhmens durch die Bischöfe und das Domkloster von Regensburg im 10. Jahrhundert, in: Regensburg und Böhmen, Festschrift ... s.o. S. 29-37

Synopse der cluniacensischen Necrologien. Bestandteil des Quellenwerkes Societas et Fraternitas. Hg. von Joachim WOLLASCH unter Mitwirkung von Wolf-Dieter HEIM, Joachim MEHNE, Franz NEISKE, Dietrich POECK (Münstersche Mittelalter-Schriften 39,1/2) im Druck

Pierre TARTAT, Le culte de Saint Lazare à Avallon, in: XXVe Congrès de l'Association Bourguignonne des sociétés savantes, Tournus 18,19,20,21 juin 1954, Dijon 1959

Wolfgang TESKE, Laien, Laienmönche und Laienbrüder in der Abtei
    Cluny. Ein Beitrag zum "Konversen-Problem", in: Frühmittel-
    alterliche Sudien 10, 1976, S. 248-322; 11, 1977, S. 288-
    339

Ernst TOMEK, Studien zur Reform der deutschen Klöster im XI.
    Jahrhundert, Teil I: Die Frühreform, Wien 1910 (Studien
    und Mitteilungen aus dem Kirchengeschichtlichen Seminar
    der theol. Fakultät der k.k. Universität Wien 4)

Guy de VALOUS, Le monachisme clunisien des origines au XVe
    siècle, 2 Bde., Paris 1935, Nachdruck: Paris 1970

Jean VEZIN, Les manuscrits datés de l'ancien fonds latin de la
    Bibliothèque Nationale de Paris, in: Scriptorium 19, 1965,
    S. 83-89

Jean VEZIN, Un martyrologe copié à Cluny à la fin de l'abbatiat
    de S.Hugues, in: Hommages à André Boutémy, éd. Guy CAMBIER,
    Brüssel 1976, S. 404-412 (Collection Latomus 145)

Jean VIREY, Les églises romanes de l'ancien diocèse de Mâcon,
    Cluny et sa région, Mâcon 1934

Bernard de VREGILLE, Saint Lazare d'Autun ou la Madeleine de
    Vézelay, in: Annales de Bourgogne 21, 1949, S. 34-43

A.G. WATSON, Dated and datable medieval manuscripts in the
    Bodleian Library, in: Manuscripts at Oxford, an exhibition
    in memory of Richard William Hunt (1908-1979), ed. A.C. de
    la MARE and B.C. BARKER-BENFIELD, Oxford 1980, S. 137-139

Janine WETTSTEIN, La fresque romane. Italie-France-Espagne.
    Études comparatives, Paris/Genf 1971 (Bibliothèque de la
    société française d'archéologie 2)

André WILMART, Manuscrits liturgiques de Cluny, in: Dictionnaire
    d'archéologie chrétienne et de liturgie, éd. Fernand CA-
    BROL et Henri LECLERCQ, Bd. III,2, Sp. 2074-2092

André WILMART, Le Couvent et la Bibliothèque de Cluny vers le
    milieu du XIe siècle, in: Revue Mabillon 11, 1921, S.89-
    124

Joachim WOLLASCH, Zu den Anfängen liturgischen Gedenkens an
Personen und Personengruppen in den Bodenseeklöstern, in:
Kirche am Oberrhein. Festschrift für Wolfgang Müller, hg.
von Remigius BÄUMER, Karl Suso FRANK und Hugo OTT (Freiburger Diözesan-Archiv 100, 1980, S. 59-78)

Joachim WOLLASCH, Memoria. S. Karl SCHMID und Joachim WOLLASCH

Joachim WOLLASCH, Mönchtum des Mittelalters zwischen Kirche
und Welt, München 1973 (Münstersche Mittelalter-Schriften
7)

Joachim WOLLASCH, Muri und St.Blasien, in: Deutsches Archiv
für Erforschung des Mittelalters 17, 1961, S. 420-446

Joachim WOLLASCH, Les obituaires, témoins de la vie clunisienne, in: Cahiers de civilisation médiévale 22, 1979,
S. 139-171

Joachim WOLLASCH, Qu'a signifié Cluny pour l'abbaye de Moissac?
in: Moissac et l'occident au XIe siècle. Actes de colloque
international de Moissac, 3-5 Mai 1963, Toulouse 1964,
S. 13-24

Joachim WOLLASCH, Zur frühesten Schicht des cluniacensischen
Totengedächtnisses, in: Geschichtsschreibung und geistiges
Leben im Mittelalter. Festschrift für Heinz Löwe zum 65.
Geburtstag, hg. von Karl HAUCK und Hubert MORDEK, Köln/
Wien 1978, S. 247-280

Joachim WOLLASCH, Ein cluniacensisches Totenbuch aus der Zeit
Abt Hugos von Cluny, in: Frühmittelalterliche Studien 1,
1967, S. 406-443

Joachim WOLLASCH, Die Überlieferung cluniacensischen Totengedächtnisses, in: Frühmittelalterliche Studien 1, 1967,
S. 389-401

Matthias ZENDER, Räume und Schichten mittelalterlicher Heiligenverehrung in ihrer Bedeutung für die Volkskunde,
Düsseldorf 1959

Georg ZILLIKEN, Der Kölner Festkalender, in: Bonner Jahrbücher
119, 1910, S. 13-157

Alfons M. ZIMMERMANN, Das älteste Martyrologium und Nekrologium
von St.Emmeram in Regensburg, in: Studien und Mittelungen
zur Geschichte des Benediktinerordens 63, 1951, S. 140-154

* Cat. mss. dat. = Catalogue des manuscrits en écriture latine
portant des indications de date, de lieu ou de copiste,
par Charles SAMARAN et Robert MARICHAL, Bd. 1 ff. Paris
1959 ff.

** Monique-Cécile GARAND, Manuscrits monastiques et scriptoria
aux XIe et XIIe siècles, in: Codicologica 3, 1980, S.9-33
(Litterae textuales. A Series on Manuscripts and their
Texts).

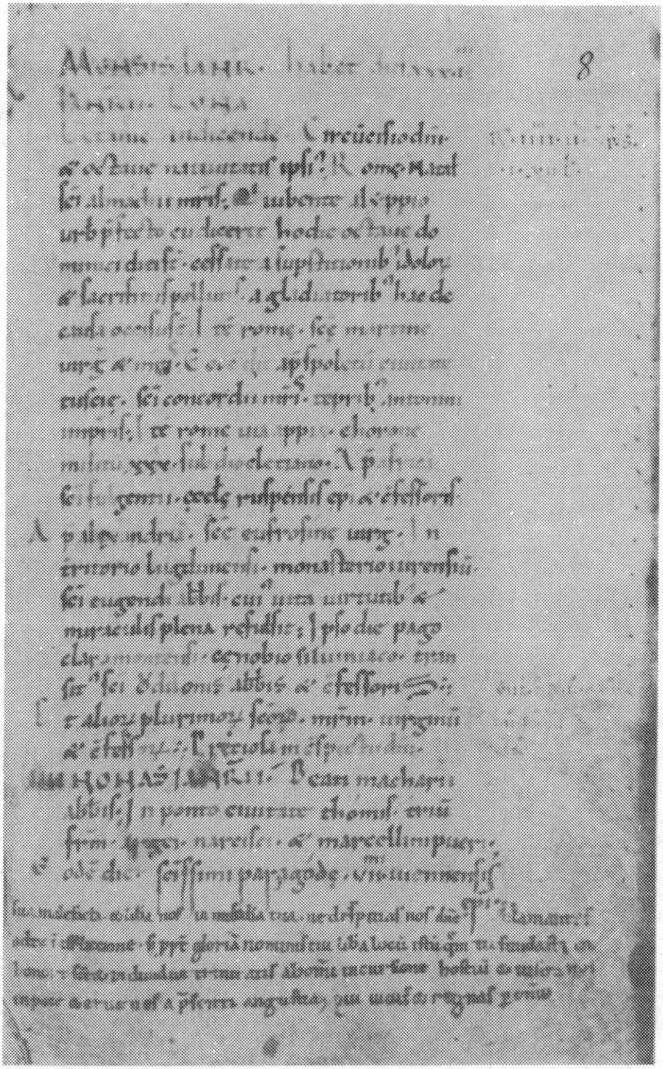

Abb. 1   8^r Beginn des Martyrologiums mit liturgischen
Rubriken zum 1. Januar

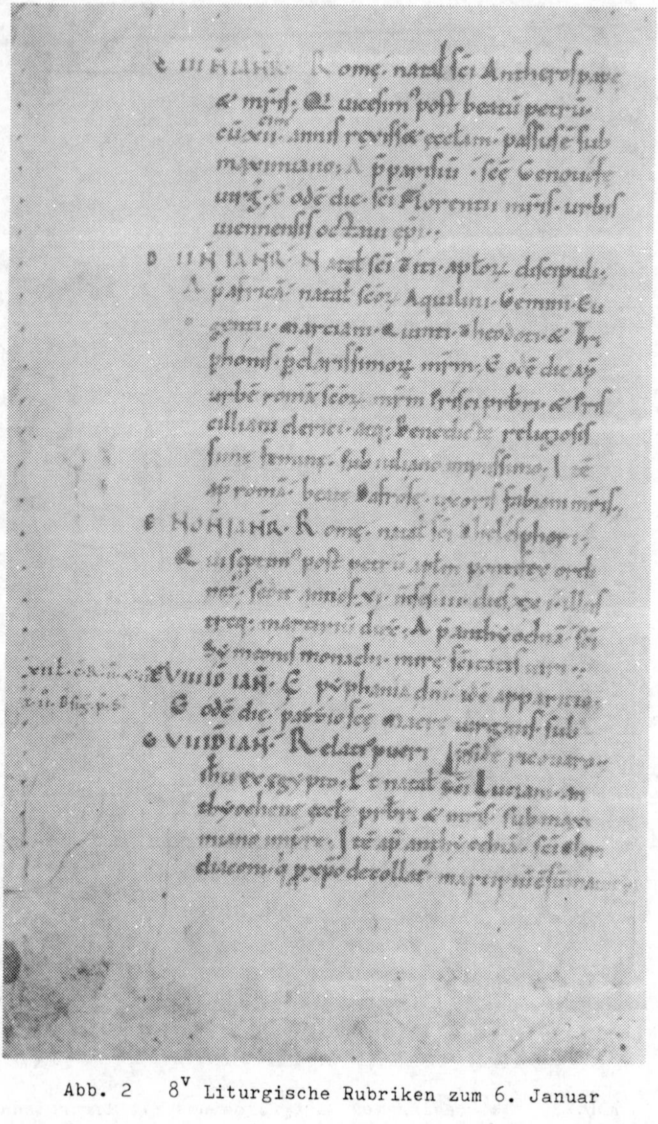

Abb. 2 8[v] Liturgische Rubriken zum 6. Januar

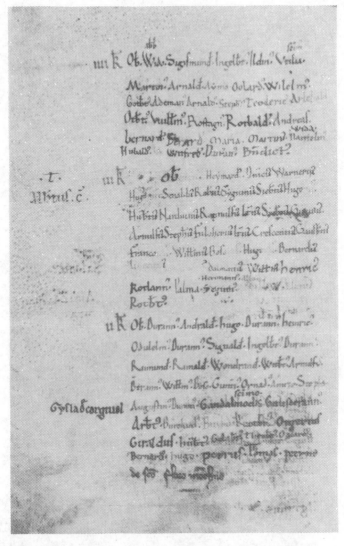

Abb. 3   105ᵛ Korrektur des Tageseintrages zum 29. April
im Necrologium, Tilgung des Hugo abbas - Eintrages

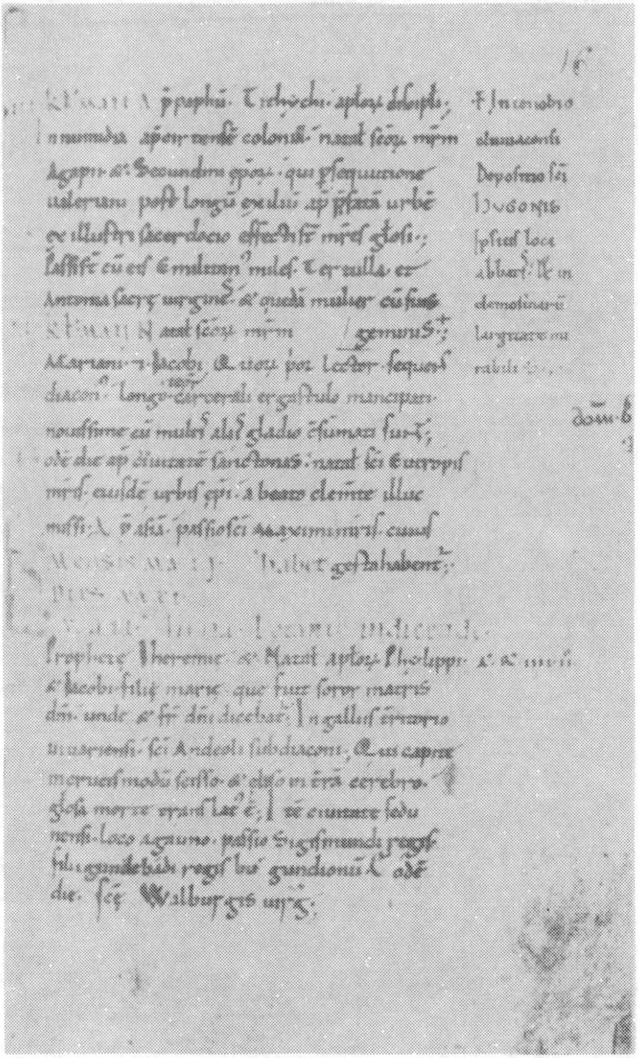

Abb. 4   16^r Nachtrag des Abtes Hugo am 29. April im
         Martyrologium

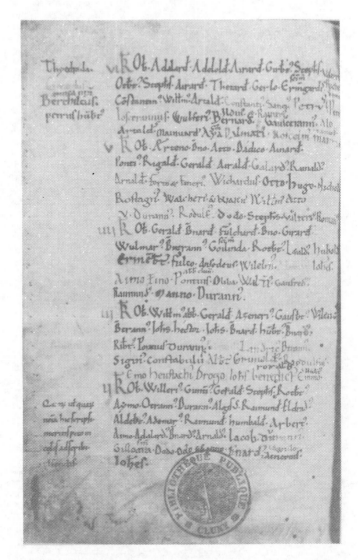

Abb. 5   134^V Schluß des Necrologiums mit dem Schreibervers der Elsendis